盛期之風貌

與

臥龍生作品　帶動武俠風潮

《飛燕驚龍》開一代武俠新風

《飛燕驚龍》(1958)爲臥龍生成名作，共48回，約120萬言。此書承《風塵俠隱》之餘烈，首倡「武林九大門派」及「江湖大一統」之說，更早於香港武俠巨匠金庸撰《笑傲江湖》(1967)所稱「千秋萬世，一統」達九年以上。流風所及，臺、港武俠作家無不效尤；而所謂「武林盟主」、「江湖霸業」等新提法，竟成爲社會大眾耳熟能詳的流行術語了。

《飛燕》一書可讀性高，格局甚大。主要是寫江湖群雄爲覬覦傳說中的武林奇書《歸元秘笈》而引起一連串的明爭暗鬥；再以一部假秘笈和萬年火龜爲餌，交插敘述武林九大門派（代表正派）彼此之間的爾虞我詐，以及天龍幫（代表反方）網羅天下奇人異士而與九大門派的對立衝突。其中崑崙派弟子楊夢寰偕師妹沈霞琳行道江湖，卻如夢似幻地成爲巾幗奇人朱若蘭、趙小蝶之絕世武功技驚天龍幫，而海天一叟李滄瀾復接連敗於沈霞琳、楊夢寰之手；致令其爭霸江湖之雄心盡泯，始化解了一場武林浩劫云。

在故事佈局上，本書以「懷璧其罪」（與真、假《歸元秘笈》有關）的楊夢寰屢遭險難，卻每獲武林紅妝垂青爲書膽(明)，又以金環二郎陶玉之嫉才害能，專與楊夢寰作對(暗)爲反派人物總代表。由是一明一暗交織成章，一波未平，一波又起，極盡波譎雲詭之能事。最後天龍幫冰消瓦解，陶玉帶著偷搶來的《歸元秘笈》跳下萬丈懸崖，生死不明，卻予人留下無窮想像空間。三年後，作者再續寫《風雨燕歸來》以交代陶玉重出江湖，爲惡世間，則力不從心，當屬狗尾續貂之作。

在人物塑造方面，臥龍生寫男主角楊夢寰中看不中用，固然乏善可陳，徹底失敗；但寫其他三名女主角如「天使的化身」沈霞琳聖潔無瑕，至情至性，處處惹人憐愛；「正義的女神」朱若蘭氣質高華，冷若冰霜，凜然不可犯；「無影女」李瑤紅則刁蠻任性，甘爲情死等等，均各擅勝場。乃至寫次要人物如「賓中之主」海天一叟李滄瀾之雄才大略，豪邁氣派；玉簫仙子之放蕩不羈，爲愛痴狂；以及八臂神翁聞公泰之老奸巨猾，天龍幫軍師王寒湘之冷傲自負等，亦多有可觀。

摘自 葉洪生、林保淳著《台灣武俠小說發展史》

台港武侠文

流行天

臥龍

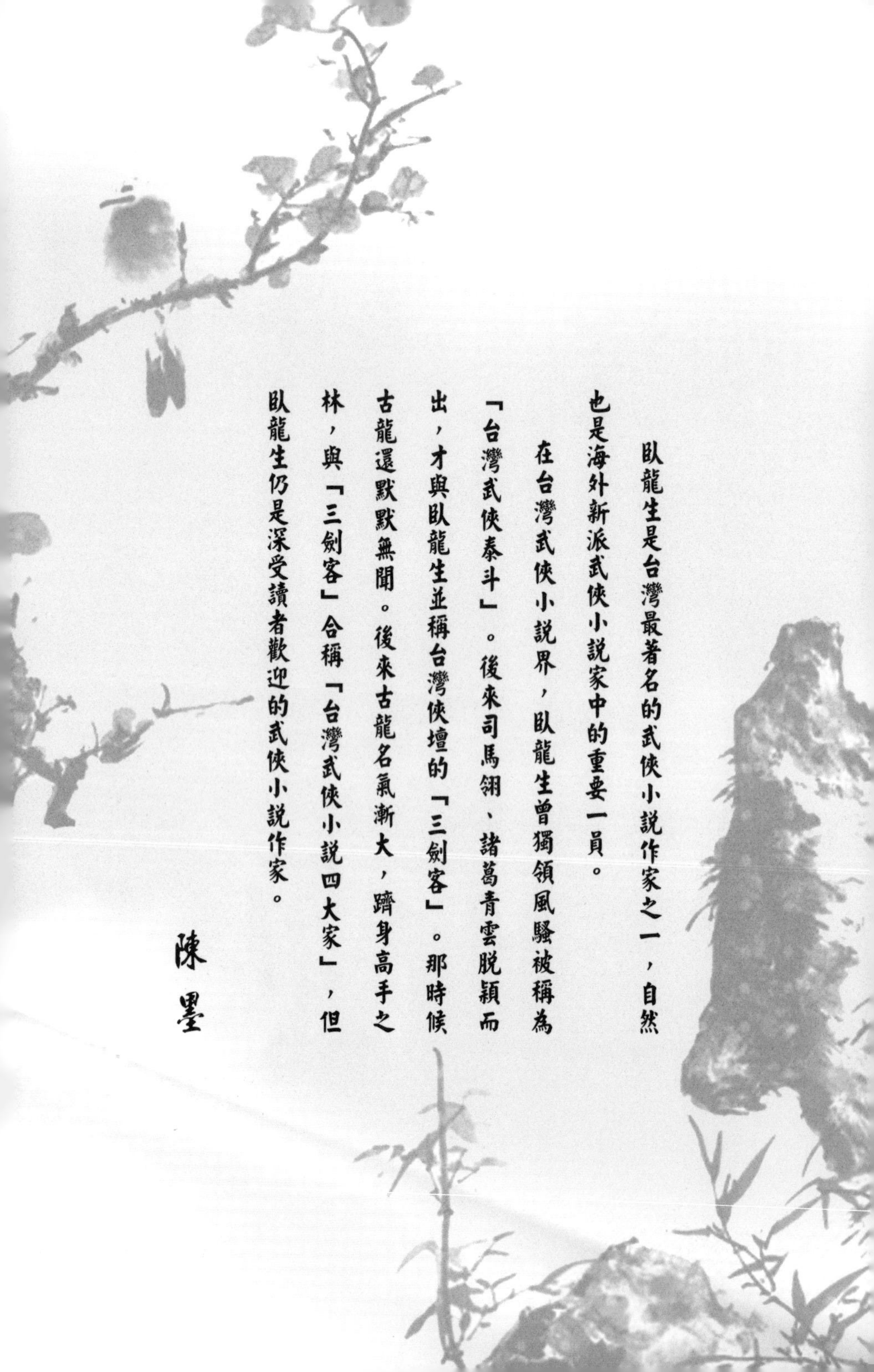

臥龍生是台灣最著名的武俠小說作家之一，自然也是海外新派武俠小說家中的重要一員。

在台灣武俠小說界，臥龍生曾獨領風騷被稱為「台灣武俠泰斗」。後來司馬翎、諸葛青雲脫穎而出，才與臥龍生並稱台灣俠壇的「三劍客」。那時候古龍還默默無聞。後來古龍名氣漸大，躋身高手之林，與「三劍客」合稱「台灣武俠小說四大家」，但臥龍生仍是深受讀者歡迎的武俠小說作家。

陳墨

風雨燕歸來（四）
大結局
臥龍生
武俠經典珍藏版
20
臥龍生

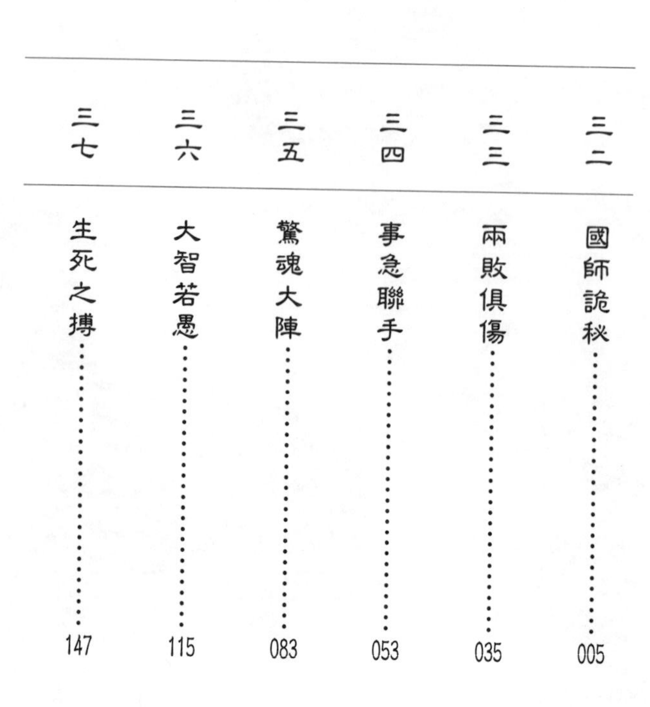

臥龍生精品集⑳

風雨燕歸來(四)

目錄

三二　國師詭秘

只見大廳中放著一座雲榻，上面端坐著一個面如古銅，身軀肥胖的和尚。

那大漢向後退了兩步，沉聲說道：「閣下見過大國師，怎不大禮參拜！」

朱若蘭道：「哪一位是大國師？」目光流轉，滿室搜望。

那肥胖的和尚冷笑一聲，道：「本座便是。」這幾個字說得十分生硬，顯是此人甚少到過中原。

朱若蘭目光凝注在那和尚臉上，緩緩說道：「在下奉朱姑娘之命……」

那和尚喜道：「那朱姑娘已知本座爲她跋涉萬里而來，可是遣你來約我相見麼？」

他說得十分吃力，幾乎是一字一句，結結巴巴，才算把話說完。

朱若蘭暗自笑道：也不拿鏡子照照你那付尊容，口中卻緩緩說道：「朱姑娘肯不肯和你見面，現還是未定之數，你不用太高興。」

那和尚臉色一變，突然舉手拍了兩掌。

掌聲甫落，瞥見四個身著灰袍的和尚，緩緩自大廳一角中走了過來。

每一個和尚，手中都捧著玉盒。

朱若蘭心中暗道：這和尚不知要鬧什麼鬼。

忖思之間，瞥見一個青衣少年，隨在四僧之後緩緩走了出來，道：「這是咱們大國師送給姑娘的禮物。」

朱若蘭望了那四個玉盒一眼，暗道：不知那盒中放的是什麼？當下說道：「我先瞧瞧如何？」

那青衣人用天竺語言，嘰哩咕嚕和那和尚談了一陣，轉向朱若蘭：「大國師允許你開開眼界，但卻不許妄動。」

朱若蘭心中暗笑，口裏卻應道：「朱姑娘見識廣博，收羅有無數奇珍占玩，只怕未必能看得上你們送來的東西。」那青衣少年用天竺語，喝令四個和尚打開玉盒。

朱若蘭凝目望去，只見那第一個玉盒之中，放一塊翡翠雕刻的碧馬，晶瑩透明，翠光耀目，以朱若蘭見識雖廣，亦未見過這樣的好翠，心中暗道：這和尚不知在哪裏收到了這樣一塊好翠。

目光轉到第二個玉盒之中，只見盒中放著兩顆寶光四射的珠子。

朱若蘭暗道：這珠子色澤異常，大約是夜明珠一類的珍奇之物。

目光轉到第三個玉盒之上，只見盒中放著一幅絹畫，那畫絹端放玉盒之中，也無法瞧出畫的什麼。

再瞧第四個玉盒，只見盒中放著一把金色的小劍，劍鞘上滿鑲寶石。

朱若蘭心中暗道：這金色小劍，不知有何大用，當非一般的小劍可比。

那青衣少年微微一笑，道：「久聞那朱姑娘聰慧絕世，容貌如花，她如見得這四色禮品，必能識其珍貴，如其妙用，須知這玉盒之中四色禮物，件件都是罕世奇寶，價值連城……」

朱若蘭冷冷接道：「據我所知，我家姑娘，未必就會喜歡這些禮品。」

青衣人笑道：「你一個小廝知曉什麼，見著你家姑娘，據實而言所見就是。」

目光轉向四僧臉上，嘰哩咕嚕說了數言，四個灰衣和尚合上玉盒，轉回內室之中。

朱若蘭目注那青衣人，道：「有勞轉告大師，在下就此告辭，見到我家姑娘時，自會盡告所見，但她是否見你家大國師，那還無法決定。」言罷，轉身向外行去。

只聽那青衣人說道：「站住！」

隨著那喝聲，人影一閃，一個黑衣和尚，橫身攔住了朱若蘭的去路。

朱若蘭屈指一彈，一縷尖風過處，正擊中那黑衣和尚右手脈穴。

那和尚突然全身一麻，駭然向後退出八尺多遠。

朱若蘭一擊中敵，不待群僧再攻出手，立時一提真氣，跃上屋面。

那青衣人高聲喝道：「快些給我拿下。」但見人影連閃，七八個和尚，四下躍上屋面。

朱若蘭去勢如風，待群僧躍上屋面，已走得蹤影不見。

那青衣人緊隨群僧追出廳門，哪裏有朱若蘭的蹤影，查看那受傷的和尚，穴脈傷得很重，手腕腫大，一條右臂已是無法伸動。青衣人帶著那黑衣和尚，直行到禪榻之前。

那大國師果是有著過人之能，瞧了那和尚一眼，伸手在傷處一陣扭動，那和尚傷勢立刻大見好轉。

且說朱若蘭奔行如風，一口氣奔出六七里路，回首不見追兵，才放緩腳步而行。
她爲人細心，隱身暗處，查看了許久，確然不見有人追來，才回到約定的山谷之中。
只見楊夢寰、趙小蝶和黃衣和尙，一排坐在一處山巖之下的草地上。
趙小蝶起身笑道：「姊姊回來了，會著那大國師麼？」
朱若蘭神色嚴肅，緩緩坐了下去道：「會著了。」
趙小蝶道：「姊姊可是和他交過了手？」
朱若蘭望了那黃衣和尙一眼，反問道：「你們可問出這和尙的口供麼？」
趙小蝶道：「姊姊去後，我們就未多問他。」
朱若蘭道：「敵勢很強，不出奇策絕難制勝……」目光一掠楊夢寰道：「楊兄弟，點了他的暈穴吧！」
楊夢寰應聲出手，點了那黃衣和尙的暈穴，朱若蘭才理一下鬢邊散髮，接道：「據姊姊默察敵勢，決非咱們三人應付得了，只有設法一舉擊殺了那大國師，使對方領導無人，全局混亂，咱們再乘機搏殺他們幾個重要人物，或可一鼓作氣，消滅禍患。」
趙小蝶道：「姊姊之意，可是說那大國師武功很強麼？」
朱若蘭望望那身披黃色袈裟的和尙，道：「我雖未和那大國師動手過招，但咱們可從這和尙身手上，推想出那大國師的武功，決不在我等之下。」
趙小蝶道：「準備用什麼方法，一舉間殺死那大國師？」

朱若蘭兩道目光轉注到楊夢寰的臉上，道：「楊兄弟，有何良策？」

楊夢寰道：「姊姊可是想暗施襲擊麼？」

朱若蘭道：「他一有行動，前呼後擁，想暗中算計於他，決非容易的事，此計不通。」

楊夢寰道：「不用暗襲，只有和他們明鬥了。」

朱若蘭道：「敵勢強大，明鬥是必敗無疑。」

楊夢寰道：「這個小弟就想不出了，明戰、暗襲，均難行通，那要如何才行？」

朱若蘭道：「姊姊要單獨約晤那大國師，覓機出手，你們兩個埋伏暗處，如是我一擊得手，咱們合力克敵，藉機會再傷他們幾人，也許可一舉擊潰天竺來人，如是姊姊不幸失手，你們立刻先行撤走，不用管我……」

趙小蝶道：「這個如何可以？」

朱若蘭道：「如是姊姊一擊之下，不能傷了那大國師，妹妹和楊兄弟一齊出手，也未必能夠勝他，你們撤走之後，我心中再無顧慮，亦可放手和他一戰。」

趙小蝶道：「姊姊一人之力，如何能抗拒他們圍攻，小妹和楊兄弟，雖然不濟，但總可稍助姊姊一臂之力。」

朱若蘭道：「不要爭辯了，照我的話去做。」

趙小蝶輕輕歎息一聲，不再多言。

楊夢寰道：「好吧！姊姊先把計劃情形告訴小弟，我們也好酌情……」

朱若蘭道：「不用酌情自決，一切都要聽我的話做，這懸巖山壁之上，有一座石洞，你

們隱在那石巖之後，可一目了然全谷景物，如是我一擊得手，你們立刻下谷助戰，如是一擊不中，你們就走。」

趙小蝶道：「我們在哪裏相見？」

朱若蘭道：「水月山莊。」

楊夢寰道：「留姊姊一人在此麼？」

朱若蘭道：「我如是一擊不中，自會設法回水月山莊，你們在家中等我。」

楊夢寰無可奈何的說道：「好吧，我們一切悉遵姊姊之命就是。」

趙小蝶望了那身披袈裟的和尙一眼，道：「姊姊，這和尙要怎麼辦？」

朱若蘭道：「帶他回水月山莊，也許以後還要借重於他。」

趙小蝶道：「可要廢了他的武功？」

朱若蘭道：「暫時不用……」傾耳聽了一陣又道：「有人來了。」

趙小蝶霍然站起身，縱身一躍，飛起了兩三丈高，足踏崖間山石一借力，斜裏飛出數丈。

只見她嬌軀又是一閃，人已隱失不見。

趙小蝶隱身在一株松樹之上，凝目望去，只見一個青衣勁裝的佩劍大漢由一株樹上跳落下來，緩步直行過來。

趙小蝶暗提真氣，待那人行近，突然疾躍而下，直向那佩劍大漢撲去。

那大漢猝不及防，前胸先著了趙小蝶的劈空掌力，緊接著又被趙小蝶點中了穴道。

她出手迅速，那大漢連哼也未哼一聲，就被她掌擊指點，重創手下。

趙小蝶又點了那大漢幾處要穴，把他藏在草叢中，緩步走了回去。

朱若蘭道：「來人是何許人物？」

趙小蝶道：「身著青衫，背插長劍，看來也不像重要人。」

朱若蘭道：「你殺了他？」

趙小蝶道：「沒有，我點了他的穴道，如是四個時辰不解，即將氣絕而死。」

朱若蘭點點頭道：「那很好，你們也該去藏起來了，不論我遇上一個何等兇險，未得我招呼，都不許出手相助。」

趙小蝶道：「這個……」

朱若蘭接道：「不要說啦！快些去吧。」

趙小蝶、楊夢寰都不敢再言，站起身子，向峰上攀去。

朱若蘭目睹兩人登上峰腰，行到溪水旁邊，水中映出一個美麗絕倫的影子。她理一理頭上的宮髻，輕輕歎息一聲，緩步走到山崖下一片空闊之地，背倚石壁而立，臉上是一片淡淡的幽苦。

不知過去了多少時間，突聞細樂之聲，傳了過來。

朱若蘭抬頭看去，只見那大國師身披紅色袈裟，在四個灰衣僧侶護衛之下，緩步行了過來。

運足目力望去，只見這峽谷口處，人影閃動，樂聲隱隱從谷中傳了過來。

朱若蘭心中暗自罵道：「臭和尚架子倒是很大啊！」

忖思之間，四個灰衣僧人，已經護著大國師行到身前。

朱若蘭目光一轉，只見那大國師身高八尺以上，雙目神光炯炯逼人，盯注在朱若蘭臉上瞧了一陣，突然舉手一揮。

四個灰衣僧侶，齊齊向後退去，一排並立在大國師的身後。

朱若蘭暗中提聚真氣，冷冷說道：「你就是那天竺大國師麼？」

那身披袈裟的和尚合掌當胸，說道：「貧僧智光。」簡簡單單四個字，說得十分吃力。

朱若蘭道：「聽說你要找我？」

智光大師道：「不錯啊！你是朱若蘭朱姑娘了。」

朱若蘭不答他的問話，卻反口問道：「你找我有何見教？」

智光大師似是無能回答朱若蘭的問話，回顧身後最右側一個弟子一眼。

那灰衣僧侶欠身前行一步，說道：「敝國師為了要來中原會晤朱姑娘，特地學講中原方言，但因時間太過急促，所學不多，姑娘有什麼事，貧僧代為回答就是。」

朱若蘭冷冷說道：「你是什麼人？」

那灰衣和尚道：「貧僧法號心善。」

朱若蘭道：「你助紂為虐，為何不改名字，如你叫心惡，倒還名符其實一些。」

心善道：「姑娘說笑話了。」

朱若蘭道：「誰和你說笑話了，我說的句句實言。」

心善回頭望去，只見智光雙目殺機閃動，不禁心頭駭然，急急轉望著朱若蘭道：「朱姑娘，敝國師對姑娘心儀已久……」

朱若蘭冷冷接道：「住口，誰要和你說話了？」

心善大師回過頭去，嘰哩咕嚕和那大國師說了幾句話，緩緩向後退去。

朱若蘭心中暗道：這和尚怎的退了回去，難道他適才用天竺言語挑起那大國師的怒火，要他先行下手不成。

心中猜疑不定，雙目卻盯住在那大國師身上，只要他稍有舉動，自己立刻搶先出手。

只見那大國師舉手一招，四個灰衣和尚，由谷口之處，急急奔了過來。

每人手中，都抱著一個玉盒。

在四個灰衣和尚之後，緊隨著一個青衣少年，手中握著一把折扇。

朱若蘭一眼之下，已認出青衣少年正是適才在那大宅院中的青衣人，不覺多瞧了他兩眼。

只見他面色慘白，不見血色，遠遠看去，甚是年輕，其實年歲不小。

朱若蘭心中忖道：這人不似天竺人氏，卻甘心爲異族人所奴役，而且身居要位，這大國師所作所爲，只怕都是其人居中策劃，饒他不得……心念轉動之間，那青衣人已然行近那大國師的身前，低言數語。

那大國師一面點頭，一面向後退了一丈多遠。

青衣人張開折扇，搧了兩下，向前行了兩步，合上折扇，抱拳一揖，說道：「姑娘可是朱

若蘭麼？」

朱若蘭道：「不錯，你是什麼人？」

那青衣人笑道：「久慕姑娘大名，如雷貫耳，今日有幸一晤。」

朱若蘭道：「有什麼話，快些請說，用不著吞吞吐吐。」

心中卻在盤算著用什麼武功，陡然出手，一舉之下，能重創那大國師，只要能把大國師傷在自己掌力之下，餘下之人，那就不足畏了。

只聽那青衣人道：「適才有人假冒朱姑娘的小廝，求見大國師，竟想魚目混珠，搶去敝大國師送給姑娘的重禮。」

朱若蘭冷笑一聲，答非所問的說道：「閣下是天竺人麼？」

青衣人道：「在下自幼在天竺長大，卻非天竺人氏。」

朱若蘭道：「那你是中土人了？」

青衣人點點頭道：「不錯。」

朱若蘭道：「爲什麼要作異族犬馬，甘心爲人所役？」

青衣人輕輕咳了一聲，道：「咱們不談這個了……」

語聲微微一頓，接道：「咱們大國師對姑娘心慕已久，自從見得姑娘畫像之後，終日思念不已，每日都展望那畫像多次，不但不理國事，而且連武功也放下不練了……」

他故意停了下來，似是想要那朱若蘭接口，那知朱若蘭冷笑一聲，默不作聲。

青衣人打開折扇揮動兩下，笑道：「因此，才盡起高手，趕來中原。」

朱若蘭道：「趕來中原作甚？」

青衣人道：「希望尋得姑娘。」

朱若蘭道：「現在已經見著了。」

青衣人乾咳兩聲道：「大國師想接姑娘到天竺國去。」

朱若蘭眼看那大國師智光，遠在一丈開外，縱然實施襲擊，機會亦是甚小，何況這青衣人又正擋著去路，當下說道：「你走開，要他自己來和我說話。」

青衣人先是一怔，繼而淡淡一笑，道：「大國師不會中土之言，什麼話由在下轉告也是一樣。」

朱若蘭心中怒道：這人可惡得很，日後非得好好懲治他一番，口中卻冷然說道：「你給我滾開去，別要觸怒我，當心我先殺了你。」

青衣人突然對四個灰衣僧人道：「打開玉盒。」

四個灰衣僧人立時啓開玉盒，日光下，翠玉閃光，寶珠耀目。

朱若蘭早已見過盒中的翠玉寶珠，目光一掠，道：「這些寶珠翠玉，平常得很，有什麼稀罕之處。」

青衣人道：「姑娘請仔細瞧瞧，這些珠寶，大都是大國師精心選來，件件都是稀世之珍，怎麼能說是平常得很？」

朱若蘭道：「就算它們件件都是名貴之物，又能如何？」

青衣人道：「這是咱們大國師，奉送姑娘的禮物，還望姑娘笑納。」

朱若蘭搖搖頭道：「我不要，轉告貴大國師，要他帶回天竺去吧！」

青衣人道：「送出手的禮物，如何能夠收回，姑娘請打開那絹畫瞧瞧，再作決定不遲。」

朱若蘭看那大國師始終站那青衣人的身後，實難一擊中的，心中暗自後悔道：我應早些下手才是，此後不知是否還有機會。

那青衣人不聞朱若蘭回答之言，突然高聲說道：「姑娘敬酒不吃吃罰酒了。」舉手一揮，咕咕嚕嚕的說了兩句天竺話。

四個灰衣和尚，突然合上了玉盒子，抱起玉盒退走。

朱若蘭一心想著如何殺死那大國師的事，直待聽得那青衣人喝叫之聲，才清醒一下神智，緩緩說道：「你想動手？」

青衣人道：「姑娘如是不肯應那大國師的邀約，說不得咱們只好動強了。」

朱若蘭道：「你不是我的敵手，要那智光和尚出手。」

眼下情勢已是免不了一場惡鬥，如其各個纏鬥，倒不如一舉擊敗首腦人物，直接向智光大師挑戰，擒賊擒王，如是智光大師受制，餘下之人，縱然武功高強，也不敢再行出手了。

那青衣人回頭用天竺語言，和智光大師對答數言，智光大師突然搖搖頭，不再言語。

朱若蘭聽不懂兩人說些什麼，心中大是焦急。

那青衣人回過臉來，說道：「敝國師之意，是不願和姑娘動手，他說拳腳無眼，如果傷了姑娘，那可是大憾之事。」

朱若蘭心中暗道：這樣對峙下去，終非了局，不論勝負如何，總該早些決定才是。

心念一轉，冷冷說道：「我如一掌把閣下殺死，那智光就非出手不可了。」

青衣人淡淡一笑，道：「在下已從陶玉附函之上，瞧出姑娘的武功高強，今日如能賜教一二，那也算生平一大快慰之事。」

朱若蘭心中暗道：看來不先把這人收拾了，那大國師是不會出手了，當下力貫右手，說道：「你要小心了。」突然揚腕，點出一指。

一縷暗勁，直向那青衣人點了過去。

青衣人早已戒備，朱若蘭一揚手，立時一張折扇，斜向朱若蘭右腕劃去，人卻橫跨三步，避開了朱若蘭的指力。

朱若蘭吃了一驚，暗道：這人武功不弱，一挫腕避開折扇。

那青衣人陡然欺身而進，扇骨指點，片刻間攻出八招之多。

朱若蘭心知遇上了勁敵之後，不再急欲求勝，雙手施展出突穴斬脈的武功，以靜制動，那青衣人連攻數十招，都被朱若蘭那突穴斬脈的手法迫得中途收招而退。

經過了數十招搏鬥之後，朱若蘭已瞧出那青衣人武功路數，如若要施下毒手，全力攻出，傷那青衣人並非難事，但她卻隱忍未發，仍然和那青衣人纏鬥下去，而且裝作一付勉強可以對付模樣。

原來，她突然想到，出手殺死這青衣人後，必使那智光大師提高警覺，亦使他加強戒備，那就大大的減少了殺死他的機會。

朱若蘭才華絕代，雖然在憤怒之中，仍然能默察敵我大勢。

兩人又鬥了十餘合，那青衣人突然一收折扇，倒躍而退，哈哈一笑，道：「住手。」

朱若蘭依言停手，緩緩說道：「爲什麼不打了？」

那青衣人笑道：「在下久聞朱姑娘武功絕世，功力深厚，想不到只不過如此而已。」

朱若蘭心中暗自罵道：總有一天我要你死在我掌指之下，口中卻冷冷說道：「你也沒有勝我。」

那青衣人道：「在下和姑娘可算得平分秋色，就算你稍勝一籌，那也是有限得很，但姑娘不要忘了一件事！」

朱若蘭明知故問，道：「什麼事？」

青衣人道：「在下難接大國師十招攻勢，朱姑娘如是自認比在下強些，那也難以接過二十招了。」

朱若蘭心中暗道：不如借此機會，激那大國師出手一戰，如是能夠勝他，那是最好不過，就算真的不能勝他，也可較量出他的武功成就，日後也好籌謀對策……心念一轉，緩緩說道：「只怕未必見得，只聽天竺國人多以奇術取勝，未聞天竺武功能強過中原武林。」

青衣人道：「看來你是不相信了？」

朱若蘭道：「那智光和尚就在身後，你快轉達我向他挑戰之言。」

青衣人聽了朱若蘭的話，果然依言回身，行到那大國師的身前，低言數語。

只見那大國師一面搖頭，一面嘰哩咕嚕，說個不停，朱若蘭不懂天竺語言，也不知兩人說些什麼。

但見那青衣人欠身一禮，重又行過來道：「大國師對姑娘愛慕極深，不願和姑娘動手。」

朱若蘭暗罵道：也不到溪水旁照照他那副尊容。口中卻應道：「為什麼？」

青衣人道：「大國師怕失手傷了你，因此堅拒出手……」語聲緩緩一頓，又道：「其實不用大國師出手，他已從我們動手中瞧出了你武功造詣。」

朱若蘭心中暗道：這和尚不願動強，實叫人無法猜出他用意何在？但總不會就這樣僵持下去，口中應道：「他可是覺出我不是他手下十合之敵麼？」

青衣人雙手亂搖道：「大國師可沒說過，他心中敬愛姑娘已達極點，連一句傷害姑娘的話也不肯說的。」

朱若蘭心中暗道：遇上這樣癡情和尚，武功又高強無比，那可是一樁大為麻煩的事，如是把他一舉殺死，也還罷了，假如真非他的敵手，被他天涯追蹤，苦苦糾纏，那可是羞死人了……想到驚心之處，不禁黯然一歎。

青衣人望了朱若蘭一眼，說道：「大國師要在下轉告姑娘一事。」

朱若蘭道：「什麼事？吞吞吐吐的算得什麼人物！」

青衣人也不生氣，笑道：「大國師說，他不願和姑娘比武，但他心中亦知道，如不能使姑娘心中對他佩服，就不會答應……」

朱若蘭冷哼一聲，道：「你口齒乾淨一些。」

青衣人微微一笑，接道：「因此，大國師要姑娘提出三個難題……」

朱若蘭道：「什麼樣的難題？」

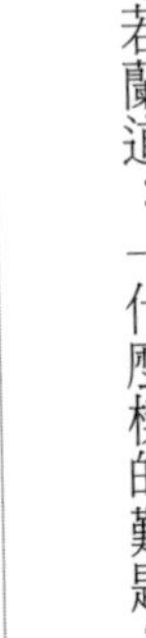

青衣人道：「隨便姑娘提什麼吧。」

朱若蘭道：「提了之後，又能怎樣？」

青衣人道：「大國師說，凡是姑娘提出的事，他都將盡力作到，以求姑娘歡心。」

朱若蘭冷笑一聲，道：「如我要他死呢？」

青衣人道：「好！這算第一個難題，姑娘請說出第二個吧！」

朱若蘭暗道：一個人只能死上一次，他一死去就一了百了，這青衣人怎的竟敢答應下來，心中念轉，口中接道：「第二個麼？要他在死去之前，先把你給殺了。」

青衣人臉上一變，道：「這個，這個，姑娘不是說笑的麼？」

朱若蘭道：「甘爲異族鷹犬，你死何惜。」

青衣人還未來得及答話，智光突然大步向前行來，接道：「這事容易，姑娘請說第三件吧！」

朱若蘭心頭一動，暗道：難道他對此事很認真麼？想了一陣，說道：「你已經死了，我提出的事，你如何還能去辦？」

智光微微一笑，道：「不妨事，你說吧！」原來，他聰明絕倫，學說中土之言，時間雖然不久，但他已有所成，只是不很流暢，心中一急，就語無倫次，慢慢道來，倒也詞能達意。

朱若蘭顰起柳眉，暗道：「看他神情，似是心中頗有死而復活的能耐，這卻叫人不解了。」一時之間，沉吟難決，竟不知該說些什麼。

但聞智光天師說道：「不要緊的，姑娘但說無妨，只要是人力能及的事，我自信都能夠辦

到。」

朱若蘭心中暗想：自不能說些不著邊際的事，但一時之間，又想不出什麼難題，只得說道：「你先做到兩件之後再說。」

智光大師道：「朱姑娘，在下要說了。」

朱若蘭道：「什麼事？」

智光道：「如是貧僧一一做到了姑娘出的難題，姑娘應該如何？」

朱若蘭暗中運氣戒備，口中緩緩說道：「你說應該如何？」

智光大師道：「隨我同往天竺。」

朱若蘭冷笑一聲道：「到天竺做什麼？」

智光大師想用中土語言說出，但卻又不知如何措詞，急得面紅耳赤，轉臉望著那青衣人，說了一句天竺話。

那青衣人面如死灰，輕輕歎息了一聲道：「大國師之意，是要你隨他回天竺，結成夫婦。」

朱若蘭長長吁了一口氣，道：「這該是你一生中，最後說的一句話了。」

那青衣人臉色更加難看，垂首肅立不動。

朱若蘭神情肅然望了那智光一眼，又望望那青衣人。

智光大師回目望著那青衣人，微微一笑，道：「要請多幫幫忙了。」緩緩舉起右掌，那青衣人全身抖顫，臉上是一片驚懼和憤怒的混合表情。

他對那智光大師似有著極深的畏懼，竟是不敢出手反抗。

那青衣人緩緩閉上雙目，身子挺直而立。

大約過了一盞熱茶功夫，智光大師突然取開了按在那青衣人頭頂上的右手，緩緩說道：「姑娘，他已經死去了。」

朱若蘭仔細看去，只見那青衣人雙頰如火，兩隻腳深陷入沙石地中。

朱若蘭心中暗道：這和尚果然是有著過人之能，那青衣人武功不弱，不知他用什麼方法，把他殺死，竟然是瞧不出一點痕跡。

忖思之間，只見那青衣人身子一幌，蓬然一聲，仰臥地上。

朱若蘭不見他口鼻之間有血流出，心中動疑，冷冷說道：「你們天竺國，瑜珈術中，有裝死的方法，如何證明他真的死去？」

智光大師道：「他是真的死去，姑娘如是不信，不妨走到他身側瞧瞧。」

朱若蘭道：「他怎麼死的？」

智光大師道：「我用無相神功，震碎了他的大腦，但外面卻是誰也瞧不出一點傷來。」

朱若蘭道：「原來如此。」緩步行到青衣人的身側，伸手摸去，果然是氣息早絕。

智光大師似是良心發現，輕輕歎息一聲，道：「他追隨我很多年，除了姑娘吩咐之外，我決然不會傷了他的性命。」

朱若蘭暗道：你既然已殺了他，還來放什麼馬後炮呢，心中念轉，口中卻應道：「你要如何一個死法呢？」

智光大師道：「貧僧運氣自斃，躺入棺中，埋入地下，七日以後，姑娘再行開棺，貧僧即可復生。」

朱若蘭暗道：這和尚心地惡毒，那也不用和他們講什麼道義了。當下說道：「好吧，你就死給我見識一番。」

智光大師道：「如六日之後，掘棺相驗，貧僧如是難再復生，自然是姑娘勝了……」兩道眼神凝注在朱若蘭的臉上，道：「如是貧僧能夠復生，姑娘準備如何？」

朱若蘭道：「我佩服你的武功就是……」

智光大師接道：「貧僧迢迢萬里來此，豈只是爲姑娘幾句誇獎之言麼？」他說得很慢，邊說邊想，竟然說得十分清楚。

朱若蘭暗道：原來他想用此逼我許下諾言。當下道：「待你復活過來之後，再說吧！」

智光大師道：「貧僧亦知，如若不先把姑娘降服，只怕你不會答應，貧僧自行閉氣之後，也要請姑娘留在這裏了。」

朱若蘭道：「我留此地做什麼？」

智光大師道：「你瞧瞧貧僧如何經歷這生死之關。」

朱若蘭心中暗道：這和尚老謀深算，藏而不露，不可輕視，不妨用點手段了。當下說道：「好！我留在這裏瞧瞧你如何死法。」

智光大師道：「那很好。」緩緩伸出右手，向朱若蘭玉掌之上握去。

朱若蘭一縮手腕道：「你要幹什麼？」

智光大師道：「我要和姑娘握別，也許貧僧難以復生人世呢。」

朱若蘭心中暗道：他殺那青衣人時，說殺就殺，雖是多年相處，亦是毫無惜顧之情，此刻他自己要以身試死，自然是有些害怕了，必須激他一番才是。心念一轉，緩緩說道：「你如是很怕死，那就不用試了。」

智光大師笑道：「如若貧僧尚未醒來之前，你藉機逸走，貧僧醒來之後，又到哪裏找你？」

朱若蘭道：「你的意思呢？」

智光大師道：「朱姑娘想見識死亡，貧僧自是不能不遵，不過，在貧僧死去期間，朱姑娘必須留在此地。」

朱若蘭道：「我要看死去之情，復活之法，自然是要留在這裏了。」

智光道：「此非等閒事，貧僧很難相信。」

朱若蘭道：「不信算了，你如是不想自己死時，那就請人效勞。」

智光大師道：「姑娘可是說，找個人來殺死貧僧？」

朱若蘭道：「正是如此。」

智光大師哈哈一笑道：「不知哪個人有此能耐？」

朱若蘭道：「我！你可要試試麼？」

智光微微一笑，道：「如何一個試法呢？」

朱若蘭突然揚手一掌，拍了過去，道：「試試我是否有殺你之能。」

智光眼看朱若蘭一掌劈來，只微微一偏身子，避開要穴，用肩頭硬接一掌。

朱若蘭一掌拍實，擊中對方肩頭，只覺如拍在一塊堅冰之上，又硬又涼，心中駭然，不敢再發掌心內力，倒退五尺。心中暗道：這和尚不知練的什麼武功，身上堅硬如鐵，那也罷了，但身體那冰寒之氣，不知是如何練成？

只聽智光哈哈一笑道：「朱姑娘身手果然不同凡響，爲何不發出掌心內力？」

朱若蘭道：「這倒不用你關心了。」陡然揚起，寒光一閃，手中已多了一把匕首，直向智光大師前胸之上刺去。

智光大師一閃避開，但卻沒有還手。

朱若蘭一擊未中，第二招連續出手，寒光閃轉，分刺智光大師三處要害大穴。

智光大師閃身避開，舉手一揮道：「四面圍起。」

四個灰衣僧人，應聲出手，分成兩行，繞向朱若蘭的身後，分站了四個方位，不言不語也不出手施襲。

朱若蘭停下手來，冷冷的看了四下群僧一眼，說道：「怎麼，你想倚多爲勝麼？」

智光大師搖搖頭，道：「那倒不是，不過，我此刻改變了心意。」

朱若蘭道：「怎麼改變了？」

智光大師道：「咱們今日一戰，如是貧僧傷在姑娘手中，那是咎由自取，死而無怨，但如姑娘敗了，藉機遁走，天涯遼闊，我要到哪裏找你。」

朱若蘭冷笑一聲，道：「所以你讓他們四面把我圍起，是麼？」

智光大師道：「正是如此，只要他們能擋你一招，我就可以及時追上了。」

朱若蘭心中暗道：這和尚口氣如此托大，但不知他真實的武功如何？我要試他一試才行。

心念一轉，怒聲喝道：「我倒要見識一下你們天竺武學有何出奇之處？」右手中匕首搖動，幻起了一片寒芒，籠罩了智光和尚前胸數處大穴。

這一招手法奇幻，使人無法分辨出她攻向何處穴道。

智光大師微帶笑意的臉上，突現凝重之色。右手平胸，左手推出一股暗勁。

朱若蘭只覺他揮手一推之下，一股暗勁直逼過來，心頭微生驚駭，暗道：他隨手推出一掌，就有著如此強勁的潛力，這和尚的確是不可輕視。手中匕首一振，內力貫注，直取前胸，左手一揚，發出天罡指力。一縷指風，衝破智光大師推出的潛力直點向「神封」要穴。

智光大師那平胸的右手，忽然屈指彈出，幾縷指風，擋開了朱若蘭的天罡指力，右手同時由下面翻起，抓向朱若蘭的右腕。

朱若蘭霍然一收匕首，倒退三步。

兩人交手一招，卻已互拚了數種絕世神功。

智光停手不動，緩緩說道：「如是貧僧勝了姑娘，貧僧仍然依照相約之言，死給姑娘瞧瞧，不過，你要守在我棺木旁側，不能離開。」

朱若蘭暗中換了一口氣，道：「那時，你不能掙動，我殺了你方便多了。」

智光大師笑道：「貧僧要早作準備。」

朱若蘭道：「你是如何準備法？」

智光大師道：「姑娘的手法，功力已在適才一招可見端倪，高明的天竺國中，除了貧僧之外，隨我進入中原之人，只怕都不是你的敵手，因此，貧僧在死給姑娘瞧看之前，我必得先用一種奇奧的鎖脈手法，封鎖你幾處穴道，由貧僧隨來之人，一旁監視，那時你自然是無能逃走了。」

朱若蘭冷冷說道：「有一件事，大師必得先講清楚。」

智光大師道：「什麼事？」

朱若蘭道：「你必得先把我穴道點中才成。」

智光大師道：「貧僧自信在一百招內可以勝得姑娘。」

朱若蘭道：「一百招你如是勝不了我，又當如何？」

智光道：「照貧僧的看法，除非有奇蹟發生，不然，我定可在一百招中勝你……」語聲微微一頓，又道：「貧僧雖然和姑娘今日是初次會見，但我對姑娘卻神馳已久了……」

朱若蘭冷冷接道：「你再接我一招試試。」緩緩向前去。

智光大師靜靜的站著，兩道炯炯眼神，卻凝注在雙手之上。

朱若蘭看那和尚，竟然如此沉得住氣，心中暗道：這和尚鎮定工夫如此高明，單是這一點，就非常人所及了。心念轉動之間，右手一抬，匕首寒芒已然刺向智光前胸。

智光大師這次竟是不再讓避，眼看著鋒利的匕首將要刺中前胸時，才微微一偏身子，避開要害，任她匕首刺中肌膚。

朱若蘭微一加力，匕首透肌而入。

智光大師右手一翻，一把扣住了朱若蘭握拿匕首的右腕。

朱若蘭想不到他中了一刀之後，竟是仍有這般快速的舉動，不禁微微一呆。

智光大師五指微一加力，道：「朱姑娘放開手。」

朱若蘭依言鬆開匕首。

其實，智光大師五指緊收，朱若蘭腕脈受制，那是不鬆手亦不行了。

朱若蘭鬆開了右手之後，那匕首仍然深入智光大師肩下，直沒及柄，奇怪的是，竟不見有血流出。

智光大師左手緩緩拔出刺在肩下的匕首，笑道：「這一刀如若刺了要害，此刻我就不能好好的站在此地了。」

朱若蘭右手腕脈被他扣住，全身力量施用不出，已完全受制於人，但她爲人沉著，冷靜，身陷危境，絲毫不亂，一面暗中運氣，一面緩緩說道：「這一刀傷了你沒有？」

智光大師道：「深入肩下，幸未傷及筋骨。」

朱若蘭心中暗道：你如是練有特殊的軟功，這一刀未傷到你，那也罷了，如是傷了你，那就該有血流出才是，何以不見有血流出？心中念轉，口中不覺的問道：「既是被刀刺中，何以不見流血？」

智光大師道：「這就是我們天竺武功的特殊之處，如是一個人武功到了某一種成就，火候，不但內力生生不息，永無用竭之慮，而且可以控制行血。」

朱若蘭心中暗道：練習氣功，能習到控制行血之境，倒是從未聽聞過的事情，果然如此，

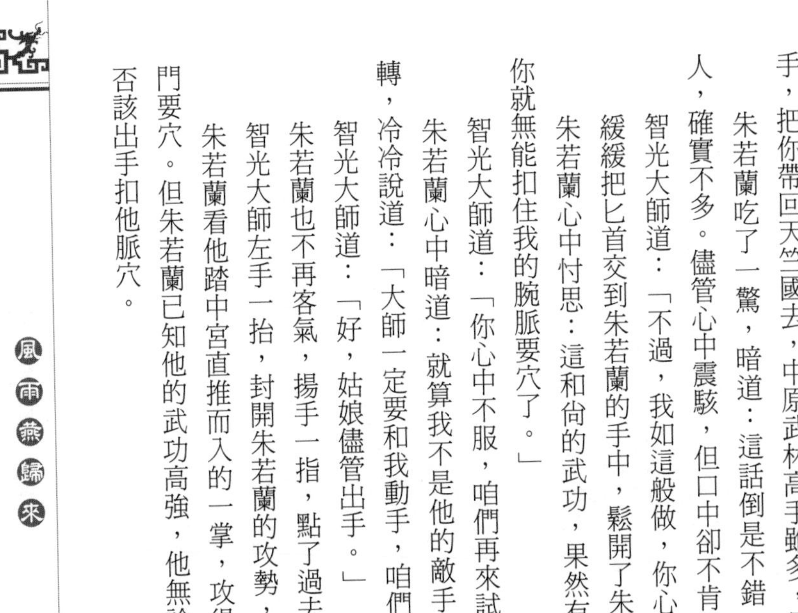

那倒是習武之道中，另一個新的境界了。

但聞智光大師說道：「姑娘，我此刻如若點了你的穴道，然後，集合我同來中原的武林高手，把你帶回天竺國去，中原武林高手雖多，只怕也無人能夠救得了你。」

朱若蘭吃了一驚，暗道：這話倒是不錯，他此刻點我穴道，帶我離開中原，能夠救我之人，確實不多。儘管心中震駭，但口中卻不肯示弱，冷哼一聲，道：「那倒未必。」

智光大師道：「不過，我如這般做，你心中定然憤怒不服，貧僧不願爲之。」

緩緩把匕首交到朱若蘭的手中，鬆開了朱若蘭的腕脈。

朱若蘭心中忖思：這和尚的武功，果然有過人之能，口中卻說道：「如是我一刀傷了你，你就無能扣住我的腕脈要穴了。」

智光大師道：「你心中不服，咱們再來試過，直到你心服爲止。」

朱若蘭心中暗道：就算我不是他的敵手，也不致被他所殺，小心一些也就是了。心念一轉，冷冷說道：「大師一定要和我動手，咱們再試過一次也好。」

智光大師道：「好，姑娘儘管出手。」

朱若蘭也不再客氣，揚手一指，點了過去。

智光大師左手一抬，封開朱若蘭的攻勢，迎面拍來一掌。

朱若蘭看他踏中宮直推而入的一掌，攻得笨極，左右雙手，都可以斜裏伸出，橫扣他的脈門要穴。但朱若蘭已知他的武功高強，他無論如何不會攻出這樣一掌，一時間，竟茫然不知是否該出手扣他脈穴。

稍作猶豫，時機已失，智光大師的掌勢，已然推到了前胸。

朱若蘭再想到擋那智光大師的掌勢，已然來不及了，被那直追前胸的掌勢，迫得向後退了兩步。

智光大師微微一笑。道：「朱姑娘爲什麼不扣貧僧的脈穴？」

朱若蘭冷冷說：「你雖然詭計多端，但未必件件都能得逞。」

智光大師道：「姑娘果然聰明。」

朱若蘭匕首一揮，道：「小心了，你既會控制行血，除了傷到你的要害之外，那是無法傷到你。」匕首鋒芒一閃，直刺前胸。

智光大師果然不敢任要害被那匕首刺中，縱身一閃避開。

朱若蘭匕首連揮，幻起一片寒芒，分刺那智光大師數處要害。這本是極爲深奧的一招，別人也無法瞧出她虛實之間究竟要攻向何處，必然要有些手忙腳亂。

但智光大師卻有著出人意外的鎭靜，竟是凝立不動。

朱若蘭匕首突然一沉，直指小腹。她怕那智光大師重施故技，扣住了自己的穴道，是以，不敢緊握匕首刺出，當下內力暗加，匕首脫手而出。只聽波然一聲，匕首刺入智光大師的腹中。

她心中明知他有著控制行血之能，縱然爲匕首刺中，亦不會流出血來。

智光大師揮動反擊的雙掌，突然停了下來，靜止不動。

朱若蘭一向是智謀過人，但面對著莫測高深的天竺奇僧，卻有著深深的戒懼之心，竟然不敢造次。

雙方相對而立，足足有一刻工夫之外；那智光大師，緊閉雙目，不言不語，雙手下垂，似是已受了重傷一般。

朱若蘭凝目望去，只見他連被匕首刺中的僧衣，也深陷入小腹之中，究竟是否受傷，亦叫人無法測知。

又過了一盞熱茶工夫，朱若蘭再也忍耐不住，冷笑一聲，道：「裝死麼？」

智光大師仍然是垂手而立，不言不動。

朱若蘭心中暗道：如若這一下果然刺入他的小腹，諒他血肉之軀，也是難以承受，當下暗運功力，右手一揮，迎胸拍去。

這一掌落勢甚準，正擊在智光大師肩頭之上。朱若蘭掌心含蘊的內力，待擊中了智光大師的肩頭後，才陡然吐出。

只見智光大師連退了三步之後，突然一跤，跌摔在地上。

四周環守的灰衣僧侶，雖然眼看智光大師摔倒在地上，但卻如視而不見，似是料定那智光大師決然不會受到損害一般。

看四個灰衣僧人神情，朱若蘭有些迷惑了，沉吟了一陣，道：「你們去瞧瞧他死了沒有？」

四個灰衣僧人望了朱若蘭一眼，也不答話。

朱若蘭心頭惱火，暗道：如若智光大師真已死去，今日非要教訓你們一頓不可。當下冷冷說道：「我要你們瞧瞧他死了沒有，你們沒有聽到麼？」

四個灰衣僧人相互望了一眼，站在東方位那灰衣僧人接道：「姑娘不是要他死一次麼？」

朱若蘭微微一怔，道：「就是這樣死麼？」

正西方位上一個僧侶接道：「如若他無緣無故的躺在地上死去，姑娘可以說他假裝死去，那就不足爲奇了。」

朱若蘭心中暗道：「他自己裝死，尚可復生，久聞天竺瑜珈術，可以在水中臥上數日夜不會死去，他既稱天竺國師，想是必然精通瑜珈術了，但被我內力震死，難道也能復生麼？」

正南方位上那灰衣僧人說道：「這樣死而復生，才能使姑娘佩服。」

朱若蘭心中暗道：這四人原來都會講中土語言，不知是何來路。心中念轉，口中卻說道：「你們不去瞧看，那我就自己去了，如若他還活著，我就補他兩刀，我要開他之胸，看他是否還會復生？」

正北方位上的灰衣和尚答道：「我等奉命護法，豈能讓姑娘得逞。」

朱若蘭冷笑一聲，道：「你們也該追隨著他才是。」突然一掌，拍向正東方位的一位僧侶。

那和尚右手一揮，硬接掌勢。

朱若蘭不願和他掌勢相觸，不待掌力接實，蓄蘊掌心的內力，陡然發出。

那和尚覺著一股潛力湧來，被震得連退三步。

朱若蘭道：「就憑你們這一點武功，也要誇口麼？」掌勢一變，拍向正南方位，但見朱若蘭雙掌連揚，東、南、西、北各自拍出一掌。

四僧侶各接一掌之後，陡然展開反擊，齊齊向前欺進，兩個僧侶用掌，左右夾攻，兩個出拳，前後分襲。

朱若蘭就是要引他們一齊出手，當下掌指並出，分拒四人攻勢。

雙方展開了一場十分激烈的惡鬥。

三三　兩敗俱傷

且說楊夢寰和趙小蝶遵從朱若蘭之言，守在懸崖上一塊大巖背後，把谷中情形看得十分清楚。

眼看朱若蘭被群僧圍困，心中大是焦急，但朱若蘭有言在先，兩人又不敢不從，無法下谷相助。

趙小蝶低聲說道：「楊兄，蘭姊姊雖然不要咱們相助，但是咱們也不能這樣一直等下去啊！」

楊夢寰道：「姑娘之意呢？」

趙小蝶道：「和這些天竺和尚，也不用講什麼江湖道義了，咱們暗中相助蘭姊姊一臂之力如何？」

楊夢寰道：「你打算如何相助？」

趙小蝶道：「施放暗器，唉！可惜我這些短劍都未曾淬毒，刺不中他們要害，就無法置他們於死地的。」

楊夢寰心中暗道：五年之前，這趙小蝶是一位不解世情，一片純潔的少女，五年的江湖歷練，險詐風波，已把她變得極擅心機了……

只聽趙小蝶輕輕歎息一聲，道：「你在想什麼？」

楊夢寰道：「沒有啊。」

趙小蝶道：「唉！其實你不說我也知道，你可是覺著我變了很多麼？」

楊夢寰道：「嗯，趙姑娘成熟多了。」

趙小蝶歎息一聲，道：「你守在此地，我去助蘭姊姊一臂之力。」

楊夢寰忽然微微一笑道：「咱們都可以正大光明的下去了。」

趙小蝶道：「你不怕蘭姊姊不高興麼？」

楊夢寰道：「蘭姊姊不是說過麼？只要她殺死那大國師，咱們就可以現身相助，是不是？」

趙小蝶道：「不錯啊！可是你怎麼知道那大國師已經死去？」

楊夢寰微微一笑，道：「不管他死不死，反正他已經倒臥在地上，咱們下去助戰，蘭姊姊如若問起，咱們有話回答，也就是了。」

趙小蝶道：「好啊！想不到你也變得賴皮了。」縱身而出，直向谷底奔去。

楊夢寰緊追趙小蝶的身後，飛入谷底。

朱若蘭正在和四個灰衣僧人惡鬥，一面動手，一面留心察看著四人的拳勢來路，只覺四人

拳路，奇中蘊正，並非全屬旁門左道，心中暗道：想不到天竺武學，竟是如此的深奧。

忖思之間，趙小蝶和楊夢寰已奔入谷底，趙小蝶嬌喝一聲，當先劈出一掌，拍向一個灰衣僧人。

那僧人回頭接了一掌，被震得向後連退了幾步。

楊夢寰抽出長劍，正待出手，忽然見四個灰衣僧人，齊齊向後撤退，護在那智光大師身前。

朱若蘭低聲喝道：「停手！」

趙小蝶、楊夢寰齊齊應了一聲，分站在朱若蘭的兩側。

朱若蘭望了四個灰衣僧人一眼，道：「你們如若自知難是敵手，那就束手就縛，免得落得和令師一般下場。」

四個灰衣僧人互相低語一陣，左首一個僧人答道：「我們大國師一向是言出法隨，他既然答應了要死一次給你們瞧瞧，定要實踐諾言，我們天竺規矩，他如答應了姑娘之求，復生之後，姑娘如不肯和他回去天竺，只有照他的辦法，也死上七日，……」

朱若蘭接道：「他縱有復生之能，只怕也沒有機會了。」

仍是左首那灰衣僧人應道：「我們大國師任何事都能事先料定，他已經早想到姑娘可能在此埋下伏兵，他如死去之後，姑娘亦可能毀去他的遺體，因此，早就有了準備。」

朱若蘭道：「什麼樣的準備？」

那灰衣潛人突然撮唇一聲怪嘯，悠長的嘯聲，直衝雲漢，響徹山谷。

趙小蝶低聲說道：「蘭姊姊不用聽他的鬼話，先宰了他們再說。」

朱若蘭道：「不用慌，咱們見識一下他們天竺奇術。」

只聽哀樂聲響，一隊白衣僧侶，緩緩從谷口行了進來。

楊夢寰抬頭看去，只見那一隊白衣僧侶，共有一十三人，其中四人，抬著一具白色的棺木，九個白衣僧侶，分執著各種不同的法器，邊吹邊打而來。

楊夢寰一皺眉頭，低聲問朱若蘭，道：「這是怎麼回事？」

朱若蘭道：「我也不太明白，咱們耐心看下去。」

那一隊白衣伴侶，行到智光大師身側，放下棺木，打開棺蓋，緩緩把智光大師的身體，放入棺木之中，齊齊對棺木拜了下去。

趙小蝶看了一陣，並無新奇之感，低聲說道：「蘭姊姊，咱們何不一齊出手，先傷他們一部份人再說，這裝死人的事，有什麼好瞧的。」

朱若蘭道：「好！」暗中一提真氣，突然一皺眉頭，連連向後，退了三步。

楊夢寰一伸手，攔住了朱若蘭道：「蘭姊姊，怎麼回事？」

朱若蘭道：「我受了暗算。」

楊夢寰吃了一驚，道：「受了暗算！」

朱若蘭秀眉緊蹙，臉色蒼白，緩緩說道：「不錯，我受了暗算。」

趙小蝶雙手各執一把短劍，正待出手，聽得朱若蘭的話，突然停下手來，回目一顧朱若蘭，說道：「楊兄，扶著蘭姊姊走。」

只聽一個沉重的聲音，傳了過來，道：「不能走，除非你們不想要她活了。」

趙小蝶怒聲喝道：「爲什麼？」

一個灰衣僧人，陡然轉過身來，接道：「她中了我們大國師的七煞斷魂手，七日之內，如若不得解救，必死無疑。」

趙小蝶道：「什麼人能夠醫治？」

那灰衣僧人道：「除了敝大國師之外，天下無能醫此傷之人。」

趙小蝶怒道：「你們大國師已經死去，難道要他復生之後，再爲人療傷？」

那灰衣僧人道：「不錯，七日之後，敝大國師復生，再爲朱姑娘療傷不遲，他算準了時刻，才死給朱姑娘看，自然是不會錯了。」

趙小蝶道：「死給我們看？」

灰衣僧人道：「不錯啊！不信你問那朱姑娘。」

趙小蝶回顧了朱若蘭一眼道：「蘭姊姊，是你叫那和尙死的麼？」

朱若蘭胸腹間劇痛如絞，愈想運氣制止，疼痛更是厲害，一時間無法開口答話，只好不住點頭。

趙小蝶看朱若蘭的臉上，痛得汗水直淌，心中大爲震駭，暗道：蘭姊姊內功精湛，竟會疼得如此難耐，看來傷得是果然厲害了。

只聽那灰衣僧人說道：「凡是爲七煞斷魂手所傷之人，愈是要運氣止疼，疼得愈是厲害，姑娘如不想受苦，那就不用運氣止疼了。」

朱若蘭武功雖然精湛，但這等絞腹之疼，也是不易忍受，只好依言散去真氣。果然，內腑中的絞疼突然停了下來。

只聽那灰衣僧人又道：「你從此刻起，不能再使傷勢發作，此後發作，一次比一次厲害，一次比一次長久，不但不能再行運氣，而且也不能太耗真力，這情形一天比一天嚴重，唯一的辦法，就是等待我們大國師復生之後，爲你療治。」

朱若蘭望了那棺木一眼，道：「一定要等他復生麼？」

灰衣僧人道：「不錯，除了大國師之外，當今之世，只怕再無第二人能療治那七煞斷魂手的傷勢。」

趙小蝶道：「如是他不會活了呢？」

灰衣僧人道：「萬一如此，只有請那朱姑娘陪葬了。」

趙小蝶想要發作，卻被楊夢寰示意攔住。

朱若蘭望了四個和尚一眼，緩緩說道：「咱們先去休息一會再說。」信步向後退去。

那灰衣和尚也不攔阻，卻高聲說道：「不論你們走多遠，但如想那朱姑娘留下性命，第七日午時之前，一定要趕來此地，過了午時，那就必死無疑了。」

趙小蝶冷哼一聲，道：「我就不信，那七煞斷魂手，傷了人就無法解救。」

灰衣僧人道：「你們還有數日時間，不妨盡這幾日之力，去找幾位名醫試試。」

趙小蝶還待反唇相譏，朱若蘭說道：「小蝶，不用和他們鬥口了。」

趙小蝶道：「姊姊說得是。」扶著朱若蘭退到一處山崖之下，坐了下來。

楊夢寰抬起頭來，望了朱若蘭一眼，道：「蘭姊姊，那和尙說的是真是假？」

朱若蘭道：「句句真言。」

楊夢寰呆了一呆，道：「這麼說來，是非得那智光大師出手相救不可了。」

朱若蘭淡淡一笑，道：「你想他會毫無條件的救我麼？」

楊夢寰黯然一歎，垂下頭去。趙小蝶亦是口齒啓動，欲言又止。

朱若蘭舉起手來，理一下被山風吹亂的秀髮，緩緩說道：「你們不用爲我的生命擔憂，一個人活上一百年，也是難免一死，眼下要緊的是，如何使那大國師不再復生，有道是蛇無頭不行，鳥無翅不飛，如是那智光大師七日後不再復生，隨他來的天竺武士，亦必將喪失鬥志，成爲一片散沙，那就不難一舉擊潰了。」

趙小蝶道：「如是智光大師當真不再復生，又有誰會療治好姊姊的傷勢呢？」

朱若蘭道：「那智光大師復生之後，咱們多了一個強敵，但他未必就會爲我療好傷勢。」

趙小蝶道：「姊姊之意呢？」

朱若蘭道：「我的意思是，不用管我的生死，必須借此機會，把那智光大師殺死。」

趙小蝶道：「有一事小妹也想不通，一個人死了之後，難道真的還會復生麼？」

朱若蘭道：「他不是真死，天竺瑜珈術，習練有成，裝死幾個月，並非難事。」

趙小蝶道：「和那龜息之術一般？」

朱若蘭道：「大同小異……」語聲微微一頓，接道：「不過，一個人在行術期間，就消失了抵抗能力，只要能重傷他內腑，極容易使他無法復生。」

趙小蝶道：「這倒不難，小妹使用大般若玄功，隔棺傳力震他內腑，顧慮的還是姊姊，唉！十個智光大師，也抵不過姊姊一條命啊！」

朱若蘭沉吟一陣，道：「此刻，咱們還有機會造成兩敗俱傷之局，如是等那智光大師復生之後，咱們連這機會也沒有了。」

楊夢寰道：「他答應爲姊姊療傷，等他療治好姊姊傷勢，再和他動手不遲。」

朱若蘭道：「我低估了他，才受了他的暗算，落此重傷，唉！我一直留心到他的武功，卻忽略了他的心機，其實，他聰明絕倫，如若鬥智，咱們三人還未必是他之敵。」

趙小蝶道：「他傷了姊姊，爲何又要裝死呢？」

朱若蘭道：「他要用手段籠絡我，同時亦可誇耀他的奇術。」

趙小蝶道：「我明白了，他要討好姊姊，但又不敢放開胸懷，才這般……」

朱若蘭淡淡一笑道：「可以這麼說吧！他很想討好我，但又不放心我，所以，他一面對我故示大方一諾千金，一面又暗中算計於我。」

趙小蝶道：「現在咱們要怎麼辦？」

朱若蘭道：「眼下情勢，咱們已處劣勢，但如能使那智光大師不再復生，咱們就可互相易勢了。」

趙小蝶道：「智光大師不能活，無人再能療治姊姊的傷勢。」

朱若蘭接道：「我知道你的意思，但其間有些不同，那智光不但是他們的首腦人物，而且是幾人的靈魂，智光若不能復生，這些和尚也就失去了鬥志，但你和楊兄弟，縱然沒有我朱若蘭，亦都是獨當一面的大才，心中愈是悲憤，鬥志愈強……」

楊夢寰接道：「蘭姊姊，你忘記了一件事。」

朱若蘭道：「什麼事？」

楊夢寰道；「咱們的主要對頭是金環二郎陶玉，姊姊必須留下有用的生命，對付他。」

朱若蘭呆了一呆，半晌答不出話。

趙小蝶道：「唉！事已至此，還望姊姊能夠忍耐一二，委屈求全，無論如何，你不能棄我們而去，等那智光復生之後，療好姊姊的傷勢，咱們再想法對付他們不遲。」

朱若蘭道：「好吧！我試試看，盡七日打坐之功，看看能不能解除他加於我的傷害。」

趙小蝶道：「我和楊兄，為姊姊護法，姊姊放心坐息就是。」

朱若蘭站起身子，望了望天色，道：「走！咱們要選一處容易防守之地，萬一那些天竺和尚，結隊相犯，你們兩人難免要顧此失彼了。」

趙小蝶扶著朱若蘭的右臂向前行去。

朱若蘭選擇一處狹谷盡處，盤膝坐下。

趙小蝶、楊夢寰輪流守望，休息時，就坐在朱若蘭的身側。

時光匆匆，一日夜彈指而過。

這時，太陽剛剛爬上了峰頂，金黃色的陽光，照在狹谷中。

趙小蝶緩步走了過來，低聲說道：「楊兄……」

楊夢寰挺身而起，道：「該我輪值了。」

趙小蝶微微一笑，道：「時間還早，你替我片刻，我去打幾支禽獸回來，咱們該吃點東西了。」

楊夢寰道：「有勞姑娘。」

趙小蝶一提氣，身子飄然而起，飛落二丈多高的一塊大巖石上，右手揚處，但聞噗噗連響，一支山雞，由懸崖間滾落下來，一面仍然不停的掙扎。

楊夢寰道：「好手法。」轉身向谷外行去。

這道狹谷，在兩座山峰夾峙之間，入口處不過五六尺寬，兩面的峰壁，陡立如削，又生滿了青苔，十分險惡，縱然身懷第一流的輕功，也是不易攀登，大有一夫當關，萬夫難渡之險。

楊夢寰站在狹谷入口處，抬頭看去，只見遠山凝翠，景物若畫，清風徐來，頓使人神志一清。

這一日夜中，他一直擔憂著朱若蘭的傷勢，忘去了腹中饑餓，但想到趙小蝶適才打下那隻又肥又大的山雞，頓感腹中饑腸轆轆。

幸好這一段時間，未見有人追來。

定然，那天竺僧侶，有著很充分的信心，料定了中土名醫，無人能療治朱若蘭的傷勢。

忖思之間，突然聞得一陣雞肉香味，傳了過來。

楊夢寰腹中早已有些饑餓，聞得那肉香之後，更是感覺著饑火難耐。

但聞那肉香愈來愈濃，不禁流出饞水，暗道：趙小蝶不知用什麼方法，烤得這樣香味四溢……

只聽嗤的一聲輕笑，傳了過來，道：「楊兄，你很餓麼？」

楊夢寰轉臉望去，不知何時，趙小蝶已經到了身後，手中捧著半隻烤好的山雞。

楊夢寰尷尬一笑，道：「不錯。」

趙小蝶道：「快吃吧！我烤得不好吃，不要見笑。」

楊夢寰道：「烤得很香，我早已聞到了。」伸手接過山雞，正待食用，突然停下來，道：「你和蘭姊姊不吃麼？」

趙小蝶微微一笑，道：「你吃吧！我和蘭姊姊吃得很少，兩個人吃一半就夠了。」

楊夢寰腹中饑餓，也不再謙讓，狼吞虎嚥的吃了起來，半隻山雞，很快吃完。

趙小蝶一直站在身側，呆呆的瞧著他吃，看他吃得津津有味，心中亦很高興，微微一笑，道：「很好吃麼？」

楊夢寰道：「好吃得很。」

趙小蝶道：「吃飽了麼？」

楊夢寰道：「肉嫩味香，就是再有半隻，在下也能吃完。」

趙小蝶微微一笑，道：「好，等一會我再打一隻烤給你吃。」

楊夢寰輕輕歎息一聲，道：「蘭姊姊怎麼樣了，可曾進些食用之物？」

趙小蝶道：「只吃一塊雞肉，我瞧她是真吃不下，也不好多勸她了……」語聲微微一頓，又道：「楊兄，蘭姊姊待你如何？」

楊夢寰道：「情義似海，恩重如山。」

趙小蝶道：「如若爲了救蘭姊姊，不論什麼事，你都願意作麼？」

楊夢寰道：「水裏水中去，火裏火中行，肝腦塗地，亦無怨言。」

趙小蝶道：「那我就拜託你一件事了。」

楊夢寰道：「什麼事？只管吩咐。」

趙小蝶道：「我想去那智光大師停屍之處，把他屍體搶來。」

楊夢寰奇道：「搶他屍體作甚？」

趙小蝶道：「聽蘭姊姊說，天竺國人瑜珈術修習有成，可以在水中停留甚久，和咱們龜息之法有異曲同工之辦，那和尙自然不是真的死了。」

楊夢寰道：「是啦，趙姑娘可是想把他搶來之後，把他逼醒，讓他療治蘭姊姊的傷勢。」

趙小蝶道：「就算不把他弄醒了，亦可廢去他的武功，待他七日之後醒來，逼他替蘭姊姊療治傷勢啊。」

楊夢寰道：「不錯，此計大佳。」

趙小蝶道：「事不宜遲，立刻就去，蘭姊姊的安危，托付於你了。」

楊夢寰道：「姑娘一人之力，未免單薄，在下應該同往一行才是。」

趙小蝶道：「楊兄同去，小妹是歡迎得很，只是誰來照顧蘭姊姊呢？」

楊夢寰輕輕歎息一聲，道：「姑娘晚去一日，咱們把蘭姊姊送回『水月山莊』，家岳在武功上也許不及姑娘，但他的江湖經驗和閱歷，卻是我等難及，把蘭姊姊交給家岳照顧，在下陪姑娘同去搶那智光屍體，萬一不幸失手，蘭姊姊照顧有人，咱們亦可瞑目泉下了。」

趙小蝶沉吟了一陣，道：「你不能去。」

楊夢寰奇道：「為什麼？」

趙小蝶道：「此去兇險萬分，自在意料之中，如若小妹失手而死，為了蘭姊姊，那是死而無怨了，如是楊兄也有個三長兩短，留下李瑤紅和沈家姐姐，要誰照管，她們都已經是名正言順的妻子了，你如有了事，她們豈不要恨我入骨，我死了也得受她們的責罵。」

楊夢寰道：「姑娘不知，霞琳和瑤紅內心之中，對那蘭姊姊的感激，不在你我之下，就是要她們為那蘭姊姊赴湯蹈火，亦是在所不惜……」

趙小蝶道：「我知道，但這有些不同，你和蘭姊姊之間……」

楊夢寰道：「我知道，她們如若知道此事，不但不會反對，反將一力促成。」

談話之間，瞥見遠處一點人影閃動，直向兩人停身之處行來。

趙小蝶低聲說道：「來了不知是何許人物，咱們快藏起來。」

楊夢寰應了一聲，隱藏在一塊大石之後。

趙小蝶緊緊隨著飛身而起，躍上一株大樹。

楊夢寰抬頭看去，只見一個青衣人疾如流星而來，行到谷口之處，停了下來，流目四顧。

楊夢寰看來人竟是王寒湘，不禁吃了一驚，暗道：「這人突然跑來此地，不知是何用心？」

忖思之間，只聽王寒湘高聲說道：「在下王寒湘，奉了幫主之命，有要事面見朱姑娘。」

楊夢寰心中暗道：他既明來，我等倒也該出去見他才是。

心念轉動之間，瞥見人影一閃，趙小蝶縱身而下，攔住了王寒湘的去路，道：「你奉陶玉之命而來麼？」

王寒湘道：「不錯，朱姑娘可在此地麼？」

趙小蝶道：「你有什麼事，先說給我聽聽，才能決定要不要你見她。」

王寒湘道：「此事關係重大，未見朱姑娘之面，在下不敢亂言。」

趙小蝶冷笑一聲，道：「除非你不想活了，那就不用說啦。」

王寒湘吃過趙小蝶的苦頭，對她實是有些畏懼，知她不似朱若蘭，識顧大體，不致於隨便傷人，只要她興之所至，說殺就殺，從不顧及後果。心中念轉，口中卻緩緩應道：「姑娘就算殺了在下，在下亦是不能盡述詳情。」

楊夢寰心中暗笑道：不能盡述詳情，那可是可說點頭尾出來了。

但聞趙小蝶冷冷說道：「你就先說一點內情，給我聽聽。」

王寒湘道：「敝幫幫主說，如若他推想得不錯，朱姑娘此刻應該受了重傷。」

此言一出，只聽得隱身石後的楊夢寰，呆了一呆，暗道：這陶玉怎會知道朱姑娘受傷的事。

趙小蝶冷笑一聲，道：「那陶玉和智光大師勾結，狼狽爲奸，只要去問問那天竺和尚，就不難得知內情，那也沒有什麼奇怪之處。」

楊夢寰心中忖道：這倒是簡單得很。

王寒湘也不辯駁，緩緩說道：「有勞姑娘代在下通報一聲，看那朱姑娘是否願見在下？」

趙小蝶冷冷說道：「你爲人和那陶玉一般的狡猾，叫我如何能信得過你。」

王寒湘道：「姑娘之意呢？」

趙小蝶道：「我點了你的穴道，再去通報蘭姊姊，她如肯見你，自然帶你見她，如是不肯見你，我再解你穴道，放你離此。」

楊夢寰心中暗道：這辦法太苛刻了，那王寒湘也是江湖上有頭臉的人物，決是不會答允。

那知事情竟然是大大的出了楊夢寰的意料之外，王寒湘竟然一閉雙目，道：「好！姑娘儘管出手。」

趙小蝶也不客氣，右手揮揚，點了王寒湘四處穴道。說道：「楊兄，請出來吧！」

楊夢寰緩步而出，說道：「什麼事啊？」

趙小蝶微微一笑，道：「你在這裏看著他，我去通報蘭姊姊一聲，看看蘭姊姊肯不肯見他。」

楊夢寰道：「你去吧！」

趙小蝶道：「此人狡猾得很，不要上他的當，我告訴你一個釜底抽薪之法，如是他給你施用什麼手段，你就給他一劍。」

楊夢寰微微一笑，暗道：這辦法倒也是對付狡猾之徒的良策。

趙小蝶轉身直向谷中奔去。

大約過一頓飯工夫之久，才見趙小蝶緩步走了過來。

王寒湘急急說道：「那朱姑娘怎麼說？」

趙小蝶一字一句道：「本來不要見你，以後，不知爲何又改變了心意，現在你跟我走吧！」

王寒湘道：「姑娘可否給我解開穴道？」

趙小蝶道：「我點你雙臂上的穴道，又不妨礙走路，幹嗎要解？」

王寒湘無可奈何，只好舉步跟著行去。

楊夢寰走在王寒湘的身後，直達山谷盡處。

只見朱若蘭盤膝坐在一處青草地上，神情一片肅然。

王寒湘緩步行到朱若蘭的身側，說道：「在下穴道被點，不能給姑娘見禮了。」

朱若蘭道：「不用多禮，你見我有什麼事？」

王寒湘道：「在下奉了陶幫主之命而來。」

朱若蘭緩緩說道：「什麼事，照直說吧！」

王寒湘道：「敝幫幫主知那天竺和尚，武功高強非同小可，因此想到了姑娘可能受他暗算，特遣在下來見姑娘請示一事。」

朱若蘭道：「請示什麼？」

王寒湘道：「敝幫主親率數十名高手，駐足在百里之內，但得姑娘一個請字，立時率人趕

來相助。」

朱若蘭略一沉吟，道：「他大約是已知天竺和尚的厲害，心知我們如敗在天竺和尚的手中，就要輪到他了，明來助我，實爲自助，我朱若蘭不領這個情。」

趙小蝶接道：「陶玉可以繪製姊姊一幅畫像，勾引天竺和尚，難道我們就不會和天竺僧侶合手，先把他殺死麼？」

三四　事急聯手

王寒湘尷尬一笑，道：「王某只是奉命而來，如得姑娘賜允，那是最好，萬一姑娘不願我等相助，在下亦只好據實回報敝幫主了。」

楊夢寰突然拱手說道：「王老前輩。」

王寒湘急急還了一禮，說道：「不敢，楊大俠有何見教？」

楊夢寰道：「在下心中有件事，一直想不明白，倒要請教老前輩了。」

王寒湘道：「除了敝幫中不能洩露的機密大事之外，王某是知無不言。」

楊夢寰道：「在下問的是王老前輩的私衷。」

王寒湘略一沉吟，道：「楊大俠問哪一方面？」

楊夢寰道：「王老前輩，在武林成名已久，昔年家岳曾慕名相邀，入天龍幫中，委以五旗壇主之首的要職，那時陶玉不過是天龍幫中一名香主，想不到數年之後，老前輩竟然又作了陶玉的屬下。」

王寒湘先是一怔，繼而淡淡一笑，道：「一個人的才慧、天賦不同，其成就亦是不同，數年前敝幫主固然是天龍幫的一名香主，但如論他此刻的成就，卻又非在下所及了。」

楊夢寰道：「只此而已麼？」

王寒湘似是有著難言之苦，淡淡一笑道：「敝幫主能使我王某傾心相從，自然是有著令人敬服之處了。」

趙小蝶冷冷說道：「楊兄，不用對牛彈琴了，他甘心爲陶玉所用，只怕是情非得已。」

王寒湘輕輕咳了一聲，道：「敝幫主還等著在下的回信，朱姑娘如何決定還望示知。」

朱若蘭緩緩說道：「你要那陶玉親來見我，再談合作的事。」

王寒湘道：「就此一言爲定，在下立刻回報敝幫主。」

朱若蘭望了趙小蝶一眼，道：「解開他的穴道。」

趙小蝶應了一聲，揮手在王寒湘的身上，連拍了四掌。

王寒湘穴道解開，抱拳一禮，道：「多謝朱姑娘。」轉身疾奔而去。

趙小蝶望著王寒湘背影逐漸消失不見，低聲問道：「蘭姊姊，那陶玉爲什麼要來幫助我們？」

朱若蘭道：「天竺和尚突然在中原出現，大出我意料之外，這一次咱們雖非一敗塗地，但已陷於危險之境，再錯一著，只怕要全軍覆亡，我得好好想想才行。」言罷，閉上雙目。

趙小蝶、楊夢寰不敢驚擾於她，悄然向谷口行去，行出數丈，趙小蝶忽然低聲問道：「你瞧蘭姊姊會不會和陶玉合作？」

楊夢寰心中暗道：如是蘭姊姊不肯，就算那陶玉苦苦懇求，也決然不會和他合作，但此刻她傷勢未癒，處境險惡無比，如何決定那就難以預料了。心中念轉，口中卻緩緩說道：「蘭姊姊諳熟謀略，肯不肯和陶玉合作，在下如何能夠料到。」

趙小蝶：「如是蘭姊姊不和陶玉合作，那就罷了，如是和陶玉合作，我就求你一件事。」

楊夢寰道：「什麼事啊？」

趙小蝶道：「如蘭姊姊決定和陶玉合力對付那天竺和尙，那也不過是一時的權宜之計，那陶玉的陰毒狡猾，實在那天竺和尙之上，因此，咱們勝過那天竺和尙之後，你要和我合力一舉把陶玉搏殺。這些年來，他武功大進，我一人之力，只怕已經非他之敵了。」

楊夢寰道：「好吧！到時見機而作，我想那陶玉必已有準備，只怕不會給咱們殺他的機會。」

趙小蝶道：「不論成敗，咱們也得出手一試，陶玉隱在暗處，和咱們作對，而且他武功愈來愈高，心地越來越毒，留他活在世上，不但我等多一個心腹之患，亦非武林之福。」

談話之間，已到谷口所在。

楊夢寰仰起臉來，長長吁了一口氣，道：「在下數年來，歷經無數兇險，幾經生死之劫，但我從未覺到人手單薄，此刻卻有勢孤力單之感了。」

趙小蝶道：「那是你擔心蘭姊姊的傷勢，心中有著顧此失彼的顧慮，才有此感是麼？」

楊夢寰點點頭，道：「大概是不錯了。」

趙小蝶道：「我也很擔心蘭姊姊的傷勢，不過，我相信蘭姊姊吉人天相，不會有何兇險。」

楊夢寰道：「但願一切如趙姑娘預料才好。」

趙小蝶道：「又有人來了。」

楊夢寰抬目望去，果見一團人影，疾向谷口之處奔來。

趙小蝶拉著楊夢寰一閃身子，隱入了一塊大石之後。

只見那人形行到谷口之後，突然停下身來，不住向谷中探望。他似是早知谷中有人，竟不敢冒然闖入。

楊夢寰身子被趙小蝶擋了起來，無法瞧到外面景物，但覺那人早該到了谷口，何以不見進入谷來，忍不住問道：「來人可是已經過去了麼？」

趙小蝶道：「這人鬼鬼祟祟，在谷口處徘徊探望，卻又不敢進入谷中。」

楊夢寰道：「什麼樣子？」

趙小蝶道：「個子矮小，身著黑衣。」

楊夢寰心中一動，道：「我去問他一聲。」縱身而出。

那黑衣人見到楊夢寰時，放步行了過來，一面說道：「楊師弟……」

楊夢寰已聽出是童淑貞的聲音，接道：「是童師姊麼？」

童淑貞一面點頭，一面閃入谷中，道：「正是愚姊，朱姑娘受了傷麼？」

楊夢寰道：「不錯，師姊如何知道？」

童淑貞道：「我一直混在陶玉手下，陶玉屬下眾多，我又十分小心，這些時日中，總算未曾被他發覺。」

楊夢寰道：「陶玉爲人精明，師姊長期混在虎口，只怕不是良策……」

童淑貞道：「此刻無暇談論這些事，我冒險來此，告訴你一件重大消息。」

趙小蝶接口說道：「什麼消息？」

童淑貞回顧了趙小蝶一眼，道：「趙姑娘也在此地，那是最好不過，陶玉可曾派那王寒湘來過此地麼？」

趙小蝶道：「來過了。」

童淑貞道：「那就是了，陶玉已知朱姑娘受傷的事，決心乘人之危，要親率高手，準備來生擒朱姑娘……」

趙小蝶冷笑一聲，接道：「怎麼樣？我就知道那陶玉爲人惡毒，決不是真心和咱們合作，果然是派那王寒湘探道而來。」

童淑貞道：「我此來原想留此相助，但趙姑娘在此，用不到我助拳了，你們多多珍重，我要去了。」轉身向谷外行去。

楊夢寰急急說道：「師姊留步。」

童淑貞緩緩回過身來，道：「師弟還有什麼話說？」

楊夢寰大步行到童淑貞的身側，低聲說道：「朱姑娘確實受了重傷，既要拒擋那天竺和尚，又要對付陶玉，趙姑娘武功雖然高強，但卻有顧此失彼之憂……」

童淑貞道：「這些事我早就知道，你想要我做什麼？只管吩咐就是。」

楊夢寰道：「有勞姊姊到水月山莊一行。」

童淑貞道：「朱姑娘、趙姑娘，都在此地，回『水月山莊』請哪一個呢？」

楊夢寰道：「家岳現在水月山莊。」

童淑貞道：「李老前輩比起朱姑娘，哪個武功高強？」

楊夢寰道：「自然朱姑娘高強了。」

童淑貞道：「這就是了，那就不用回『水月山莊』了。」

楊夢寰道：「我們主要的是人手不夠，無法調度，家岳如能趕來，也好相助我等一臂之力，他經歷廣博，遇上大事，自有過人之見。」

童淑貞道：「除了令岳之外，『水月山莊』中，還有些什麼人？」

楊夢寰道：「還有沈師妹。」

童淑貞道：「好了，我告訴沈師妹就是。」

楊夢寰道：「如是見著了天機石府來人，也請告訴他們朱姑娘在此。」

童淑貞道：「我都記下了。」轉身大步而去。

楊夢寰望著童淑貞背影消失之後，才緩緩回望著趙小蝶道：「趙姑娘，你瞧見這人沒有？」

趙小蝶道：「瞧到了。」

楊夢寰道：「她此去沒有兇險吧！」

趙小蝶道：「但願如此。」

楊夢寰歎息一聲，道：「陶玉別懷鬼胎，咱們也該好好準備一下才是。」

趙小蝶道：「楊兄說得不錯，但不知要如何準備？」

楊夢寰道：「咱們緊隨在蘭姊姊的身側，使他沒有下手的機會。」

趙小蝶道：「這辦法不算上上之策。」

楊夢寰道：「如依姑娘之見呢？」

趙小蝶道：「只怕你不會答應，如若以毒攻毒，有何不可。」

楊夢寰道：「究竟是怎麼回事呢？」

趙小蝶道：「先下手爲強，陶玉到此之時，我先傷了他經脈，他怕咱們殺他，自然不敢對蘭姊姊無禮了。」

楊夢寰一聳劍眉，道：「這個，這個……」

趙小蝶輕輕歎息一聲，道：「我知道你不會贊成，你要作英雄，不願暗算傷人……」

楊夢寰搖搖頭，道：「我這些年來，吃了陶玉不少苦，對付別人，咱們固然不能暗施算計，可是對付陶玉，那就不同了，我擔心的是那陶玉陰險精明，豈能無備，如是咱們暗算不成，反使他有了藉口，那就……」

趙小蝶接道：「我知道，你怕他藉故翻臉，傷了蘭姊姊，是麼？」

楊夢寰道：「不錯，陶玉武功，今非昔比，如是蘭姊姊未受傷前，咱們自然是不用怕他，但此刻情勢不同，一旦動起手來，只怕很難保蘭姊姊的安全。」

趙小蝶道：「咱們就算不暗算他，他如覺得應該動手，也是一樣動手。」

楊夢寰道：「我想蘭姊姊必然早有計算，姑娘如認爲此策可行，最好能和蘭姊姊商量一下。」

趙小蝶略一沉吟，道：「楊兄說得是，我去請示蘭姊姊，她既然要陶玉來，想是早已胸有成竹。」言罷，轉身而去。

楊夢寰仰臉望天，長長吁了一口氣，心中暗暗忖道：五年前一番大劫之後，只望江湖上從此相安無事，卻不料留下一個陶玉，牽引出如許糾紛，天機真人和三音神尼，合錄了那一本「歸元秘笈」固然是使武林中很多絕技得以保全，但也帶給了武林中無數的紛爭、困擾，自它出世，首先使一對愛侶反目，繼之天下武林同道，爲它鬧得天翻地覆，追究禍源，都由那「歸元秘笈」而起，這一部天下武學的總綱，看來是不宜留在人間了，日後，但教我得到此書，必將它一火焚去……他一心想著那「歸元秘笈」的事，不知過去了多少時間。

只聽嗤的一聲嬌笑，傳了過來，道：「你在想什麼心事？」

楊夢寰回頭看去，只見朱若蘭扶在趙小蝶香肩之上，站在身後三四尺處，自己只管想那「歸元秘笈」的事，竟不知兩人何時到來，當下尷尬一笑，道：「兩位……」

朱若蘭微微一笑，接道：「小蝶妹妹和我談起了陶玉的事。」

楊夢寰道：「姊姊如何決定呢？」

朱若蘭道：「咱們此刻處境，不但險惡，而且十分微妙，陶玉和咱們爲敵，但也可以助咱們一臂之力。」

楊夢寰看她臉含微笑，神態鎮靜，毫無面對死亡的不安和痛苦，心中既是敬佩，又是黯然，緩緩垂下頭去，道：「姊姊如是未受那和尙暗算，咱們也用不著借重陶玉了……」

朱若蘭笑道：「你不用爲我擔憂，我自信可以度過這次死亡之危……」目光轉動，一掠楊夢寰和趙小蝶，眉宇間微現黯然，但不過一剎那間，又恢復了鎮靜，接道：「等一會陶玉來時，你們不用守護於我。」

趙小蝶道：「那怎麼行？」

朱若蘭舉手理一下秀髮，道：「情勢所迫，姊姊不得不用手段了。」

楊夢寰一皺眉頭，欲言又止。

朱若蘭似是已瞧出楊夢寰的用心，笑道：「不要緊，我不會對陶玉有所承諾的。」

趙小蝶道：「姊妹身受重傷，如何能和那毒如蛇蠍的陶玉單獨相處？」

朱若蘭輕輕拍著趙小蝶的香肩，道：「不要緊，姊姊自有對付他的辦法，咱們就這樣決定了。」語聲微微一頓，又道：「咱們此刻的處境，雖然險惡，但並非絕望，一個人愈處逆境，愈是要堅定、鎮靜，自我受傷之後，倒使我想到平常未曾想到的事，也許這次大傷，反使我對人作事，有很大的進益……」

語聲未完，突聞長空鶴唳，靈鶴玄玉自空而降。

玉簫仙子躍下鶴背，滿臉慌急的說道：「姑娘好麼？」

朱若蘭望了玉簫仙子一眼道：「我不是很好麼？」

玉簫仙子道：「適才小婢遇上了童姑娘，得知姑娘受傷之事……」

朱若蘭接道：「你到過水月山莊麼？」

玉簫仙子道：「去過了，見過沈姑娘和李老前輩。」

朱若蘭道：「那還好，如若那天竺和尙，分出一部人手，襲擊水月山莊，咱們就難以應付了……」語聲微微一頓，又道：「除你之外，還有什麼人離開了天機石府？」

玉簫仙子道：「小婢騎鶴先來，彭姑娘率人隨後動身，我們已約定在『水月山莊』之中相見。」

朱若蘭點點頭，道：「這就是了，你回『水月山莊』去吧！」

玉簫仙子道：「姑娘受了重傷，小婢理該留此照應才是。」

朱若蘭道：「不用了，回到水月山莊去吧！此地有趙姑娘和楊相公照顧我，人手已夠，水月山莊人力單薄，你回去也好助他們一臂之力，在莊中等我之命。」

玉簫仙子不敢再言，欠身一禮，道：「姑娘保重，小婢去了。」轉身行去。

朱若蘭突然想起了一件事，高聲說道：「那百毒翁如去找你，留他在水月山莊，此人對咱們大有幫助，好好的款待他。」

玉簫仙子道：「小婢記下了。」舉步跨上鶴背，靈鶴衝天而起，飛上高空。

朱若蘭目光一掠楊夢寰和趙小蝶道：「記著，那陶玉到此之後，你們全都給我避開。」

楊夢寰道：「記下了。」

朱若蘭扶著趙小蝶的肩頭，轉身又行口谷中。

楊夢寰望著朱若蘭背影，黯然忖道：蘭姊姊是何等英雄人物，只因受了我的拖累，害得她身受如此重傷，明知那陶玉爲人陰沉險惡，還得設法虛與委蛇……想到傷心之處，不禁爲之一歎。

感傷之間，瞥見趙小蝶匆匆行了過來，說道：「楊兄，我瞧事情有些不對。」

楊夢寰道：「什麼事情不對？」

趙小蝶道：「蘭姊姊一生之中，最不喜歡和人虛與委蛇，但此刻，卻突然決定要和陶玉長談。」

楊夢寰道：「形勢逼人，蘭姊姊心中雖然不願，但又不得不設法應付了。」

趙小蝶道：「有一件事，不知你是否知道了？」

楊夢寰道：「什麼事？」

趙小蝶道：「陶玉和蘭姊姊的事。」

楊夢寰吃了一驚，道：「陶玉和蘭姊姊的事？」

趙小蝶道：「不錯，陶玉很喜愛蘭姊姊。」

楊夢寰淡淡一笑，道：「陶玉對任何女子都一樣……」

趙小蝶道：「陶玉對蘭姊姊的喜愛，有些不同。」

楊夢寰道：「哪裏不同？」

趙小蝶道：「陶玉對蘭姊姊很認真，至低限度，這一段時間內很認真。」

楊夢寰沉吟一陣，道：「可是蘭姊姊告訴你的？」

趙小蝶笑道：「你怎會這樣想呢，蘭姊姊怎會告訴我這些事情，自然是我自己瞧出來的了。」

楊夢寰沉吟了一陣，道：「不要緊，蘭姊姊智慧絕倫，早已看透了陶玉的爲人，自然會防

備他的。」

趙小蝶輕輕歎息一聲，道：「十年內，蘭姊姊當是主宰武林中正邪消長的人物，因此，咱們不能讓蘭姊姊受到一點傷害，你明白我的話麼？」

楊夢寰一皺劍眉，道：「有些明白，但卻不大明白。」

趙小蝶道：「你們男人，看上去聰明得很，其實都是很糊塗……」語聲微一停頓，接道：「如是那陶玉，常年和蘭姊姊在一起，那陶玉又誠心討好蘭姊姊，日久情生，怎麼得了！」

楊夢寰道：「蘭姊姊非同他人，不論陶玉耍的什麼手段，蘭姊姊也能夠洞燭細微，諒那陶玉也無法騙得蘭姊姊。」

趙小蝶道：「任何事情都有一個規律，只有男女之間的事，無規可循，防微杜漸，方不失良策。」

楊夢寰道：「蘭姊姊決定的事，只怕很難更改，此刻勸她已晚了一些。」

趙小蝶道：「我只是告訴你以後留心就是。」

楊夢寰道：「還要趙姑娘從中佈置。」

談話之間，瞥見人影連閃，數十人影，直對谷口奔來。

趙小蝶起身說道：「大約是陶玉來了，我要躲起來，不要見他。」

楊夢寰道：「想那王寒湘早已告訴陶玉姑娘在此，那也不用躲了。」

趙小蝶道：「我最討厭陶玉，愈少見愈好。」起身入谷而去。

楊夢寰凝目望去，只見來人逐漸行近，果然是陶玉帶著十餘個高手而來。

行近谷口時，突然緩了下來。

陶玉走在最前面，直到距離楊夢寰五步左右時，才停了下來，一抱拳，道：「楊兄，久違了。」

楊夢寰拱手還了一禮，道：「你是真的陶玉麼？」

陶玉微微一笑道：「自然是真的了，當今之世，也只有兄弟我一個陶玉啊！」

楊夢寰道：「只有從你的聲音之中，我才能聽出你是真是假。」

陶玉道：「現在楊兄聽出來了麼？」

楊夢寰道：「現在兄弟聽出來了，果是陶兄。」

陶玉淡淡一笑，道：「楊兄想是早已知道了。」

楊夢寰道：「什麼事？」

陶玉道：「朱若蘭朱姑娘，請在下來此一晤。」

楊夢寰道：「據兄弟所知，是陶兄遣人來此求見朱姑娘。」

陶玉道：「倒是承那朱姑娘賜允了。」

楊夢寰道：「朱姑娘現在谷中，陶兄請入谷中相見。」

陶玉目光轉動，四顧了一眼，道：「趙小蝶趙姑娘不在此地麼？」

楊夢寰道：「谷中很大，到處可以容身。」

陶玉微微一笑，回顧了身後隨來的十幾個勁裝大漢一眼道：「你們在谷外等候，未得我之命，不得擅入谷中一步。」

十幾個黑衣勁裝大漢，齊齊應了一聲，退到一處山崖之下排隊而坐。

陶玉微微一笑，道：「楊兄，兄弟一人入谷，楊兄可以放過麼？」

楊夢寰道：「朱姑娘邀你而來，兄弟豈敢攔阻。」身子一側讓開去路。

陶玉笑道：「楊兄有兩位如花美眷，享盡齊天之福，兄弟實在羨慕得很。」

楊夢寰已知陶玉爲人，天生的陰損刻薄，淡然一笑，不再理會他。

陶玉輕輕咳了一聲，欲言又止，緩步向前行去。

他爲人陰沉多疑，生恐趙小蝶隱身暗算，行動十分小心。

那知一路行到谷底，一直未見趙小蝶出手暗算。

谷底處，一株大松下，青草地上，盤膝坐著朱若蘭。

陰沉險惡的陶玉，不論對任何人，一出口詞鋒如刀，總想損人幾句，唯獨對朱若蘭十分敬重，當下抱拳一禮，道：「得蒙賜允，使在下得親芳澤，陶玉幸何如之……」

朱若蘭神態嚴肅，抬頭望了陶玉一眼，冷冷說道：「陶玉，你自重一點。」

陶玉微微一笑，道：「敬領芳命。」規規矩矩的坐了下去。

朱若蘭星目閃動，望了陶玉一眼，道：「你要見我，有什麼事？」

陶玉道：「在下想和姑娘，討論一下目前江湖大局……」

他似是想要朱若蘭接口，那知朱若蘭竟是一語不發。

陶玉只好接了下去，說道：「就目下武林道上而言，在下覺得唯姑娘和區區，才當得英雄人物……」

朱若蘭理一下被山風吹飄起的長髮，淡淡一笑，道：「過獎了。」

陶玉只覺她輕盈一笑，如花盛放，不禁一呆。

朱若蘭似有警覺，笑容突斂，又恢復一臉嚴肅之色。

陶玉重重的咳了一聲，接道：「兩雄相拚，必有一傷，不論傷的是姑娘或是在下，那將使武林中屍堆如山，血流成渠。」

朱若蘭道：「你很自負。」

陶玉哈哈一笑，道：「細數天下人物，我陶玉如何能不自負……」

語聲微微一頓，又道：「但目下情勢不同，天竺群僧入侵中土，來勢猛惡，銳不可當，唯姑娘和在下聯手拒敵，才可使武林中免除大劫……」

朱若蘭接道：「什麼人勾引那天竺僧侶入侵中土？」

陶玉道：「大勢已成，姑娘抱怨也沒有什麼用了。」

朱若蘭道：「是不是你陶玉？」

陶玉笑道：「不錯，不過，這都是爲了姑娘。」

朱若蘭冷笑一聲，道：「我知你狡猾善辯，你勾引那天竺和尚，竟然是爲了我，這謊言未免是太可笑了。」

陶玉笑道：「在下言出至誠，姑娘聽在下解釋，自然就明白了。」

朱若蘭道：「好，你說吧。」

陶玉道：「我陶玉左腿膝骨雖然被你打斷，落得了殘廢之身，但我心中並無恨你之意……」

朱若蘭冷笑一聲，道：「這麼說來，我還得感謝你了。」

陶玉道：「感謝倒不敢當，在下生性刻薄，寧願我負天下人，不願天下人負我，唯獨對你朱姑娘生不出記恨之心。」

朱若蘭道：「爲何如此呢？」

陶玉道：「這其間似很微妙，但如說穿了，那倒是簡單得很。」

朱若蘭道：「你說說看。」

陶玉兩道炯炯的目光，逼注在朱若蘭的臉上，說道：「因爲在下不忍使姑娘受到傷害，所以……」

朱若蘭長長吐一口氣道：「所以，你勾引天竺和尙來此傷我？」

陶玉搖搖頭，道：「姑娘誤會了。」

朱若蘭道：「哪裏誤會了？」

陶玉道：「在下用心，只是希望把你逼得走投無路，使姑娘非和在下合作不可，唉！想不到他們竟然傷了你，倒非在下始料所及了。……」

朱若蘭暗暗罵道：好一個險惡之徒……

但聞陶玉接道：「環顧當今武林，姑娘如若不要人相助，那也罷了，如是要人相助，自然

是非我陶玉不可了，也只有姑娘和我陶玉聯手，才可對付天竺群僧奇功、邪術。」

朱若蘭道：「天無二日，國無二王，如若咱們兩人合作，是哪個爲輔，哪個爲尊？」

陶玉道：「自然是你朱姑娘爲尊了。」

朱若蘭道：「我不信你肯甘心爲我屬下。」

陶玉道：「自然是有條件了。」

朱若蘭道：「什麼條件？」

陶玉道：「如論爲人的冷漠，天下之人，我陶玉應該是當得第一，但我對你朱若蘭竟然動了愛惜之心。」

朱若蘭淡淡一笑，道：「我怎會不知道呢？」

陶玉道：「唉！說起來也是冤孽，自我第一次見你，就爲你風儀陶醉……」

長長吁一口氣，接道：「不過，那時我陶玉雖然在武林中稍有聲名，但如比起朱姑娘那可是小巫見大巫，怎敢對朱姑娘稍示愛意，只有深藏於心腑之中罷了，想不到這一縷愛心，與日俱增，隨著我陶玉的聲望，愈來愈深……」

朱若蘭道：「你很大膽，也很魯莽，我從未聽到過一個人敢這般坦然說出這等事情，除非是口是心非，別有所圖。」

陶玉微微一笑，道：「我知你不會相信。」

但聞一個冷冷的聲音接道：「別說我蘭姊姊了，天下又有什麼人，會相信陶玉的話。」

陶玉回頭看去，只見趙小蝶站在五六尺外，神色一片肅然，眉宇間怒容湧現，大有立刻出

手之意。

陶玉道：「在下只是說出內心之言，信與不信，那就全憑姑娘了。」

趙小蝶道：「人家不信，你說了豈不是白費口舌麼，除非，你有所表現。」

陶玉道：「如何一個表現法？」

趙小蝶道：「現在蘭姊姊受了那天竺國師智光的暗算，但那和尚，也傷在蘭姊姊的手中，你如真心想救蘭姊姊，就去把智光大師擒回來……」

陶玉輕輕咳了一聲，接道：「我陶玉一個人去麼？」

趙小蝶道：「我陪你去。」

陶玉道：「好！我如不答應你，那是顯得我陶玉沒有誠心。」

朱若蘭道：「天竺僧侶，人數眾多，你們兩個人何苦涉險。」

趙小蝶道：「姊姊可是認為這陶玉是一個人來見你麼？」

陶玉接道：「在下雖然帶有幾個從人，但那些人都是無關緊要的人物。」

趙小蝶道：「不用多解說了，你是愈描愈黑。」

朱若蘭望了趙小蝶和陶玉一眼，似要說話，但卻又突然忍了下去。

陶玉站起身子，望著趙小蝶道：「姑娘準備幾時去？」

趙小蝶道：「今晚二更。」

陶玉道：「好！今晚初更時分，在下當率領屬下幾位高手在谷口等候。」

趙小蝶道：「咱們會合之後，立刻出發。」

陶玉道：「就此一言爲定。」轉身向外行去。

朱若蘭突然啓口說道：「陶玉，你不是受了傷麼？」

陶玉微微一笑道：「多謝朱姑娘的關心，在下傷勢已好了。」

朱若蘭不再言語，眼望陶玉，大步而去。

趙小蝶道：「姊姊，那陶玉傷得很重，怎會突然間好了起來？」

朱若蘭道：「我也是覺得奇怪，看他神情，又不似說的虛言。」

趙小蝶仰起臉來，說道：「希望今宵之戰，那陶玉能和天竺僧侶同歸於盡。」

朱若蘭搖頭說道：「你別只管打如意算盤，陶玉心機陰沉，豈是你所能及得。」

趙小蝶道：「我雖不如陶玉的心機陰沉，但卻比他清醒一些。」

朱若蘭奇道：「難道那陶玉不清醒麼？」

趙小蝶道：「我瞧他此刻對姊姊有些認真，至低限度，目前這一陣時光，他對你十分認真，所以他就沒有我清醒。」

朱若蘭道：「任何事，都不能奢求僥倖，你這般處處把機會和運氣都算在自己頭上，那是太過天真了。」

趙小蝶道：「話雖如此，但此刻卻有著這等機會，爲什麼不賭賭運氣？」

說話之間，只見楊夢寰大步行了過來。

朱若蘭道：「陶玉走了麼？」

楊夢寰道：「走了，但他臨去之際，告訴我初更時分要來和趙姑娘同去搶那智光的屍體，問我敢不敢同往一行。」

趙小蝶道：「你怎麼答覆他？」

楊夢寰道：「我當時未作決定，特來請示蘭姊姊，陶玉在鬧什麼鬼？」

趙小蝶道：「他要助我們去搶那智光和尚的屍體……」

楊夢寰道：「我不信陶玉真會如此好心。」

趙小蝶道：「我原也有些不信，但此刻卻有些半信半疑。」

楊夢寰道：「為什麼？」

趙小蝶道：「我瞧他神情，聽他之言，他對蘭姊姊確是一往情深。」

楊夢寰呆了一呆，默然不語。

朱若蘭一直是閉目而坐，對兩人的談話，恍如不聞。

趙小蝶仰起臉來，長長吁了一口氣，道：「有一件事，那陶玉說得不錯。」

楊夢寰道：「什麼事啊？」

趙小蝶道：「他怎麼說，我已記不得了，但那意思是說，如若咱們不找他陶玉幫忙，當今武林，再無人能夠幫得咱們了。因此，我決定和他同往一行，先搶得智光屍體回來，借他之力對付天竺群僧，然後再想法子，對付陶玉，雖非上策，但目前也只有這個辦法。」

楊夢寰道：「蘭姊姊之意呢？」

趙小蝶道：「蘭姊姊當然不希望咱們涉險，但小妹已經決定了，我不信陶玉的武功強過了

我，借天竺僧侶之手，證實一下，如若他確實強得過我，那也罷了，如果他不如我，回途中，我就要搏殺於他。」

楊夢寰道：「陶玉縱然如約而來，亦必會帶著高手隨行，你一人之力，如何能拒擋他們的圍攻呢？」

趙小蝶道：「不要緊，我只要傷了陶玉一人，其他之人，那就不足畏了。」

楊夢寰道：「既是如此，在下和你同行，也好助姑娘一臂之力。」

趙小蝶道：「不用了，我瞧你還是留在這裏，照顧蘭姊姊吧！」站起身子，慢步而去。

楊夢寰望著趙小蝶緩緩而去的背影，流露出無限的幽寂，無限的淒涼。直待趙小蝶身影消失不見，朱若蘭才輕輕歎息一聲，道：「任性的丫頭。」

楊夢寰道：「怎麼？她可是不該去麼？」

朱若蘭道：「一則她不該去，再者我擔心她鬥不過陶玉……」

楊夢寰道：「所以我想陪她一行，唉！在下走了之後，又有誰來照顧姑娘呢？」

朱若蘭似是已經同意，輕輕歎息一聲，道：「不要緊，我自有保身之道，你跟她去吧！不過，要持重一些，也許她會聽你的話。」

楊夢寰道：「姊姊也同意她和陶玉去了？」

朱若蘭道：「小蝶既經決定便很難更改，何況，她又和陶玉約好……」

語聲微微一頓，道：「去瞧瞧她，就說我答應了你和她同去。」

楊夢寰應了一聲，起身而去。

只聽朱若蘭道：「她此刻肩負千斤，面臨從未有過的惶恐不安，只有你款款情意，才能夠激勵起她豪情雄心。」

楊夢寰回頭望了朱若蘭一眼，欲言又止。

行到谷口處，只見趙小蝶支頤而坐，仰臉望天，不知在想著什麼心事。

楊夢寰緩步走了過去，說道：「趙姑娘。」

趙小蝶回眸一笑，道：「嗯！蘭姊姊和你談些什麼？」

楊夢寰道：「她要我和你同去……」

趙小蝶接道：「什麼，留她一個人在這谷中麼？」

楊夢寰道：「她說不用咱們照顧了，她自有安身之道。」

趙小蝶道：「不行，她身受重傷，一人留這裏太危險了。」

楊夢寰道：「蘭姊姊這麼說，我只好聽命了。」

趙小蝶道：「走！咱們一起去見她。」一起身奔入谷中。

只見大松之下，青草地上，留下一紙素箋，哪裏還有朱若蘭的影兒。

趙小蝶拾起素箋，只見上面用黛筆寫道：「陶玉和天竺僧侶，同是我等之敵，這是一場鬥智之戰，你們要早作計劃，不要以我為念。」

短短幾句話，下面亦未署名，但趙小蝶和楊夢寰都已瞧出了那是朱若蘭的筆跡。

楊夢寰歎息一聲，道：「蘭姊姊已發覺自己傷得很重，單憑本身之力，已是無法療治了。」

趙小蝶道：「你怎麼知道呢？」

楊夢寰道：「我從她短短的素箋瞧了出來，她往昔留書，是何等的氣度，但這封函中，卻瞧不出一點英雄氣概來……」

趙小蝶接道：「不錯，我也從未見過蘭姊姊口氣這般軟弱。」

楊夢寰流目四顧一眼，道：「蘭姊姊傷勢不輕，決走不遠，咱們可要找她？」

趙小蝶道：「不用了，我想她就在左近，咱們也養息一下精神，等候陶玉，蘭姊姊說得不錯，這是一場鬥智之戰。」

楊夢寰不再多言，兩人並肩行至谷口處，盤坐調息。

初更時分，陶玉果然依約而來，除他之外，另帶八名高手。

陶玉望了趙小蝶一眼，緩緩說道：「可要再去見見朱姑娘？」

趙小蝶道：「不用了，她正在運氣和內傷抗拒。」

陶玉道：「那定然很痛苦了。」

趙小蝶道：「你如想為她效力，這是你唯一的機會了，也許這一生中，你只有這一個機

會。」

陶玉淡淡一笑，道：「在下要做的事，就是天下人一致反對，我也要作，在下不想做的事，就算是天下人一齊哀求於我，我也是不會答允。」

趙小蝶道：「那你現在是願不願意做呢？」

陶玉道：「在下如是不願，那也不會如約而來了。」

趙小蝶站起身子，道：「好！咱們走吧。」

陶玉目光一轉，眼看楊夢寰也站了起來，不禁一皺眉頭道：「楊兄也要去麼？」

楊夢寰道：「陶兄可是覺得兄弟不能去……」

陶玉道：「這谷中只有你們兩人，你們一起去了之後，誰來照顧那朱姑娘？」

趙小蝶道：「這倒不用你來費心，咱們走吧！」轉身向前行去。

陶玉讓過楊夢寰，帶著八個高手，走在最後。

這片山谷，距那智光大師停屍之地，不過數里之遙，幾人一陣急奔，片刻工夫已然到達。

凝目望去，夜色中，閃爍著數十盞綠色的燈火。

那燈火雖多，但因火焰慘綠，並不明亮，夜色中，反增了更多陰森氣氛。

一具黃綾覆頂的棺木，在閃爍的慘綠燈火中，清晰可見。

陶玉右手搖揮，讓八個隨來的人，停在兩丈開外，低聲對趙小蝶道：「姑娘準備如何出手？」

趙小蝶望了那棺木一眼，緩緩說道：「看情形，那棺木之中，定然是智光大師的屍體了。」

楊夢寰道：「可疑的是，這些番僧們對那盛著智光屍體的棺木，防守得怎會如此輕鬆，不夠森嚴。」

陶玉道：「還有一椿可疑的事，他們應該早發覺了咱們行蹤，何以不見任何舉動？」

趙小蝶道：「不管他們是否發現，也不管棺木中是否是智光大師，但咱們既然來了，總不能就此退走。」

陶玉道：「姑娘心意如何，只管吩咐就是。」

趙小蝶道：「瞧那環繞棺木而坐的僧侶，似是早有準備，咱們分頭施襲，三個各攻一面……」目光一掠陶玉道：「你帶的人，負責搶奪棺木。」

陶玉道：「太簡單了，這計劃只怕不妥。」

趙小蝶道：「你有什麼高見？」

陶玉道：「那些和尚圍棺而坐，知道咱們要來，毫無驚慌之情，沉著的樣子未免使人懷疑，那是說，他們早已有備了。」

趙小蝶道：「你可是害怕麼？」

陶玉道：「在下如是害拍，那也不會來了。」

趙小蝶道：「那是爲什麼？」

陶玉淡然一笑，道：「姑娘可曾數過他們的人數？」

趙小蝶道：「這倒未曾。」

陶玉道：「那人亮起的綠色燈光，暗相配合，一個慘綠的燈光，一個僧侶，七七四十九盞燈，配了四十九個人，決然不是巧合。」

趙小蝶道：「那又如何？」

陶玉一皺盾頭，道：「天竺素多異術，咱們不能不防，照在下的看法，他們似是早已擺好了一陣奇陣，安排了陷阱，等咱們找上去自投羅網。」

趙小蝶道：「你既覺著我調度不當，那就由你主持如何？」

陶玉格格一笑，道：「如論咱們的運籌帷幄之能，兄弟是當之無愧了……」

語聲微一頓，接道：「咱們先瞧瞧他們有些什麼變化再說。」

說完，舉手一招。

八個黑衣佩帶兵刃的大漢，齊齊奔了過來。

陶玉就八人之中，指定兩人，其餘六人，又退了回去。

楊夢寰心中暗道：這人不知要鬧什麼鬼，倒是要仔細瞧瞧。

只見陶玉右手揮揚，在兩個大漢身上點了三指。

楊夢寰看他點中兩人之處，竟非三百六十五穴，似是異脈奇經。

但見兩個大漢閉目而立，片刻之後，重又睜開雙目。

這時，兩人神情全變，雙目圓睜，直似噴出火來一般。

只聽陶玉緩緩說道：「我已用武功，逼他們身上的潛力迸發，此刻，縱然是強如你我這等

高手，也無法十招內把兩人制服。」

突然舉手，在兩人背上各拍一掌，接道：「你們到那棺木旁邊瞧瞧去。」

兩個大漢也不講話，一齊舉步向前行去。

陶玉望了楊夢寰一眼，道：「這是歸元秘笈上記載的手法……」

趙小蝶接道：「記在哪一頁上，我怎麼想不起來？」

陶玉微微一笑，道：「聽說你已把那『歸元秘笈』讀得倒背如流，不知是真是假？」

趙小蝶道：「不錯，你如不信，就問上一句看看！」

陶玉道：「可惜這逼人生命中潛力之法，記載於夾層之內，姑娘沒有瞧見。」

趙小蝶冷冷說道：「怎麼？難道你認爲你當真的讀完了全部『歸元秘笈』。」

陶玉道：「在下記不得那部『歸元秘笈』上還有何殘章斷篇。」

趙小蝶冷笑一聲，道：「記不得，那是只怪你見識不到罷了。」

陶玉冷冷說道：「倒要請教姑娘了。」

趙小蝶冷冷說道：「在那佛、道兩家合璧而修的『大般若玄功』之前，可有著『回龍三式』的記載麼？」

陶玉略一沉吟，道：「不錯，有此記載。」

趙小蝶道：「你是否感到那『回龍三式』之後，缺少了什麼？」

她如不提也還罷了，這一提，確使陶玉有著一種殘缺不全的感覺，沉吟了一陣，道：「不錯，那『回龍三式』和『大般若玄功』之間，確似有著一種其他的記載。」

趙小蝶道：「因此，你並未讀完了全篇『歸元秘笈』。」

陶玉道：「『歸元秘笈』上，各章各頁的記載，都有它的獨立特性，合則成章，分則各成一篇，縱如姑娘所言，真的漏失一頁，那也算不得什麼要緊的事。」

趙小蝶冷笑一聲，道：「你未讀那一章，自然不知道它的重要了……」

語聲微微一頓，又道：「此時此刻，咱們搶那智光大師的屍體要緊，用不著辯論這『歸元秘笈』上的事了。」

陶玉望了那黃綾覆蓋的棺木一眼，道：「搶過這智光大師的屍體之後，在下還要好好和姑娘談談。」

說話之間，只見那兩個大漢，已然奔進了群僧環圍而坐的陣勢中，逐漸接近了那棺木。

趙小蝶凝目望去，只見那端坐在棺木四周群僧，對那兩個行近棺木的人竟然視若無睹。

楊夢寰心中大感奇怪，暗道：「如若這些僧侶不是保護那智光大師的屍體，爲何要圍繞那棺木而坐，如是保護那智光大師的屍體，怎的竟然不阻止兩人？

心念轉動之間，突見四個和尚，就坐原位不動，齊齊揚手對兩人發出一掌。

兩個大漢齊齊大呼一聲，四掌齊出，分接下四僧的掌勢。

四僧攻出一招，似是激怒了兩個大漢，一起縱身而起，分向兩個僧侶攻去。

楊夢寰細察兩個大漢動手的情形，幾近瘋狂，似是全然不顧本身的安危。

這猛惡絕倫的攻勢，迫得兩個受到攻擊的和尚，挺身而起，揮掌拒敵。

立時間，四個人，展開了一場激烈絕倫的惡鬥，兩個大漢奮不顧身，逼了二僧只有招架之

功。

陶玉目注四人打鬥形勢，連連說道：「奇怪呀！奇怪！」

趙小蝶道：「哪裏奇怪了？」

陶玉道：「這些排成的形式，明明是一座陣圖，何以卻不肯發動？」

趙小蝶道：「這事簡單得很，他們不是瞎子，明明瞧到咱們站在此處，如著他們發動陣勢變化，咱們站在旁邊察看，豈不是讓咱們一目了然了麼？」

陶玉笑道：「姑娘這麼一說，果然是簡單得很。」

趙小蝶道：「怎麼，不對嗎？」

陶玉道：「在下沒有說什麼啊。」

趙小蝶道：「哼！你陶玉心中有些鬼謀，我清楚得很，最好是別在我面前賣弄。」

自負險詐的陶玉，對待趙小蝶卻似有著很深的耐性，微微一笑，道：「姑娘才智比在下高明很多，在下對姑娘一向敬佩。」

趙小蝶道：「怎麼，可是想打我收存那幾頁『歸元秘笈』的主意麼？」

陶玉道：「在下想是想，只怕難以如願。」

說話之間，忽聽兩聲大喝，那兩個進入僧群的大漢，突然一齊倒了下去。

趙小蝶一皺眉頭，道：「他們怎麼倒下去了？」

陶玉心中亦是奇怪，暗道：這兩人一直佔優勢，怎會忽然躺下去呢？

心中念轉，口中卻說道：「也許那和尚們暗中施放暗器，或是施用什麼毒物傷了他們？」

趙小蝶心中一動，暗道：施用毒物倒不失上策，天竺僧侶雖然武功特殊，別具一宗，但也是血肉之軀，自然無法防止毒物侵襲了。中原道上，甚多用毒高手，找幾個來也非難事。

三五　驚魂大陣

趙小蝶忖思之間，忽聞陶玉說道：「咱們可要進入陣中去瞧瞧麼？」

趙小蝶道：「你一向怕死，不知是否有膽子進入陣中瞧瞧？」

陶玉道：「只要姑娘肯去，在下是捨命奉陪。」

趙小蝶道：「好！咱們留下楊夢寰守在陣外接應，咱們一齊進陣如何？」

陶玉道：「好，不過，我有一事提醒姑娘。」

趙小蝶道：「很重要麼？」

陶玉道：「不錯。」

趙小蝶道：「那你就說吧！」

陶玉道：「咱們進入陣中之後，那就成了生死與共的局面，彼此要相互照應才行。」

趙小蝶道：「好吧！」當先舉步向前行去。

陶玉緊隨在趙小蝶身後，行近了群僧時，突然搶在趙小蝶的前面，道：「在下開道。」

趙小蝶心中暗道：逐虎鬥狼，那是最好了，也不推辭，讓過陶玉。

陶玉一面暗中運氣戒備，一面緩步向前行去，走到第一個僧侶身側，突然飛起一腳，踢了

過去。

這一腳陡然踢出，那和尚閉目而坐，驟不及防，如何能閃避得開。

但聞蓬然一聲，正踢在前胸之上。

只見那和尚身子向後一倒，仰臥在地上，整個身體向後滑退了兩三尺遠。

陶玉停下腳，不再向前行進，目光轉動，瞧著群僧的反應。

趙小蝶左右雙手，各握著一柄短劍，星目流轉，四顧群僧。

奇怪的是那和尚的死傷，似是和其他的僧侶無關一般，竟然無人出手相救。

陶玉心中暗道：這些和尚，不知在鬧什麼鬼，難道當真是不畏死麼？

趙小蝶道：「陶玉，你再傷一個瞧瞧。」

陶玉回顧一笑，又向前行了三步，揮手一掌，疾向另一個和尚頂門之上拍去，口中說道：
「我不信你們真不怕死。」

這和尚果然有了反應，突然一抬右掌，疾向陶玉的掌勢迎去。

陶玉五指一翻，迅快絕倫的回手一扣，抓住了那和尚的右腕，冷冷說道：「你怕不怕死？」

那和尚不懂中土語言，瞪目不知所對。

陶玉微一加力，右手一抬，格登一聲，把那和尚右手，由腕處活生生折作兩斷。

這等扭斷腕骨的手法，出於阿爾泰山三音神尼一脈，記載於歸元秘笈之上，手法極爲惡毒，不論武功如何高強之人，也無法忍受那骨折扭筋的痛苦，必將慘呼出聲。

但那和尚絲毫無痛苦之意，既未出聲呼叫，臉上亦未見痛苦之色，好像陶玉扭斷的那雙手腕，根本就和他無關一般。

陶玉皺皺眉頭，道：「你的忍性很好。」五指加力，一扭一抖，只聽一陣格格登登之聲，那和尚一條右臂，被陶玉扭斷了數處。

但見那和尚面色如常，絲毫也沒有痛苦的神情。

這和尚超人忍受痛苦之情，不但使陶玉為之大感訝然，趙小蝶也瞧得目瞪口呆在當地！

陶玉放開那和尚右腕，疾快的向後退了兩步，說道：「咱們先退出去。」當先向後退去。

趙小蝶就站在陶玉身後，本想出手攔阻，但卻強自忍了下去，說道：「為什麼要退走？這些和尚既無抗拒之能，何不一鼓作氣，迫近棺木，取走那智光大師的屍體？」

陶玉道：「這些和尚不知為何，竟能忘去了自身的痛苦，這情形非同小可，既無痛苦之感，自然不畏死亡了。」

趙小蝶道：「怎麼，你可是害怕了？」

陶玉道：「在下只覺這等異常的情形，不可忽略，必得作一番精密計劃才成。」

趙小蝶道：「也許他們幾個武功高強的主腦人物，不知道咱們來得這等迅快，沒有準備，臨時擺出這一陣勢來，想唬唬咱們。」

陶玉道：「恐怕不是那麼簡單。」

趙小蝶冷冷說道：「機會稍縱即逝，你心中害怕，那就站在陣外面，別進去了。」竟舉步直向陣中行去。

陶玉搖搖頭，低聲對楊夢寰道：「楊兄，此時咱們是風雨同舟的處境，彼此之間，縱有深仇大恨，也得暫時放下，共拒強敵，照兄弟的看法，這是一座變化無窮的奇陣，只是此刻靜止未動而已，也許咱們行近那棺木之後，這奇陣才會發動。」

楊夢寰道：「我要和你陶玉一般的善施暗算，五年前就沒有你陶玉的命了。」

陶玉微微一笑，道：「此刻咱們是爲了救那趙姑娘，並非是爲兄弟一己的安危……」語聲微微一頓，又道：「我去助趙小蝶一臂之力。」直向陣中衝去。

這時，趙小蝶已然越過群僧，行近棺木。

黃綾掩蓋的棺頂上，分放著三盞慘綠色的燈火。

趙小蝶望著那棺蓋，呆呆出神，不言不動。

奇怪的是那四周群僧，仍然是各坐原位，並無動手的模樣，似乎是這些和尙，如非被情勢迫得不得已時，決不肯和人動手。

陶玉信步行到了趙小蝶身側，道：「趙姑娘，那棺木中是智光大師麼？」

趙小蝶道：「未打開棺蓋之前，怎知棺木中是否智光屍體？」

陶玉心中暗道：這就奇怪了，咱們在陣外研商拒敵之策，你就等它不及，急著要進入陣中來，此刻停在棺木前面，怎的竟不動手。

凝目望去，只見棺木上燈火閃動，瞧不出有何異樣之感，忍不住問道：「趙姑娘，如是不打開這棺木之蓋，咱們瞧上兩天，也瞧不出那棺木中是否智光大師啊！」

趙小蝶回頭轉過臉來，柔聲說道：「陶玉，我想請教一件事。」

陶玉微微一笑，道：「請教不敢當，姑娘有事，只管相詢，在下是知無不言。」

趙小蝶道：「一個人死了之後，身子還會不會動？」

陶玉道：「自然是不會動了。」

趙小蝶道：「適才我行近那棺木之時，瞧見那棺木微微震動……」

陶玉接道：「當真麼？」

趙小蝶道：「難道我還會騙你？」

陶玉道：「天竺多奇術，這些和尚乃天竺僧侶中的精銳，只怕是真有點奇異之術。」

趙小蝶道：「那智光大師原說是死後七日復活，卻不料他根本未死。」

陶玉道：「趙姑娘聰明一世，怎會上這和尚的當，只有七日不死，那有死而復活的事。」

趙小蝶低聲說道：「你留心四方僧侶攻襲，我打開棺木搶人。」

陶玉道：「且慢！」唰的一聲，抽出背上的金環劍，接道：「小心了！」右手一推，手中金環劍，深入了棺蓋之內。

趙小蝶凝神戒備，耳聽四面，群僧如若群起施襲，立時將施下毒手，先傷幾人。

哪知一切都出了人的意外，一切都是那般平靜，群僧仍然靜靜的坐著不動。

陶玉抽拔棺木中的金環劍，似是被一種千斤重力吸著，竟是拔它不出。

只見他連連揮動手腕，別說挑起那棺木之蓋了，就是想把金環劍抽出棺木，亦是難以如願。

陶玉果然有著過人的沉著，遇上了此等驚人大變，仍然是面不改色，手中緊握著金環劍

把，緩緩說道：「趙姑娘，那智光大師不但未死，而且也未暈迷，他好好的坐在棺木之中。」

趙小蝶道：「你怎麼知道？」

陶玉道：「我感覺到那是一雙手，抓住了我的金環劍，不肯放開。」

趙小蝶低聲問道：「要不要我助你一臂之力？」

陶玉道：「不用了。」陡然欺進一步，直逼到棺木前面，左手一掌，拍在那棺蓋之上。

這一擊，暗傳出千鈞之力，猛震棺中之人。

只聽蓬蓬兩聲輕響，棺木上的三盞燈火，暗而復明。

陶玉右腕再一加力，棺蓋陡然揭開，三盞油燈，隨著棺蓋飛落實地。

趙小蝶心中暗道：如是陶玉一劍把智光大師殺死，蘭姊姊也是沒有救了，急急問道：「那棺木中可是智光大師麼？」

陶玉道：「現在還不知道。」

趙小蝶道：「你不會瞧瞧麼？」

陶玉應了一聲，探首向棺中望去。

但覺黑影一閃，棺木中伸出一隻怪手來，抱住陶玉的頸項。

那棺中怪手，揮臂一扣之下，不但動作奇快，而且奧妙無比，以那陶玉此時的武功，竟然是無法避開。

趙小蝶凝目望去，只見那棺木之中除了一支怪手扣拿在陶玉的頸子之上，另有一隻手，扼住了陶玉的左掌。

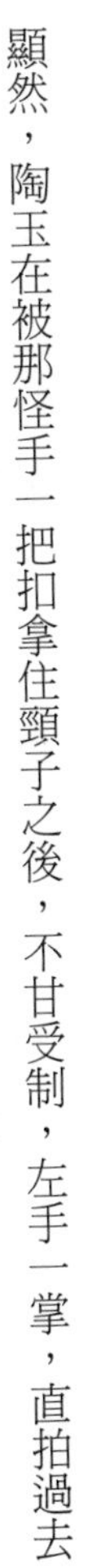

顯然，陶玉在被那怪手一把扣拿住頸子之後，不甘受制，左手一掌，直拍過去。

趙小蝶雖只是瞧了一眼，但她心中卻風車般打了幾百個轉。

如若不是蘭姊姊此刻身受重傷，那棺木中若果是智光大師，這機會可一舉把兩人殺死。

但想到朱若蘭的傷勢，和眼下的處境，她又不能不救陶玉。

心中念轉，也就不過是一剎那的工夫，嬌軀一側，欺近棺木，右手短劍，疾向那抱住陶玉頸子的怪手斬去。

寒芒過處，鮮血迸射，這抱住陶玉的怪手，生生被齊肘間斬作兩段。

趙小蝶想那人一伸手間，就能抱住陶玉的頸子，縱非智光大師本人，亦是位武功十分高強的天竺僧侶，想這一劍，最多能迫他放開陶玉，哪知竟然把手臂斬斷。

陶玉一挺而起，順勢收回金環劍，回目一顧趙小蝶：「多謝姑娘相助。」

趙小蝶心中暗道：我既然救了他，何不藉機會說幾句慰藉之言，籠絡他一下，故作關心，柔聲道：「你受了傷麼？」

陶玉道：「如非姑娘相救在下，是非要受傷不可。」

就在兩人說話的工夫，那盤坐在棺木四周的群僧，已然各自行動，大移方位，那高燃的慘綠燈火，也一齊熄去。

陶玉輕輕歎息一聲，道：「果然不出我的所料，咱們陷入了一奇陣之中。」

兩人雖然武功高強，但面對的強敵，乃是詭異莫測的天竺和尚，敵勢未曾發動之前，兩人也不知如何退敵，這時，亦不禁心中微生慌亂之感。

陶玉身軀移動，低聲接道：「依在下料想、這情勢必有著一種莫可預測的變化，咱們站近一些，也好彼此呼應。」

趙小蝶覺得他身子連向身邊靠過來，顯是借此機會一親芳澤，心中暗道：這人真是可惡得很，口中卻說道：「嗯，不錯，咱們該站近一些……」

突然間，一陣冷厲的笑聲，傳了過來，道：「你們已陷入了驚魂大陣之中，如若想留下性命，只有躲入那棺木之中……」

陶玉回目一顧，只見一片夜暗，那些適才盤坐在四周的和尚，此刻已經隱伏在夜色暗影之中，那些慘綠色的燈火，也一起熄滅不見。

在那迷濛的夜色之中，卻隱隱的泛起了一片殺機。

趙小蝶心中暗道：楊夢寰未隨我等入陣，此刻不知是站在陣外，還是也進入了陣中。

心中雖然惦記著楊夢寰，但她卻強自忍著，未叫出聲，沉吟了一會，低聲說道：「那人叫咱們躲入這棺木之中，不知是何用心？」

陶玉身子又向趙小蝶懷中欺近一些，低聲說道：「趙姑娘，如若咱們今日出不了這驚魂大陣，雙雙死於此地，別人瞧來，定然誤認咱們是一對同命鴛鴦了！」

趙小蝶心中暗自罵道：君子不欺暗室，這陶玉卻在險惡的環境之中，竟還處處設法佔我便宜，當真是可惡得很。

數年以來，趙小蝶經驗大進，對付此等情勢，已然大有經驗，心中雖激動忿怒，口中卻柔聲說道：「嗯！我不想死。」

陶玉微微一笑，道：「料他們這詭異之術，也無法真的要了咱們的命。」
趙小蝶道：「群僧適才不肯和咱們動手，那用心就要咱們行近這棺木。」
陶玉道：「不錯……」
趙小蝶道：「那扣住你頸子的手臂已經被我斬斷，跌入在這棺木之中，怎的不聞呻吟之聲。」
陶玉道：「我想到了一件事……」
趙小蝶暗道：此時此刻，正在用他之時，必得用些手段籠絡住他才是。心中念轉，口中卻問道：「什麼事？」
陶玉道：「那『歸元秘笈』的夾層之中，提到了天竺武功，只不過未說詳盡，只說出幾種特殊的武功情形。」
趙小蝶道：「可曾提到這『驚魂大陣』麼？」
陶玉道：「沒有，不過，卻提到了天竺武功，似是有一種很特殊的武功，不是瑜珈，也和中原武功大不相同。」
趙小蝶道：「那是什麼武功呢？」
陶玉沉吟了一陣，說道：「似是一種可殘肢體的武功。」
他似是自知說得不大清楚，輕輕咳了一聲，道：「這麼說吧！凡是習過這一種武功的人，將會忘去受了傷的痛苦。」
趙小蝶道：「所以咱們進陣時連傷數人，一直未聽得他們呼喝呻吟之聲。」

陶玉道：「鬼蜮伎倆，恐不只此，必然有一種更爲惡毒的變化。」

趙小蝶心中暗道：楊夢寰一個人，如若也被困在這陣中，那又如何是好？必得找到他才行，當下說道：「咱們兩人之力，過於單薄，何不和楊夢寰合在一起，共同對付他們這『驚魂大陣』。」

陶玉道：「此時此刻，他們陣勢已成，只不過還未發動而已，咱們如若衝向陣外，必將引起全陣發動……」

趙小蝶冷笑一聲，道：「這麼說來，我如遇上什麼兇險，你也是一樣不肯救援了。」

陶玉道：「你和楊夢寰有些不同。」

趙小蝶道：「除了男女有別之外，還有何不同？」

陶玉格格一笑，道：「如我救了楊夢寰，那無異是救了一個敵人，不論是情場、戰場，我們都是勢不兩立的人。」

趙小蝶道：「你故意不願救他麼？」

陶玉道：「姑娘一定要問，在下只好承認了。」

趙小蝶道：「好！那你就守在此地，我要出陣去了。」

陶玉道：「你一人之力，只怕無能闖出陣去。」

趙小蝶原想施展柔媚手段利用陶玉，哪知情有所寄，竟是難以自己，當下道：「不用你關心了。」舉步向前行去，一面高聲喝道：「寰哥哥，你在哪裏？」

陶玉目光流轉，四顧了一眼，冷冷說道：「站住。」

趙小蝶早已防到他可能暗中施襲，霍然停下腳步，回過身來，冷冷說道：「有何見教？」

陶玉道：「楊夢寰也許已遇毒手，此時此情之下，你必得和我合作。」

趙小蝶道：「咱們合作可以，但誰要聽誰之命呢？」

陶玉道：「自然是你聽我之命了。」

趙小蝶道：「爲什麼？」

陶玉道：「簡單得很，因爲我武功不比你差，心計更是在你之上……」

趙小蝶冷笑一聲，接道：「只怕未必見得吧！」

陶玉道：「還有一件事，你不要忘記，咱們來此之意，是要救你的蘭姊姊……」

但聞那冷厲的聲音，忽又傳了過來，道：「驚魂大陣，立刻就要發動，你們如不肯避入棺木中去，只有死亡一途了。」

趙小蝶高聲說道：「彼此爲敵，你爲什麼要這樣好心呢？」

但聞那冷厲的聲音，應道：「大國師曾經交代下來，不許傷那朱若蘭的屬下，更不許傷了你趙姑娘，哼哼，如是那人不和你走在一起，早已傷亡多時了。」

陶玉望了望趙小蝶一眼，道：「看來在下還是沾了你的光了。」

趙小蝶一心惦念著楊夢寰的安危，不聞他回應一聲，想是已經遇了毒手，也不理會陶玉，卻高聲說道：「我們同來之人呢？」

那冷厲的聲音道：「大都已經受傷被擒，只有餘下你們兩個人，如若不聽在下良言相勸，驚魂大陣發動之後，兩位定將傷在陣內，大國師雖有令諭，那也是無可奈何了。」

陶玉低聲說道：「咱們快退到那棺木旁邊，此人之言，不能全信，但也不可不信。」

趙小蝶聽得楊夢寰受傷被擒，心中慌急，長長吸一口氣，鎮定一下心神，暗道：此地此情，倒是不能和陶玉翻臉，只好應付他一下，依言向後退去。

兩人剛到棺木旁側，那冷厲的聲音重又響起，道：「躲入那棺中去吧！」

陶玉四顧了一眼，道：「閣下什麼人，何以不肯現身出來？」

他一連問了數聲，始終不聞那人回應，苦笑一下，道：「那人不喜和我們男人講話了。」

趙小蝶探首向棺木望去，只見棺木中空無一人，心中大為奇怪，說道：「這棺木中明明有人，還被我斬斷一條手臂，此刻怎的空不見人？」

陶玉道：「咱們中了誘敵之計，這棺木乃早經設計的機關，可笑我陶玉竟未料到。」

趙小蝶心中暗道：此刻想來，的確是可笑得很，那數十僧人，圍棺而坐，但卻不肯攔阻我們，豈不是存心要我們接近這具棺木麼，當時竟是想他不到。

兩人望著棺木沉吟了一陣，陶玉才緩緩說道：「趙姑娘，此時此情，咱們已陷入共生死的一個境遇之中，合則或有幾分生機，分則必死無疑。」

趙小蝶心中暗道：這話倒是不錯，楊相公生死不明，蘭姊姊重傷待醫，如若我和陶玉再陷身這驚魂陣中，這一戰，可算得全軍覆沒，不管如何，此時得和他衷誠合作才行。

心念一轉，緩緩說道：「好，未出此陣之前，咱們各拋成見，全心合作就是。」

陶玉道：「那很好，不知姑娘有何打算？」

趙小蝶搖搖頭，道：「請教你的高見。」

陶玉仰天吁一口氣，道：「我想試試這驚魂陣有何驚人之處。」

趙小蝶道：「好！咱們如何動手？」

陶玉四顧了一眼，但見夜色茫茫，四周寂然，不見有人影行動，當下說道：「在下有一個奇怪的感覺……」

趙小蝶接道：「什麼事啊？」

陶玉道：「我一直懷疑這座棺木之下，隱藏之人，才是主持此陣的首腦人物。」

趙小蝶道：「那該當如何？」

陶玉道：「先破壞他們首腦部位，再試試他們的驚魂大陣，姑娘替我掠陣，留心外來的施襲之人。」左手抓住木棺，暗運內力，陡然一推，那木棺應手翻了一個轉身。

趙小蝶低頭看去，只見那棺木之下，乃一片沙石之地，並無異樣之處。

陶玉凝目注視了一陣，突然說道：「咱們中了敵人緩兵之計，快走。」

話還未完，只見火光連閃，片刻間，亮起了數十盞慘綠的燈火。

趙小蝶低聲說道：「這棺木中的人呢？」

陶玉道：「早已在咱們不留心時，在夜色掩護之下逸走，咱們卻爲了這具空棺，耗費了甚大氣力，耽誤了很多時間，使他們從容部署。」

趙小蝶點點頭，道：「原來如此。」

抬頭看去，只見四面八方人影閃動，緩緩向兩人停身之處圍來。

這些人，左掌上托著一盞慘綠的燈火，右手緊握拳頭，不知手中抓的什麼，身著五色錦

袍，長髮披垂，一道金箍，束著長髮，臉色是一片嚴肅。

這怪異的裝束，在夜色中，再經那慘綠的燈火一照，當真是如入鬼域一般。

趙小蝶只覺一股寒意，泛上心頭，低聲說道：「這些人怎的如此難看？」

陶玉道：「披髮托燈，故作玄虛而已，姑娘倒要注意他們右手緊握的拳頭，只怕是有什麼奇毒的暗器。」

趙小蝶精神一振，突然一揚右腕，一道寒芒，脫手而出，直向一個披髮大漢電射而去。

陶玉欺身而進，伸手向一個大漢緊握的拳頭上抓去。

只聽一聲清脆的輕震，趙小蝶那疾射而出的短劍，正刺在一個大漢的前胸，但卻生生被彈了回來。

敢情這些怪人身上，竟帶了護心鏡。

再說陶玉右手將要抓到那大漢右手緊握的拳頭時，那大漢突然一揮手，左手掌托的燈火，直對陶玉右手迎了過來，緊接右手一鬆，突然間，爆開一片藍焰，足足有數尺方圓。

陶玉吃了一驚，急急縮手而退，但仍是慢了一步，衣袖之上，已爲那藍焰熊熊的燒了起來。

趙小蝶急急說道：「快把火焰熄去，那是毒火。」

陶玉左手拔出金環劍，疾快掃出一擊，右手卻借地上砂土熄去火焰。

趙小蝶冷冷說道：「原來他們這燈火還有如此作用！」

陶玉瞧瞧臂上的傷痕，一片青紫，心中暗道：好厲害的毒火，我已運氣保護，仍然被他燒

成這等模樣。

趙小蝶留目四顧，只見燈火交錯，數十個綵衣人，團團把自己和陶玉圍住。

這些人，也不向前進攻，只是有意的把兩人圍住。

但聞那冷厲的聲音，重又傳了過來，道：「大國師曾經再三告誡在下，不許傷你趙姑娘，否則兩位早已傷在驚魂大陣之內了，兩位如若再要強行破陣而出，那是逼我們施下辣手了。」

趙小蝶低聲對陶玉說道：「你說咱們能不能衝出此陣？」

陶玉道：「機會不大。」

趙小蝶道：「此時此情，該當如何？」

陶玉道：「他們既無立刻殺死我們之心，只好暫時留在此地見機而做了。」

趙小蝶望了陶玉一眼，道：「坐在這裏束手待斃麼？」

陶玉淡淡一笑，道：「在下一向是主張不做沒有把握的事情，對方既無立刻殺死我們之意，咱們又何樂不為利用這段時光，想一個對付敵人的辦法呢？」

說著笑著，緩緩坐了下去。

趙小蝶無可奈何，也只好緩緩坐了下去。

在數十盞燈光環伺之下，陶玉似是毫無慌亂之情，神情輕鬆的說道：「趙小蝶，在下自信才智不遜於人，但卻有一事，始終是想不明白。」

趙小蝶道：「什麼事？」

陶玉道：「在下和楊夢寰……」

趙小蝶道：「怎麼呢？」

陶玉道：「在下才智、面貌，自信不比那楊夢寰差，但不知何故，始終無法討得你和朱姑娘的歡心！」

趙小蝶略一沉吟，道：「你一定想知道麼？」

陶玉道：「不錯，在下爲此席難安枕，食不甘味，一直想不出原因何在……」

長長歎息一聲，接道：「如論武功，在下早已在他之上，論才慧，在下亦自信強他甚多。」

趙小蝶心中暗道：怎生想個法子，捉弄他一下才好。

陶玉不聞趙小蝶回答之言，回目望去，只見趙小蝶凝目沉思，不知在想的什麼心事，當下說道：「趙姑娘，我陶玉一生最大的憾事，就是情場之上，一直無法勝過那楊夢寰，今日若得姑娘指斥，陶某是終身不忘。」

趙小蝶計上心頭，嫣然一笑，道：「咱們處境險惡，生死與共，你不思脫身之策，卻去想這些煩心事情。」

陶玉雙目流顧了四週一眼，緩緩說道：「此刻咱們已然陷入了重圍之中，生死難以預料，也許咱們今宵要葬身於此，也許咱們還有脫身的機會……」

趙小蝶接道：「就憑你這句話，你就不如那楊夢寰了。」

陶玉道：「爲什麼？」

趙小蝶道：「那楊夢寰一向老老實實，每一句話，都是出自內心，但憑他那一份誠實，就足以感動女人心了。」

陶玉道：「這麼說來，我是不誠實了？」

趙小蝶輕輕歎息一聲，道：「不錯，你狡詐多疑，心地兇殘，女孩子家如何敢信任你……」

美目流盼，溜了陶玉一眼，接道：「如論你的才貌，不但不輸那楊夢寰，實還在他之上，蘭姊姊也曾私下和我談過你……」

陶玉受寵若驚一般，急急接道：「怎麼，朱姑娘談過我？」

趙小蝶道：「今宵咱們被困於斯，生死難卜，就算洩露一些隱秘給你，也不要緊。」

陶玉道：「也許，咱們感覺到不能死於此地之後，咱們還可破陣而出。」

趙小蝶道：「你一點也不害怕，好像是胸有成竹一般。」

陶玉搖搖頭，道：「我已想到了兩個脫身之策，只是尚無把握而已……」

語聲微微一頓，又道：「咱們還是談談你和朱姑娘的事。」

趙小蝶心中暗道：蘭姊姊啊！原諒小妹了，此等情勢之下，小妹不得不借姊姊之名，騙騙這陶玉了。

心中祈禱，口裏說道：「我很自負，但我心中卻更佩服蘭姊姊。」

陶玉道：「一代絕人，人間奇花……」

趙小蝶接道：「嗯！能夠配得上她的男人，芸芸眾生中，唯你和楊夢寰了。」

陶玉道：「在下自知難以和楊夢寰爭雄情場。」

趙小蝶道：「你錯了。」

陶玉精神一振道：「怎麼樣？」

趙小蝶道：「因爲你陰險狡詐，也愈顯得楊夢寰忠實可靠。」

陶玉點點頭道：「如若把一個人的智謀，解作狡詐，在下實不如那楊夢寰少年老成了。」

趙小蝶道：「但你哪裏知道，蘭姊姊曾經在背人之處，爲你傷心落淚呢？……」

陶玉冷冷說道：「說得太過份，在下就難以相信，朱若蘭恨我入骨，哪裏會爲我陶玉傷心落淚……」

趙小蝶道：「你不信那就算了，但我既然說啦，非得說個明白不可。」

陶玉道：「說什麼？」

趙小蝶道：「那楊夢寰有了李瑤紅和沈霞琳，難道要那朱若蘭嫁他作三房小妾？」

陶玉微微一呆，點頭道：「這話不錯。」

趙小蝶道：「我那蘭姊姊恨你入骨，見你之面，就恨不得把你宰了……」

陶玉道：「是啊！難道那也是裝作的不成？」

趙小蝶道：「哼！你還自負才華，連這點小事，都想不明白……」

望了望陶玉一眼，接道：「她和你無怨無仇，爲什麼要恨你，你陶玉在表面上看，又何嘗不是恨我蘭姊姊呢？可是你心裏怎麼想呢？愛恨交織，這句話，你懂麼？」

陶玉輕輕咳了一聲，道：「這個，這個，在下……」

趙小蝶看他一付尷尬之狀，心中暗道：這個陶玉對待蘭姊姊倒是一片真情，當下接道：

「我聽蘭姊姊說話口氣，含有無限惜愛，她說，你如能改邪歸正，不失一代武林宗師身分，可惜你天性涼薄，難入正途……」

微微一頓，接道：「你想想這些話是罵你麼？蘭姊姊生性內向，這些話出她之口，豈是等閒之言。」

陶玉茫然說道：「姑娘之意，可是說那朱姑娘對在下十分關心麼？」

趙小蝶在江湖歷練的時間雖然不長，但由於她心頭積有著一股憂忿，鬧出多情仙子一幕怪劇，遊戲人間，雖然妨礙了她武功進境，但卻使她經歷無數奇事，短短數年，抵得他人一生的經歷。當下說道：「蘭姊姊是不是關心你，她從未對我說過，我怎麼知道呢？」

陶玉微微一笑，，道：「如果姑娘講的句句實言，那就不會錯了。」

趙小蝶心中道：看來他已經入我彀中，陶醉在一廂情願的想法裏，今宵縱然不能破陣而出，搶走那智光和尚的死屍，也得設法使陶玉和他們打得同歸於盡才成……心中念頭暗轉，口裏卻長長歎息一聲，道：「可惜呀！可惜。」

陶玉道：「可惜什麼？」

趙小蝶道：「你如早對我好些，這些事我早就告訴你了。」

陶玉道：「來日方長，現在說了也不算晚啊。」

趙小蝶道：「蘭姊姊受了那智光大師的暗算，生死難卜，縱然不死，也將要受智光和尚的擺佈，咱們今日被困於此陣，生機茫茫，看起來，出得此陣的機會實是不大。」

陶玉微微一笑，道：「姑娘但請放心，我們如是真被天竺和尚困於此地，我陶玉還有何顏

爭雄於江湖。」

趙小蝶道：「咱們已經被困此地，難道還是假的不成？」

陶玉笑道：「姑娘稍安勿躁，我陶玉未到此地之前，早已有了佈置。」

趙小蝶道：「什麼佈置？」

陶玉道：「姑娘可聽過俗話，螳螂捕蟬，黃雀在後麼？」

趙小蝶道：「知道啊！」

陶玉低聲說道：「我已調集了很多高手，大概已經快要到了，屆時咱們殺他們一個裏應外合……」

趙小蝶接道：「方法雖然不錯，但不知你的人手幾時可以趕到？」

陶玉道：「他們到此之後，自會通知於我，姑娘亦可借此機會，閉目調息一下，也許咱們等一會還有一場惡戰。」

趙小蝶暗道：我如再多言，只怕要引起他的懷疑。只好不再言語，依言閉上雙目，盤膝而坐，運功調息。

不知過去了多少時間，突然一陣急促的步履之聲，傳了過來。

趙小蝶啓目說道：「有人來了。」

目光轉處，哪裏還有陶玉的影子，心中大吃一驚，暗道：這人哪裏去了？

抬頭看去，只見一個身著灰袍的和尚，肅立在身前三尺左右處。

四周高燃的燈火，都已經完全熄去，夜色中一片寂然。

趙小蝶定定神，暗中一提真氣，蓄勢戒備，目注那灰袍僧侶，一語不發。

兩人相持了一刻工夫左右，那和尚忍耐不住，冷冷說道：「此刻，你們都已中了奇毒，早已沒有了反抗之能。」

趙小蝶暗中運氣相試，果然覺著胸腑經脈之間，若有什麼物件堵塞一般。

那和尚不聞趙小蝶回答之言，冷冷說道：「你如不信，就接我一招試試。」舉手一掌，拍了過去。

趙小蝶雖然覺著有些異常，但自覺中毒不深，右手一招，疾向那和尚腕脈斬去。

那和尚掌勢一翻，抓住了趙小蝶的右腕，冷冷說道：「你不如那陶玉聰明。」

趙小蝶挺身而起，疾收右腕。

哪知一用力，頓感胸腑一陣劇痛，全身力道，竟然施展不出，這才知道中毒不輕，已完全消失了抗拒之能。

那和尚抓住趙小蝶手腕之後，緩緩說道：「你如妄圖反抗，那是自找苦吃。」

趙小蝶怒聲喝道：「放開我！」

那和尚倒很聽話，依言放開了趙小蝶的手腕，冷冷說道：「姑娘此刻已完全無力反抗，如若不願受苦，那就跟貧僧離此。」

趙小蝶道：「你們帶我到哪裏去？」

灰衣和尚道：「去作見證之人。」

趙小蝶道：「見證什麼？」

灰衣和尚道：「再過五日，就是敝國師復活之期，姑娘請從一旁見證，使那朱若蘭無法抵賴。」

趙小蝶道：「怎麼？我那蘭姊姊也來到此地麼？」

灰衣和尚淡然一笑，道：「她會來的……」語聲微微一頓又道：「此地夜寒露冷，不宜久留，姑娘請隨貧僧走吧！」

趙小蝶道：「到哪裏去？」

灰衣和尚道：「到一處可避風雨的所在，陶玉和楊夢寰早已在那裏等候姑娘了。」

趙小蝶聽得楊夢寰也在那裏，而且此時此景，反抗也是無用，只好說道：「你在前面帶路。」

那和尚不再多言，轉身向前行去。

趙小蝶緊隨那和尚之後，向前行去。

那灰衣和尚走得很慢，但地形卻是十分熟悉，夜色之中，只見他東轉西折，不大工夫到了一座高大宅院前面。

趙小蝶心中暗道：這深山之中，那來的如此廣大宅院。

灰衣和尚舉手拍了三掌，大門自開，帶著趙小蝶直入大廳。

大廳正中，端放著一具棺木，棺前香煙裊裊，滿室濛濛煙氣，一股異香，撲入鼻中。

灰衣和尚指指大廳一角，道：「咱們天竺國中，對待被擄人犯，從來不戴刑具，姑娘請到

那邊坐吧，腹中如感饑餓，盡管呼叫食用之物，只要姑娘不出廳門，不動這棺木，我們決不干涉。」

趙小蝶望了那棺木一眼，道：「這棺木之中，可是智光大師的屍體麼？」

她身中劇毒，處境險惡，但仍然念念不忘朱若蘭。

灰衣和尚點點頭，道：「不錯，但姑娘如若妄圖動這棺木，那就有苦頭吃了。」

言罷，緩步退了出去。

趙小蝶四顧一眼，緩步向那大廳一角行去。

只見楊夢寰、陶玉並排而坐，閉目養息。

趙小蝶冷冷說道：「陶玉，你好啊！走時，連招呼也不打一個。」

陶玉啓目一笑，道：「我沒有說話的機會……」

趙小蝶心中暗道：那時情景，乃一個患難相扶的局面，他如有說話機會，決不會一語不發的棄我而去。

目光轉到楊夢寰的臉上，道：「楊兄受了傷麼？」

楊夢寰望了陶玉一眼，緩緩說道：「幸得傷勢不重。」

陶玉道：「咱們都中了一種奇毒，那奇毒無色、無味，中了之後，咱們還不自知，所以，被人家活活捉來此地，我已經暗中運氣試過，確已無抗拒之能。」

趙小蝶冷笑一聲，道：「你自負才華可和那蘭姊姊並世相稱，看起來，卻是相差甚遠，今日情形，如若是蘭姊姊在此。必能早瞧出人家在暗中施襲，豈能是中了毒，還不自知。」

陶玉微微一笑，道：「姑娘說的甚有道理，不過，在下只顧到天竺奇技異術之上，卻忽略了他們下毒的事。」

趙小蝶心中暗道：此刻，咱們三個人，都受了毒傷，如是打起架來，那是半斤八兩，誰也不用怕誰了，不再理會陶玉，緩緩坐了下去。

三人相對沉默了一陣，陶玉緩緩說道：「蛇無頭不行，鳥無翅不飛，咱們三人，被困於斯，不論彼此之間有什麼深仇大恨，也必得暫時拋開，同心拒敵……」

楊夢寰道：「陶兄之意，可是想從咱們之中推舉一人出來，主持大局？」

陶玉道：「兄弟正是此意。」

趙小蝶道：「推舉誰呢？」

陶玉道：「撇開咱們之間恩怨不談，那人必要是咱們三人之中才慧最高的人才成。」

趙小蝶道：「剛才我聽你的話，中了毒而不自知，看起來你只是自負，卻未必有真實才華。」

陶玉道：「趙姑娘之意呢？」

趙小蝶道：「如若咱們三人之中，定要推舉出一位首腦出來，我瞧只有從我和楊兄之間選擇一人出來了。」

陶玉淡淡一笑道：「姑娘如若覺著你自己勝過在下，那就不妨毛遂自薦。」

趙小蝶道：「我看楊夢寰比你強些。」

楊夢寰道：「在下自知才華不如姑娘，還是由姑娘主持大局的好。」

陶玉道：「趙姑娘推薦楊兄，兄弟十分贊成。」

楊夢寰道：「事關咱們三人生死大事，在下自知難當重任……」

趙小蝶道：「我們一致推舉，楊兄也不用客氣了。」以目示意楊夢寰別再推辭。

楊夢寰略一沉吟，道：「既是兩位都有此意，兄弟恭敬不如從命了。」

陶玉轉眼望了那棺木一眼，道：「咱們已上了一次當，這次應該小心一些才是。」

趙小蝶道：「什麼事小心一些？」

陶玉道：「這座棺木中縱然當真的有著一具屍體，也未必真是那智光大師。」

楊夢寰道：「不錯，咱們如若生擒了那智光大師，整個的天竺來人，再不敢和咱們作對了。」

陶玉冷然一笑，道：「楊兄乃咱們推舉出來的首腦，想必早已胸有成竹，指示我等脫險了。」

趙小蝶道：「楊兄也不用客氣了，有何需用之處，只管下令指命我等。」

楊夢寰凝目思索片刻，道：「眼下第一件事，咱們必須先設法恢復體能，身上劇毒未解，如何和人動手？」

陶玉道：「這要楊兄指教了。」

趙小蝶心中大急，暗道，這人如此老成，如何能辦得大事，那陶玉處處相逼，他怎竟不知反唇相識，爲難於他。

忖思之間，忽見楊夢寰站起身子，道：「陶玉，咱們去瞧瞧那棺木如何？」

陶玉還未來得及答話，趙小蝶已搶先接口，道：「如想要咱們各棄成見，彼此間和衷共濟，陶兄必得聽命才成。」

陶玉緩緩站起身子，道：「楊兄要兄弟做什麼事？」

楊夢寰道：「咱們先去瞧瞧那棺木再說。」

陶玉只好站起身子，緊隨楊夢寰的身後，行近棺木。

趙小蝶擔心楊夢寰自身涉險，急急說道：「楊兄，既被咱們推作首腦人物，那就應該多多保重，如果咱們今日一定得死，楊兄也該是最後死的人。」

陶玉冷冷的瞧了趙小蝶一眼，欲言又止。

楊夢寰行到那棺木之前，停下腳步，望了那棺木一眼，道：「陶兄，請把這棺蓋揭開如何？」

陶玉怔了一怔，道：「楊兄可曾聽到那人臨去之際，講的話麼？」

楊夢寰道：「聽到了。」

陶玉道：「咱們體能未復，劇毒猶存，如若揭這棺蓋，勢必要動手不可，那時，咱們既無反抗之能，豈不是只有束手就戮一途？」

楊夢寰道：「陶兄可是很怕死麼？」

陶玉道：「死有值與不值，這等必死無疑的事，大可不必涉險。」

楊夢寰微微一笑，道：「如是那人臨去之際，說的句句實言，這棺木之中，定然是那智光大師的屍體了。」

陶玉冷冷說道：「是又怎樣？」

楊夢寰道：「那智光大師，不但是他們的首腦，亦是他們最爲崇敬的人物，如是咱們能夠把他擄來，不但可以迫使他們交出解毒之藥，而且可在這一場鬥智鬥力的決鬥之中，大獲全勝。」

陶玉道：「照兄弟的看法，咱們的機會不大。」

楊夢寰道：「爲什麼？」

陶玉道：「因爲那棺木之中，根本不是智光大師。」

語聲甫落，突見人影閃動，一個青衫中年，帶著一個身材高大，身著雪白僧袍的和尚走了過來。

楊夢寰抬頭瞧了那和尚一眼，不禁一怔。

原來那和尚一張臉，分作了兩種顏色，左臉枯黑，右臉卻有如童顏一般，白裏泛紅。

那白衣僧人，雙目轉動，打量了楊夢寰和陶玉等一眼，說道：「哪一位是楊夢寰？」

竟然是說一口流利的漢語。

楊夢寰道：「區區便是。」

那白衣僧人，雙目又投注到趙小蝶的臉上，道：「你是朱若蘭朱姑娘了？」

趙小蝶道：「不是，我姓趙……」

白衣僧人雙目凝注趙小蝶的臉上瞧了一陣，道：「難道那朱若蘭比你還美不成？」

趙小蝶冷冷的問道：「你是誰？」

白衣僧人道：「老衲麼？智心。」

趙小蝶道：「智光是你的什麼人？」

智心大師道：「是老衲的師兄。」

趙小蝶回顧了楊夢寰和陶玉一眼，緩緩說道：「你們天竺僧人，詭計多端，自己武功不成，卻在暗中下毒害人。」

智心大師冷冷說道：「你中了什麼毒？」

趙小蝶心中暗道：這和尚不但有些傻頭傻腦，而且還有自負之感，如若我用言語激他，說不定他會送上解藥來。

心中念轉，口中卻冷冷說道：「我們中原武林人物，信義當先，講的真才實學，勝的光明正大，輸了也心服口服，不似你們天竺國人，處處施展鬼謀求勝。」

智心大師微微一笑，道：「他們奉命不能傷害你們性命，只有暗中用毒了。」

陶玉冷冷接道：「如說用毒，咱們中原武林同道，決不輸給你們天竺國人。」

智光大師冷然一笑，道：「你是什麼人？」

陶玉道：「在下陶玉。」

智心大師道：「陶玉，這名字很熟啊？」轉目回顧了那青衫中年一眼，道：「你可記得這名字麼？」

那青衫中年道：「大國師此次率人進入中原，就是此人送上了一封密函，和那朱姑娘的幾幅畫像。」

智心大師目光投注到陶玉的臉上，道：「敝師兄進入中原之時，貧僧正在坐關，匆匆趕來，還未和師兄見面，奇怪的是，你既函邀敝師兄進入中土，何以竟又和我們為敵？」

陶玉一向善變，但智心大師幾句話，竟然問得他啞口無言，滿臉羞愧。

趙小蝶心中暗道：這陶玉雖然可惡，但此刻卻是不能開罪於他，如是他惱羞成怒，索性倒向天竺僧侶，那就大為麻煩了，當下接口說道：「你是智光的師弟，想來武功定然不錯了。」

智心大師笑道：「怎麼？女施主可是想和貧僧過手幾招麼？」

趙小蝶道：「很想領教，只可惜，我身中你們之毒，無能為力。」

智心大師緩緩說道：「如是貧僧奉上解藥呢？」

趙小蝶道：「我一定領教大師武功。」

智心道：「我如以武功勝了你，那該如何？」

趙小蝶道：「自然是心服口服。」

智心搖搖頭道：「說得太籠統了。」

趙小蝶道：「那要如何？」

智心大師仰臉一陣大笑，道：「你如答允敗在我手之後，隨我同往天竺，那貧僧就奉上解藥，解去你身中之毒。」

趙小蝶心中暗暗忖道：我如答允了他，在眾目睽睽之下，自是不便反悔了，這一戰如是不能勝他，唯有死亡一途，想到朱若蘭才智武功，無不在自己之上，仍然傷在那智光大師手中，這智心既是那智光大師的師弟，武功自非小可，實難測這一戰的勝敗。

由於那朱若蘭的受傷，使得趙小蝶信心大減。

心中念轉，口裏卻緩緩問道：「如是你傷在我的手下，那又該當如何？」

那智心大師微微一笑，道：「姑娘之意呢？」

他半邊臉，紅潤異常，半邊臉枯黑難看，笑起來，極是醜怪，使人有著莫名的恐怖之感。

趙小蝶道：「如是勝了你，那我就要帶走智光大師的屍體……」

智心道：「你勝不了……」

趙小蝶道：「不要慌，我的話還沒有說完。」

智心道：「好！你說下去，貧僧洗耳恭聽。」

趙小蝶道：「帶走智光大師的屍體，不過是第一件事，第二件我要你立刻解去我兩位同伴身上所中之毒。」

智心點點頭道：「這就更容易了。」

趙小蝶道：「還有第三件事……」

智心大師道：「好！你說下去。」

趙小蝶道：「勝你之後，放我們離開此地，不許出手阻攔。」

智心大師道：「貧僧如是勝你不了，此地能夠攔阻你們的人實也不多了。」

趙小蝶回顧了楊夢寰和陶玉一眼，道：「我如敗了，兩位只怕也難有得生機，這一戰，雖然是我一人去打，但卻也關係兩位的命運。」

她明裏是對兩人說話，但雙目卻盯注在陶玉身上。

陶玉輕咳了一聲，道：「姑娘，服下解藥之後，暫時別慌和他動手。」

趙小蝶道：「爲什麼？」

陶玉淡然一笑，道：「你如想打勝這一仗，最好能聽我的話。」

趙小蝶目光緩緩轉到智心大師臉上，道：「你可是決定了麼？」

智心大師道：「咱們就此一言爲定，不過……」

趙小蝶道：「不過什麼？」

智心大師道：「貧僧練的武功，十分特殊，把這一張臉練得奇形怪狀，一般人看到貧僧，心中都有著一種畏懼之感……」

趙小蝶暗道：哼！你倒還有自知之明。

但聞那智心大師接道：「如是你姑娘敗在貧僧手中，只怕決不甘心和貧僧同赴天竺。」

趙小蝶道：「我如敗在你的手中，一切都爲你所制，雖然不想和你同去天竺，那也是不能自主的了。」

智心大師點點頭，道：「這話倒也不錯。」目光轉到那青衫中年臉上，接道：「給她一粒解藥。」

那青衫中年雖在猶豫，但卻似又不敢抗拒智心大師之命，慢慢的從衣袋之中，摸出了玉瓶，倒出一粒解藥，托在掌心，遞了過去。

三六　大智若愚

智心大師接過青衣人的解藥，冷冷問道：「不會錯麼？」

青衫人應道：「不會錯。」

智心大師緩緩把手中解藥交到了趙小蝶的手中，道：「姑娘請服用吧。」

趙小蝶接過解藥吞了下去，暗中運氣。

大約過了一盞熱茶工夫之久，智心大師已難再忍耐，冷冷問道：「藥力如何？」

趙小蝶已覺出身中之毒漸解，真氣暢通，體力漸復，當下說道：「藥力已經發作，再過一陣，咱們就可以動手了。」

智心大師道：「貧僧再等半柱香的工夫。」

陶玉突然行前兩步在趙小蝶耳際間，低言數語。

趙小蝶不住點頭，口中喃喃復誦。

楊夢寰心中暗道：如非情勢逼人，陶玉絕不會把胸中所知的武功之秘，告訴趙小蝶了。

智心大師又等了一陣，突然欺身而上，右手一抓，疾向趙小蝶右腕抓了過去。

趙小蝶似是正在想著什麼心事，渾然不覺，只待那智心大師五指扣住了手腕，她才似大夢初醒一般。

楊夢寰只瞧得呆了一呆，暗道：這丫頭好生糊塗，大敵當前，生死一髮，怎的竟然這等鬆懈，被人一把扣住了脈穴。

轉臉望去，只見陶玉臉上帶著微微的笑意，似是那趙小蝶被擒之事，早在他預料之中一般，毫無驚奇之感，不禁心中一動：難道這是兩人商量好的拒敵之策。

心念轉動之間，忽見那智心大師急急放開了趙小蝶的右腕，快步向後退去。

趙小蝶卻趁勢而進，反手一把扣住了智心大師右腕脈穴。

只見那智心大師陡然向前欺進一步，右手一推，疾向趙小蝶拍了過去。

趙小蝶突然一吸真氣，向後退了三步，避開一擊。

大約智心大師對那趙小蝶適才陡然出手扣拿他腕穴一事，心中極是不滿，大有非得親手懲治一次不可，是以，身子一轉，又向那趙小蝶身前欺去。

趙小蝶不知何故，竟然不肯還手，縱身而退，逃到陶玉身後。

陶玉吃了一驚，急急向旁側閃開，低聲說道：「在下體力未復，只怕無還手之能。」

智心大師突然冷冷說道：「這座廳室，也不過數丈大小，看你能避到何處。」

說話之時，雙掌互搓一陣，陡然一揚，直向趙小蝶劈了過去。掌力強猛，挾著一股強厲無匹的熱風。

楊夢寰本想出手擋他一擊，但見趙小蝶一直躲避於他，不肯還手，也就強自忍下。

趙小蝶似是早有戒備，一個閃身，避到那棺木後面。

一股暗勁中，挾著一陣熱風，正擊在一個木柱之上。

一陣隆隆之聲，塵土落了一地。

楊夢寰暗道：這和尚的掌力，果然是不弱。

智心大師一擊不中，人已緊隨著欺了上去，探手一把向趙小蝶抓了過去。

這和尚心眼很壞，大有非要把趙小蝶擒住之後，才肯和別人動手。

兩人相隔著一具棺木，趙小蝶一直不肯還手，一伏身又避開了一擊。

智心大師一提氣，身子隨著探出的右手，飛了起來，呼的一聲，掠過棺木。

站在兩隻木凳之上，棺木距實地有著一大段空隙，趙小蝶身子嬌小，一縮身，竟然從棺木之下，鑽了過去。

陶玉冷眼旁觀，趙小蝶體能似是大部恢復，但卻不肯和那智心大師硬拚一招，顯是意圖保存實力。

楊夢寰是否體力已復，雖然無法料斷，但見他那等凝神備戰之態，想來是定然已有了再戰之能。

一向自負才慧過人的陶玉，冷眼看了大局形勢之後，才知道自己處境之危，隨時可以死在那智心大師的掌下。

趙小蝶連番閃避，遊走之後，感覺著體能似已完全恢復，右手一揚，按在棺木之上，冷冷說道：「這棺木中可是智光的屍體麼？」

智心大師冷然一笑，道：「棺木中暗藏機關，不信打開瞧瞧。」

趙小蝶道：「目下處境險惡，不是我趙小蝶一人的生死之事，必得穩操勝劵才成，不管這棺木中是否智光屍體，我暫不動他就是。」

陶玉心中焦慮，輕輕咳了一聲，道：「趙姑娘，爲什麼不用在下適才指點姑娘的武功，和他動手呢？」

趙小蝶淡淡一笑，道：「我用你指點的武功，扣住了他的脈穴，但卻被他掙脫而去，足見你不會比我高明了。」

陶玉道：「在下早已說過，今日情勢，咱們是生死與共，患難相扶，言猶在耳，姑娘難道已經忘了麼？」

趙小蝶目光一掠那智心大師，只見他肅然而立，似是正在暗中運氣，不知要施展什麼惡毒手段，一面運氣戒備，一面對陶玉說道：「眼下只有我一人恢復武功，楊兄和你都還無再戰之能，我一人之力，既要拒擋強敵，又要兼顧你們兩位，只恐兼顧難周了。」

這番話聽來似有刁難陶玉的用心，但說的卻也是實情。

陶玉目光一轉，只見廳外人影閃動，這座大廳，似已經被包圍了起來，當下緩行兩步，走到趙小蝶的身後，低聲道：「美色醉人，那和尚肯給你服用下解毒藥物，全是爲了你美色所醉，和他師兄醉心於朱若蘭的美艷一般，姑娘只要稍用心機，今日不用經什麼兇險惡戰，就可以脫離此地了。」

趙小蝶道：「你心中可也覺著我是很美麼？」

陶玉道：「不錯啊！天下女子千千萬萬，在下心目之中，只有你和那朱若蘭兩個人而

已。」

趙小蝶道：「但你面對死亡時，就可以不管我和蘭姊姊了。」

陶玉正待答話，突聞智心大師怒喝一聲，右手一揚一掌劈了過來。這一掌力道不強，一股暗勁，緩緩而來。

趙小蝶右手按在棺蓋之上，左手一抬，硬接了一擊。

那緩慢的力道，一遇上趙小蝶掌勢阻力之後，突然間大爲增強，排山倒海般，直湧過來。

趙小蝶暗道：這和尚武功不弱，內力暗加，反擊過去。

趙小蝶雖是女流之輩，但她任、督二脈已通，內力無窮無盡，這一招反擊，勢道十分強猛。

兩股剛猛的力道，觸接在一起，立時捲起了一陣狂飆。

陶玉低聲說道：「敵人眾多，不可強拚。」他口在說話，人卻躲在了趙小蝶的背後。

楊夢寰肅然而立，衣袂被兩人拚鬥的掌風飄起，但他卻未曾出手。

趙小蝶右手加力，向上一翻，棺蓋陡然飛起，直向那智心大師撞去，人卻藉機後退，閃到楊夢寰的身側，低聲問道：「楊兄，毒傷如何？」

楊夢寰道：「姑娘放心，在下並未中毒，最好使他誤認爲我已中毒，等到最好的機會，我再出手。」

趙小蝶微微一笑，道：「嗯！大智若愚。」

但聞智心大師大吼一聲，雙掌一推那直擊過去的棺蓋，反向楊夢寰擊了過來。

趙小蝶嬌軀一閃，疾向青衫中年人撲了過去。原來，她突然想到，控制陶玉的辦法，就是從這青衫人手中奪回解藥，是故，撲擊之勢迅快無比。

那青衫人似是早有戒備，趙小蝶轉身撲來時，立時揚手劈出一掌，一股強猛的掌風，直向趙小蝶劈了過來。

趙小蝶心中暗道：這人的武功亦是不弱，右手一抬，迎了上去。左手施展「回手牽龍」，疾向那青衫人手腕扣去。

雙方掌力相觸，那青衫人料不到趙小蝶的掌力竟然來得如此強猛，被震得向後退了三步，不禁微微一怔。

就在他一怔神之間，左手陡然一麻，已被趙小蝶扣住了腕脈。

趙小蝶低聲說道：「想要命，就快些拿出解藥來。」

那青衫人低聲應道：「解藥在我左面衣袋之中，姑娘自己取罷。」說話之時，裝出一付痛苦難耐的模樣，轉過身子。

趙小蝶心中暗道：這人如此合作，竟是全無敵意。心中念轉，手中卻唰的一聲扯去那青衫人左面長衫，取過玉瓶。

青衫人低聲說道：「姑娘助我一掌。」

趙小蝶心中一動，右掌輕輕一掌，擊在那青衣人背上，同時鬆開了左手。

但聞青衫人冷哼一聲，身子直向室外飛去。

趙小蝶順手把玉瓶藏入懷中。

就在趙小蝶撲向青衫人的同時，楊夢寰也已出手。
原來智心大師，暗運內力，卸去了那棺蓋上的內力，反手一推，那棺蓋反向楊夢寰擊了過去。
楊夢寰原使人誤以爲他也中了劇毒，然後選擇最有利的時機出手，一舉間生擒賊王，但因此刻形勢所迫，只好出手反擊了。
原來趙小蝶正在他身後和青衫人過招，自己如是閃避開去，那棺蓋必要擊向趙小蝶，造成趙小蝶背腹受敵，只好出手，暗運內力，以擋那擊來的木棺棺蓋。
智心大師推出棺蓋，緊隨著縱身躍起，撲了過來。
楊夢寰雙手運勁，接下棺蓋，那智心大師已然撲到，揚下一掌，拍了過來。
楊夢寰一吸氣，疾退三尺，避開了智心大師的一擊，腕上加勁，猛力向前推去。
棺蓋又反向智心大師推去。
智心雙掌疾推，那棺蓋又飛了回來。
兩人隔著一個棺蓋，彼此推來推去，拚鬥內力。
這時，趙小蝶已然把那青衫人推出廳外，回身觀戰。
陶玉繞過楊夢寰，行到趙小蝶身側，道：「姑娘襲擊那青衫人，定然是想奪取解藥了。」
趙小蝶道：「不錯。」
陶玉道：「室外已被圍住，咱們處境正險，在下如能解去身中之毒，也好助兩位一臂之力。」

趙小蝶道：「可惜得很……」

陶玉接道：「怎麼？姑娘沒有取得解藥麼？」

趙小蝶原想說可惜得很，你平日信用太壞，眼下只好暫時委屈你了，哪知陶玉自作聰明的接了一句。

趙小蝶心中一動，暗道：原來，他沒有瞧到我取得解藥，當下口風一變，道：「可惜我白費了一番心機。」

陶玉冷冷說道：「姑娘既未取得解藥，為什麼不把他殺了？」

趙小蝶道：「我殺不了他，那有什麼法子。」

陶玉道：「就當時情形而論，姑娘應該有殺他的機會才是。」

趙小蝶微微一笑，道：「不要緊，咱們先把那智心大師制服，不怕他們不獻出解藥來。」

陶玉一皺眉頭，回目望去，只見楊夢寰仍然在和智心大師互拚內功，推那棺蓋，當下搖搖頭道：「這打法太笨了。」

趙小蝶道：「應該怎樣動手才是？」

陶玉道：「我們陷身於強敵環伺之中，只宜智取，不宜力敵，縱然要和敵人動手，亦該是力求速戰速決。」

趙小蝶心中暗道：這話倒是不錯，正想出口招呼那楊夢寰，心中忽然一動，忖道：此時此刻，才能逼出他所學武功，雖然不能逼他傾囊相受，至少也迫他多說幾種奇異手法。心念一轉，口中說道：「我瞧兩人這等動手之法，並無大錯。」

陶玉道：「敵眾我寡，豈可和人對拚內力，自蹈敗亡。」

趙小蝶道：「你瞧出那和尚武功路數麼？」

陶玉道：「可惜我身中奇毒，無法和智心動手，如是在下出手，十合之內，就可拿住他的穴脈了。」

趙小蝶道：「那些武功可是記載於『歸元秘笈』的夾層中麼？」

陶玉道：「不錯。」

趙小蝶道：「那你爲何不指點楊夢寰動手之法呢？」

陶玉道：「在下無法出手，只有口頭幫他了。」

說話之中，瞥見那智心大師右手撥開棺蓋，突然欺身而進，左手一掌，迎胸疾劈過來。

楊夢寰心中暗道：這人的內力不知如何，何不試他一試。

心念轉動，左手一招，硬接了一擊。

雙掌接實，響起了一聲蓬然大震，楊夢寰只覺心胸一震，身不由己的向後退了一步。

智心大師連和趙小蝶、楊夢寰互拚掌力，只覺他們個個都有著十分深厚的內功。

當下大行一步，又是一掌劈下。

楊夢寰心中明白，處在這等危惡異常境遇之中，不可逞強好勝。不再硬接掌力，閃身避開，飛起一腳踢了過去。

陶玉眼看楊夢寰手腳靈活，應變迅速，心中又氣又怒，暗道：他竟然假裝中毒，讓人生擒而來，事前竟然瞧不出一點破綻，看來，他的心機倒非我所能及了。

智心避開了楊夢寰的攻勢，突然向陶玉撲去，右手遞出一招「流沙千里」攻了過去。

陶玉心中正惱怒那楊夢寰，卻不料智心突然攻來，疏於戒爭，武功又失，匆忙間，急急向地上滾去。

趙小蝶及時發出一掌，攻向智心，迫得智心舉手招架無暇再攻陶玉，才算使陶玉逃得性命。

陶玉中毒未解，不能運氣，滾出三尺，才站起身子，冷冷的瞪了楊夢寰一眼，道：「楊兄常說兄弟奸詐，看來兄弟不如楊兄多矣！」

楊夢寰道：「陶兄過獎了，兄弟以前不知用心機，才處處爲人所用而不自知，今後自當引以爲戒才是。」

陶玉生性涼薄，本想再說幾句譏諷之言，但想到此刻自己武功全失，無能抗拒之時，如若激怒了楊夢寰，自然要吃大虧了，當下隱忍不再多言。

這時，趙小蝶已然和智心大師接上了手。

雙方拚戰激烈，辣手頻施，和適才相鬥情形大不相同。

原來，趙小蝶經過一番游鬥之後，感覺出體能盡復，膽子大壯，同時也覺出智心大師不過爾爾，爭勝之心，油然而生，竟和智心大師全力搏鬥起來。

奇怪的是，在這座大廳之外，分明有很多天竺高手，但卻不見有人進來助那智心大師。

陶玉流目四顧了廳中形勢，緩緩說道：「楊兄，有幾件重要之事，非得立刻行動不可。」

楊夢寰道：「陶兄指教。」

陶玉道：「第一件，你此刻，設法繞到那棺木旁側，瞧那棺木中是否是智光屍體，如果是就設法搶過他的屍體，這一仗，咱們就大獲全勝了，而且朱姑娘也可取得解藥。」

楊夢寰道：「如若那棺木中不是智光大師呢？」

陶玉道：「那就是咱們又陷入了敵人安排的牢籠之中。」

楊夢寰道：「還有什麼？」

陶玉道：「第二件事，你必須設法通知那趙小蝶一聲，不能勝過那智心大師。」

楊夢寰道：「為什麼？」

陶玉道：「因為那智心如敗在趙小蝶手中，必將惱羞成怒，鬧成僵局。」

楊夢寰陡然大悟，道：「在下明白了。」舉步向那棺木旁邊行去。

這時，趙小蝶和智心大師相鬥更見激烈，楊夢寰繞過兩人時，吃兩人激鬥中的掌風，震得衣袂飄飛。

趙小蝶眼看楊夢寰向那棺木繞去，立時掌勢一緊，攻勢更是凌厲，使那智心無法分神照顧。

楊夢寰行到棺側，果然棺木之中，仰臥一人，身著黃袍，面蒙白紗，要想瞧出他是否智光大師，必得先把他臉上的白紗取下才能決定，只好又舉步向棺木行去。

智心大師雖和趙小蝶惡鬥猛烈，但對木棺仍極留心，眼看楊夢寰向木棺行去，立時冷冷說道：「只要你妄動棺中屍體一下，立時之間就有殺身之禍。」

楊夢寰心中暗道：他如此看重那棺木中的屍體，想來八成是智光大師了。當下大跨一步，行到棺木旁側，右手一抬，正想探入棺中揭那覆面白紗，突覺一股強厲的暗勁，直襲過來，形勢所迫，楊夢寰不得不先行拒擋襲來的掌力，右手疾拍一掌，人卻橫跨一步，右手拒擋襲來的掌力，左手卻疾向那棺木中屍體上覆面白紗抓去。

忽聽趙小蝶尖聲叫道：「小心了。」

楊夢寰轉目一顧，瞥見智心立掌如刀，悄無聲息的切向左肩。

原來智心已捨棄了趙小蝶，撲向了楊夢寰。

楊夢寰暗運功力，抓向棺木中的左手一縮，反向智心大師腕脈之上扣來，右手疾快探出，探入棺中，趙小蝶嬌軀一幌，直欺而上，攻向智心的後背。

這一陣連鎖搏擊，勢道迅疾絕倫，智光的左手回擊一掌，以擋趙小蝶的掌力，右手五指翻轉，抓住了楊夢寰左脈，同時之間楊夢寰右手已伸入棺木之中，揭開了棺中人幪面白紗。

趙小蝶眼看那智心大師一把扣住了楊夢寰的左腕，心下大急，嬌叱一聲，立掌如刀，切向智心右臂。

智心大師右手急急的一縮，帶動了楊夢寰的左腕，迎向趙小蝶的掌勢。

趙小蝶冷哼一聲，右手一縮，收了回來，左手一揚，發出了天罡指力，一縷暗勁，直向智心大師襲去。

智心大師只覺一股暗勁襲到，擊中在右肩之上，身不由己的一鬆右手，放開了楊夢寰的左腕。

趙小蝶雙掌連環迫擊，攻了過去，逼得那智心大師連連後退，口中卻低聲對楊夢寰道：「楊兄，快去看那棺木之中是不是智光大師的屍體？」

其實不用趙小蝶說，楊夢寰已然欺身棺木旁邊。低頭望去，只見棺木中仰臥之人，正是智光大師，不禁呆在棺旁。這般容易的就得到了智光大師的屍體，楊夢寰簡直有些大感意外。

陶玉急急行了過來，道：「楊兄，棺木中可是智光？」

楊夢寰道：「不錯，太容易了，得了這一具屍體，倒使在下有些不敢相信。」

陶玉探首向棺中瞧了一眼，道：「最怕是別人裝作的智光大師，楊兄何不抱他出來？」

楊夢寰道：「如是這人不是那真的智光大師，也許在屍體之上，有什麼詭計。」抬頭看去，只見智心大師和趙小蝶搏鬥情形，華而不實，心中大奇，暗道：這兩人怎的忽然客氣起來。

只聽趙小蝶的聲音，傳了過來，道：「楊兄，快把燈火熄去。」

楊夢寰早已覺出了古怪，聞聲出手，雙掌齊揮，拍熄棺木前的兩隻火燭。此時，天色還未大亮，大廳中陡然間黑了下來。

趙小蝶快步行了過來，道：「楊兄，咱們帶上這智光屍體，快衝出去。」

楊夢寰道：「那智心大師呢？可是已傷在姑娘手中麼？」

趙小蝶道：「他中了我的天罡指力，傷得不輕，唉！我不該暗發指力的。」

楊夢寰道：「怎麼回事？」

趙小蝶道：「那不是真的智光大師，咱們這番際遇，有驚無險，都是他的安排。」

楊夢寰道：「怎麼回事？」

趙小蝶道；「剛才和我動手時告訴了我，他的傷不輕，要我們快些離開。」

楊夢寰道：「他是什麼人呢？」

趙小蝶道：「他沒有說清楚。」

楊夢寰道：「我帶上智光的屍體，你照應陶玉。」

趙小蝶心中暗道：如是憑借智光大師能夠療治好蘭姊姊的傷勢，這陶玉的生死，那就無關重要了，到時，設法找個岔兒，一掌把他擊斃，也算替武林中除一大害。心中在計算著殺死陶玉的辦法，口裏卻說道：「陶玉！你在何處？」

她一連呼叫數聲，竟不聞陶玉相應之言，不禁心中大奇，暗道：這人身上劇毒未解，難道獨自闖了出去不成？

這時，楊夢寰已經抱起了棺中智光大師的屍體，正想闖出廳去，突見火光連閃，廳門外，亮起了數支火把，照得方圓數丈內一片通明。

火光下，凝目望去，只見那大廳門口處，站滿了手執兵刃的天竺僧侶。

趙小蝶柳眉一聳，沉聲說道：「楊兄，小妹開道，闖出去。」舉步向廳外行去。

楊夢寰應了一聲，雙手捧起了智光大師的屍體，緊隨在趙小蝶身後行去。他心中知道，天竺僧侶，一個個都對智光大師有著無比的崇敬，如若用這智光的屍體，當作兵刃使用，天竺群僧，決然是不敢毀損到智光大師的屍體。

正想喝退趙小蝶，當先開道，忽見那擋住廳門口處的眾僧，都向兩側讓開。一個半臉枯黑，半臉紅潤的和尚，身著青袍，右手按在一個身著玄裝少女的背心之上，緩步行了過來。

楊夢寰仔細瞧了來人一眼，不禁爲之一呆。

原來，那被人掌按背心要害的少女，正是朱若蘭。

趙小蝶雙手各握一柄短劍，本待發出，想來個先發制人先傷兩人，但見朱若蘭危險情景，登時心頭大駭，哪裏還敢放暗器傷人。

但聞那身著青袍，半臉枯黑，半臉紅潤的和尚，冷冷說道：「退回廳中，放下屍體。」

趙小蝶回顧了楊夢寰一眼，緩步向後退去。

楊夢寰仍然抱著智光屍體，肅立不動。

那陰陽臉的和尚，眼看楊夢寰站著不動，冷笑一聲，道：「只要我一發內力，立時可以把她的心脈震斷。」

楊夢寰道：「在下揮手之間，亦可使手中行法裝死的智光大師腦漿迸流，永不復活。」

那和尚冷冷說道：「除非你也不願生離此地了。」

楊夢寰道：「在下如不能生離此地，至少將賺你十條人命回來。」

那怪臉和尚道：「你是楊夢寰？」

楊夢寰道：「正是在下……」

怪臉和尚道：「聞名已久了……」語聲微微一頓，道：「適才那假扮本座的人，可也是你

使的詭計麼？」

楊夢寰不知內情，只好置之不理。

那陰陽臉的和尙，眼看楊夢寰軟硬不吃，只好低聲對朱若蘭道：「這人桀傲不馴，要有勞姑娘一開金口了。」

朱若蘭道：「你先答應我一件事。」

那和尙道：「什麼事？」

朱若蘭道：「我們留此，看那智光復活，不過，在智光還未復生之前，咱們劃地爲界，互不相犯。」

那怪臉和尙道：「姑娘如不逃走，此事可以商量。」

朱若蘭道：「這是最低的條件了，你如不允，只有用智光之命，換我之命了。」

那怪臉和尙道：「好！我以這座大廳爲界，姑娘等不許逃走，我等不入廳中相犯。」

朱若蘭道：「你作得了主麼？」

怪臉和尙道：「本座名智心，除了敝師兄智光之外，貧僧在此地身分最高，自然是作得主了。」

朱若蘭道：「好！咱們就一言爲定……」抬目望了楊夢寰一眼，道：「楊兄弟，你放下智光的屍體。」

楊夢寰道：「放在此地麼？」

朱若蘭道：「放在地上吧。」

楊夢寰緩緩放下智光的屍體，退後了四五步。
一個黑衣人，大步行了進來，抱起了智光屍體之後，重又退了回去。
朱若蘭回顧了智心一眼，道：「我要進入廳中去了。」
智心大師道：「姑娘請入廳中去吧！」
朱若蘭緩緩舉步，進入廳中。
楊夢寰、趙小蝶急急迎了上來，齊聲叫道：「姊姊，可是那和尚不守約言，把姊姊逼來此地？」
朱若蘭道：「我自己走出來，好不容易才找到他們的人。」
楊夢寰道：「這麼說來，姊姊是故意要他們送你來此了？」
朱若蘭道：「嗯，正是如此……」口中雖在和楊夢寰說話，目光卻四周轉動。
趙小蝶道：「姊姊瞧什麼？」
朱若蘭道：「陶玉哪裏去了，怎麼不見他的人？」
趙小蝶道：「不知哪裏去了，我們動手之前，還和他談笑風生，動手之後，就不見他的影兒了。」
只聽陶玉的聲音冷冷說道：「姑娘說得太客氣了，咱們同來三人，只有在下一人身受重傷，趙姑娘和楊兄，都是絲毫未受傷害。」
趙小蝶緩緩說道：「陶玉，一個人說話要憑良心，咱們是不是一起中毒受傷？」
只見暗影一角處，緩步走出陶玉，接道：「是啊！可是姑娘和楊夢寰都已經療好毒傷，只有區區在下，毒傷未癒。」

朱若蘭望了陶玉和趙小蝶一眼，道：「此刻咱們是一個患難與共的局面，大家和衷共濟才是。」一面答話，一面向壁角行去。

楊夢寰道：「此刻，這大廳之中，還有一位智心大師……」

趙小蝶道：「不錯，冒牌的智心大師。」

朱若蘭道：「現在何處？」

只聽一個低沉的聲音，道：「朱姑娘，久違了。」

朱若蘭轉頭望去，只見來人身著僧袍，停身在四五丈外，竟然是澄因大師。

朱若蘭喜道：「原來是老前輩。」

澄因大師望了趙小蝶一眼，道：「姑娘好厲害的天罡指力。」

趙小蝶微微一笑道：「不知是老前輩，如若知曉，晚輩如何敢貿然出手呢！」

澄因大師道：「老納這數年之中，自信下了很大工夫，武功大進，但仍然不是姑娘之敵……」

趙小蝶心中暗道：原來你想稱量我的武功，那是活該受苦了。

朱若蘭道：「老前輩怎會趕來此地，又冒充那智心大師，相助我等？」

澄因大師道：「看上去十分玄虛，其實，只不過是事情趕巧罷了。」伸手從懷中摸出一個人皮面具來，在臉上一套，立時變成了一張陰陽怪臉。

陶玉突然接口說道：「老前輩，在下有一事請教高明。」

澄因道：「有何見教？」

陶玉道：「老前輩進入廳中時，曾有人隨行，老前輩可曾記得麼？」

澄因大師點點頭道：「不錯。」

陶玉道：「那人身藏有解毒藥品，只可惜趙姑娘未能生擒於他，反把他逼出了大廳。」

趙小蝶心中暗道：你哪裏知道，療毒藥物，現已在我懷中，那人倒似是專門送藥而來。她無法決定是否要救陶玉，只好暫時拖了下去，冷冷的接道：「可惜的是我沒有替你取得解藥。」

陶玉道：「如若不是在下身中奇毒，也許咱們早已取得那智光的屍體，闖出了重圍了。」

趙小蝶心中暗道：那青衣人藉機贈藥，分明他是友非敵，不知是哪一方派來的人物。

朱若蘭抬頭望了澄因大師一眼，低聲問道：「那青衣人，可是和大師一起來的麼？」

澄因大師搖搖頭，道：「老衲不認識他，但我入廳之時，因假冒那智心大師的身分，曾經招呼那掌管藥物之人，隨我同來，老衲心知如若不能設法爲姑娘解去身中奇毒，老衲這假冒身分，又隨時可能爲人揭穿，只好冒險呼那掌管藥物之人，隨我進入廳中了。」

朱若蘭道：「這麼說來，大師是不認識那人了？」

澄因大師道：「素不相識。」

趙小蝶心中暗道：如若那人是敵非友，豈肯隨你進入廳中，奇怪的是那智光乃天竺國人，手下竟然用了很多中原人物……

但聞陶玉說道：「這未免太巧了。」

澄因大師冷冷望了陶玉一眼，道：「老衲從來不打誑語，情勢迫人，也只有冒險一試了。」

朱若蘭回顧了陶玉一眼，道：「生死由命，我朱若蘭女流之輩都不怕死，你陶玉乃男子漢，大丈夫，怎生這樣怕死！」

陶玉道：「死有重如泰山，輕如鴻毛，像這等死法，實叫人難以甘心。」

朱若蘭道：「此刻，咱們雖然都沒有死，但隨時可以死去，如想活下去，只有死裏求生。」

陶玉哈哈大笑，道：「姑娘說得不錯。」

朱若蘭回顧趙小蝶一眼，道：「你施用天罡指傷了澄因老前輩，手法是否很重？」

趙小蝶道：「不重，但也不輕。」

朱若蘭目光又轉到澄因的臉上，道：「大師感覺到傷處如何？」

澄因大師道：「隱隱作痛。」

朱若蘭目光又轉到趙小蝶的身上，道：「快些助老前輩療好暗傷，此刻數日，我和陶玉，都要仗憑你們三位的保護了。」

趙小蝶應了一聲，助澄因大師療治那天罡指的傷勢。

陶玉低聲對朱若蘭道：「朱姑娘，似已成竹在胸，不知可否將計劃見告？」

朱若蘭道：「死中求生，談不上胸有成竹，只有盡人事，聽天命，走一步算一步了。」

陶玉道：「區區的屬下，久等不見在下歸去，只怕要大舉來襲，和天竺群僧拚命……」

朱若蘭接道：「此刻，他們無人領導，只怕不會爲你拚命。」

陶玉道：「在下來此之時，已經預作安排，明日午時之前，他們即找來此地……」

朱若蘭一皺眉頭，接道：「可有阻止他們的方法麼？」

陶玉道：「這就奇怪了，既然有幫手趕來相助，難道還不對麼？」語聲微頓，冷冷說道：「姑娘之意，可是很想留在此地麼？」

朱若蘭道：「不論願否留在此地，但也得等那智光大師清醒復生之後，咱們才能離開。」

陶玉道：「姑娘用心何在，實叫在下難解。」

朱若蘭道：「你如心中害怕，不願留此，咱們可以和那智心談判，要他先行放你離此。」

陶玉道：「姑娘不要誤會，陶玉並非是貪生畏死之輩，姑娘既是決心留此，在下自當奉陪。」

朱若蘭道：「你如留此，就得聽我之命。」

陶玉道：「好！姑娘儘管吩咐。」

朱若蘭道：「先設法阻止你那些屬下攻擊此地。」

陶玉沉吟了一陣，道：「在下中毒未解，只怕是無法闖出此地了。」

朱若蘭道：「難道一定要出去阻止他們麼？」

陶玉道：「不錯，除此之外，在下倒還想不出勸阻他們的良藥。」

趙小蝶心中暗道：這人果然是心機陰沉，隨時隨地，都不忘設法療好他自己的毒傷，幸好，這解毒之藥，現存我趙小蝶的身上，如是在楊夢寰或是澄因大師之手，怕早已忍不住取出給他服用了。

朱若蘭道：「除此之外，難道再無其他辦法麼？」

陶玉道：「這個，在下一時間還想它不出。」

趙小蝶冷冷說道：「我倒想出一個辦法。」

陶玉道：「請教高明。」

趙小蝶道：「你必得離開此地，才能攔阻屬下攻襲，是不是？」

陶玉道：「不錯，在下被困於斯，哪有什麼辦法能阻攔他們！」

趙小蝶道：「可惜你身上中毒未解，武功未復，無法闖出此地了。」

陶玉道：「無法見他們之面，如何一個阻攔之法……？」語聲微微一頓，接道：「眼下之策，只有先行設法騙取得他們一粒解毒之藥，解去在下身中之毒。」

趙小蝶道：「我看還有一個辦法。」

陶玉道：「姑娘多智，在下洗耳恭聽。」

趙小蝶道：「如若你一定要離開此地，才能阻止你那些屬下攻襲，我願保護你衝出此廳。」說著話，人也站了起來，大有立刻動身之意。

陶玉回顧了朱若蘭一眼，道：「姑娘之意呢？」

他既不願在趙小蝶面前示弱，但又知此去兇險異常，就算趙小蝶不會出手殺他，但那守衛在大廳之外的天竺僧侶，也決不會放過他，趙小蝶只要稍一放手，他立時將橫屍在大廳之外。

朱若蘭是何等聰明之人，早已了然了陶玉話中之意，當下說道：「如果你能想出別的辦

法，阻止你屬下施襲，那就不用再冒此險了。」

陰沉多智的陶玉，此刻卻被一種微妙的形勢，逼迫得滿臉尷尬之情了，他凝目沉思了良久，才緩緩說道：「也許可以換一種辦法。」

朱若蘭道：「不論你用什麼辦法，必須要阻止你屬下來此施襲……」她臉色突然間嚴肅起來，緩緩接道：「如是你無法阻止他們的施襲，咱們只怕就難有生離此地的機會。」

陶玉道：「這樣嚴重麼？」

朱若蘭道：「不錯，你如不信，那就等著瞧吧！」

陶玉道：「就在下所見，天竺僧侶，只會吹笛逐蛇，故弄玄虛，如論到真實的武功，只怕是有限得很。」

朱若蘭道：「他們武功和三音神尼，同出一脈，其玄妙似尤過之。」

陶玉道：「在下怎未瞧到過那等身手的敵人？」

朱若蘭道：「那是因爲你沒有遇到真正的天竺高手。」

陶玉低頭想了一陣，道：「由在下取出信物一件，派遣一人，破圍而出，執我信物，要他們撤回候命，不許施襲。」

趙小蝶冷笑一聲，道：「派誰去呢？」

陶玉道：「如是在下身上傷毒已解，自然是由在下去了，在下既不能去，姑娘不失爲最恰當的人選。」

趙小蝶望了朱若蘭一眼，道：「陶玉鬼話連篇，姊姊肯信他麼？」

朱若蘭沉吟了一陣，道：「陶玉，你可知道，此刻咱們仍然還身在虎口之中麼？天竺僧侶，隨時可以殺死咱們。」

陶玉道：「是又怎樣？」

朱若蘭道：「我重傷未癒，你中毒未解，咱們兩人的生死，全要憑他們三人保護，如是趙小蝶執你信物而去，咱們少了一個武功最強的保護之人，也多上了一層死傷之險。」

陶玉道：「這就難辦了，除非傳出在下之命，實無法阻擋他們追尋來此。」

朱若蘭沉吟了一陣，道：「好！把你信物拿出來吧！」

陶玉緩緩從左腕之上，取下了一枚金環，說道：「執此金環即可。」

朱若蘭接過金環，起身向門口行去，趙小蝶、楊夢寰齊齊縱身而起，道：「姊姊傷勢未癒，豈可涉險，還是由我等去吧！」

朱若蘭停下腳步，附在趙小蝶耳邊，低言數語。

趙小蝶接過金環，緩步而去。

陶玉雖然機警多智，也猜不透朱若蘭如何安排。

趙小蝶出廳之後，朱若蘭似是極爲不安，緩緩退回原位，默然不語。

陶玉又終是忍耐不住，說道：「朱姑娘仍然是派趙小蝶送出金環？」

朱若蘭望了陶玉一眼，道：「如是激怒那天竺和尙，動手搏殺咱們，楊夢寰和澄因大師武功仍在，破圍而出，當非難事，餘下的只有咱們兩個人了。」

陶玉道：「只餘咱們兩個人，那是說在下奉陪姑娘一死了。」

朱若蘭道：「天竺僧侶唯智光大師馬首是瞻，智光大師未能復活之前，諒他們還沒有人敢動我朱若蘭。」

陶玉一皺眉頭，道：「楊夢寰和澄因大師突圍而去，他們不敢動你朱姑娘，可殺的，只有我陶玉一人了。」

朱若蘭道：「誰要你勾引他們進入中土呢？」

陶玉哈哈一笑，道：「這叫做法自斃了，是麼？」語聲微微一頓，道：「可是，我陶玉豈能甘心，就這麼束手待斃麼？」

朱若蘭道：「事已至此，你縱有通天徹地之能，也無法獨力回天了。」

陶玉冷笑一聲，道：「可惜姑娘仍是棋差一著。」

朱若蘭道：「此話怎講？」

陶玉淡淡一笑，道：「在下對姑娘確然有心，但姑娘對我陶玉，卻是毫無情意，這一點，我陶玉已看得明白了……」

朱若蘭微微一笑，道：「嗯！可惜你明白得太晚了一些。」

陶玉仰天打個哈哈，道：「在下被困於此，屬下並無人知，但那趙小蝶破圍而出，送去金環，豈不是代我陶玉傳出了求救之訊麼？哈哈，這一著姑娘確未料到，金環傳到之際，也就是我陶玉援手趕來之時。」

楊夢寰冷笑一聲，道：「陶兄的設計，確是高明得很，可惜你忘了，此刻你已經沒有了還手之力，在下舉手之間，可立斃你於掌下。」

陶玉道：「楊兄豪俠宴名，滿揚天下，出手殺一個無能抗拒之人，豈不要留人話柄，貽笑於天下了。」

朱若蘭接道：「陶玉，你講得太快了。」

陶玉臉色一變，道：「那趙小蝶早該衝出重圍了。」

朱若蘭道：「可惜的是，她還未走……」舉手一招，接道：「小蝶妹妹，回來吧！果然未出我的預料。」

陶玉舉目一望，只見趙小蝶飄然由廳門行入，姍姍蓮步，走了回來，手中拿著自己的金環。

朱若蘭淡淡一笑道：「陶玉，咱們已陷在危惡萬分的環境之中，你還要處處施用心機。」

陶玉道：「唉！姑娘棋高一著，在下甘拜下風了。」

楊夢寰暗道：陶玉陰險奸詐，使人防不勝防，除了蘭姊姊的大智大慧之外，看來是很難有人能和他抗拒了。

趙小蝶行回原位之後，冷冷的望了陶玉一眼，道：「蘭姊姊，這陶玉爲患之烈，只怕尤在那智光大師之上，何不借今日之機把他殺死，以絕後患。」

朱若蘭不答趙小蝶的問話，卻把一雙眼睛投注到陶玉的身上，上下打量。

那陶玉被朱若蘭看得大爲不安，不知她如何對付自己。

足足過了一盞熱茶工夫，朱若蘭才緩緩說道：「陶玉，你自己說應該如何？」

陶玉鎮靜了一下心神，道：「姑娘之意呢？」

朱若蘭道：「你好心救我而來，我如一舉把你殺死，那是不近情理了。」

陶玉輕輕咳了一聲，道：「姑娘能記得我陶玉，當真叫在下感動得很，我此番自投羅網就完全是爲了姑娘。」

朱若蘭目光轉動，緩緩由楊夢寰的臉上掃過，接道：「陶玉，我們如殺了你，你心中不但不服氣，而且也太過殘忍了。」

陶玉道：「你身受重傷，如若殺了我陶玉，你們抗拒天竺僧侶的實力，也將大爲減弱。」

趙小蝶冷冷說道：「留你活在世上，我們不但要對付天竺和尚，而且還要留心你陶玉。」

陶玉道：「至低限度，在對付天竺僧侶時，我陶玉將和你們站在一起。」

朱若蘭道：「陶玉，希望我們的寬大，能使你革面洗心，重新作人。」

陶玉仰天打個哈哈道：「江山易改，本性難移，在下很難答允姑娘，不過，倒有一個辦法……」

雙目凝注在朱若蘭的臉上，輕輕歎息一聲，道：「柔能克剛……」

朱若蘭一皺眉頭，接道：「不用解說了，再饒你這一次就是……」語聲微微一頓，又道：「眼下要緊之事，是咱們如何平安渡過這次險關。」

陶玉道：「諸位和天竺僧侶，數度交手，可知天竺僧侶之中，哪一個武功最強？」

朱若蘭道：「據我所知，應該首推智光大師。」

陶玉霍然站起，道：「可惜啊！可惜。」

趙小蝶道：「可惜什麼？」

陶玉道：「在下和朱姑娘一個中毒，一個受傷，如是有人此刻能夠解得在下身中之毒，療好朱姑娘傷勢，咱們此刻就可以一舉手間盡殲天竺僧侶。」

朱若蘭心中暗道：陶玉這番話倒是不錯，小蝶、楊夢寰、澄因大師，如再加上我和陶玉，一齊出手，這一戰縱然不能盡殲天竺僧侶，也將使他們傷亡過半。

趙小蝶心中也在暗打主意，道：這解毒藥物現在我的身上，只要給他一粒，陶玉身受之毒，片刻間即可解去，以他精湛的內功，一時三刻，即將恢復武功了，可是蘭姊姊必須要等到那智光大師復生之後，才能爲她療傷，如若那智光不能復生，七日之後，蘭姊姊亦將傷發而亡，那智光果是惡毒，他如不活了，蘭姊姊亦將陪他殉葬一死了……

忽然間，腦際中，靈光連閃，想到朱若蘭適才說的一句話，這天竺僧侶武功，和那三音神尼一脈相承，就那三音神尼和天機真人合著的「歸元秘笈」上看，三音神尼武功似是走奇詭，惡毒之路，天機真人，卻是走的正大路子，蘭姊姊所受，既非點穴，鎖脈手法所傷，定然是奇詭的惡毒手法，我已默誦了療傷篇的全文，找不出一個療治蘭姊姊傷勢的辦法，不知「歸元秘笈」夾層之內，是否記有這等手法。

心念一轉，緩緩說道：「陶玉啊……」

陶玉應道：「什麼事？」

趙小蝶道：「你要解去身上之毒，是麼？」

陶玉道：「在下一身武功，因爲中毒而無法施展，自是想解除身中之毒了。」

趙小蝶道：「你想解除身中之毒，並非難事，只有你能夠……」
陶玉道：「還有交換條件麼？」
趙小蝶道：「不錯，你只要療好蘭姊姊的傷勢，我就可幫助你解除身上之毒。」
陶玉望了朱若蘭一眼，道：「姑娘傷在何處，可否告訴在下？」
朱若蘭道：「我知道你不能醫。」
陶玉道：「說說總是無妨。」
朱若蘭道：「我被他點傷……」只覺一陣羞怩，說不出口。
陶玉道：「那是一種特殊的點穴手法所傷了。」
朱若蘭道：「根本不是點穴的手法，如若是點穴手法，不論他如何精妙，我也自信能夠解開。」
陶玉道：「不是點穴手法，那是一種很特殊的武功了。」
朱若蘭道：「是一種很陰毒的內功。」
陶玉沉吟了一陣，道：「在下無法瞧得姑娘傷勢情形，那是無法判斷了。」
朱若蘭心中暗道：我傷在前胸之上，豈能讓你瞧看，別說你未必有療治之能，就是確然能夠療治，我也不能讓你看我傷處。
陶玉似是已經瞧透了朱若蘭的心事，輕輕歎息一聲，道：「病不諱醫，姑娘不願讓在下瞧看傷處，也該告訴我傷在何處，情勢如何，在下才能思索療治之法。」
趙小蝶道：「要緊的是『歸元秘笈』夾層之內，是否記述療傷之法？如是單單那療傷篇中記載，也不用勞駕你陶玉了。」

陶玉道：「姑娘可知那天機真人和三音神尼，爲什麼手著『歸元秘笈』之後，又在『歸元秘笈』中故設夾層麼？」

趙小蝶暗道：誰知那老道、尼姑在鬧什麼鬼，竟然在『歸元秘笈』中設下夾層。但想那兩位老人，在武林中的盛名、地位，那裏敢出言冒瀆，當下說道：「兩位老前輩神機難測，我怎麼知道他們用心何在？」

陶玉道：「那天機真人和三音神尼，也並非故弄玄虛，那夾層之中所記，都是兩人尚未成熟的武功，那時，他們已經是體能消退，死亡在即，雖然於對坐談論中，研究出甚多新奇的武功，但已然是無法求證了。」

朱若蘭道：「他們不願使那推索出的武功失傳，因此，就把那武功記錄於夾層之中，留予後人求證。」

陶玉道：「除了姑娘所說的用心之外，兩位老人家還有一層用心。」

朱若蘭回顧了陶玉一眼，道：「那得『歸元秘笈』之人，能夠發現夾層，足見那人的才慧，能夠求證他們記錄下的武功，是麼？」

陶玉被朱若蘭揭穿了心中所思之事，不覺臉上一熱，道：「不錯……」

朱若蘭冷冷接道：「那『歸元秘笈』連經轉手，才落到你陶玉手中，別人都未能發覺那『歸元秘笈』中的夾層，單單你陶玉發覺，足見閣下的才慧非同凡響了。」

陶玉道：「姑娘過獎，在下之意，是說那夾層之中亦會提到療傷之事，也許對姑娘療傷的

事，有所助益。」

趙小蝶道：「你可記得那療傷原文麼？」

陶玉道：「在下不似姑娘能把那療傷篇的原文，字字默記於心，只能記得大概罷了，不過，在下雖不能盡記原文，但對那療傷手法，卻自信能夠運用自如。」

三七　生死之搏

趙小蝶望了陶玉一眼，道：「這麼說來，你是位大大的才人了。」

陶玉道：「如若我陶玉，真是你們稱讚的那般能幹，也不會落得今日這般下場了。」

趙小蝶心中暗道：不論那陶玉是否能夠療治好蘭姊姊的傷勢，今日總要逼他說出那「歸元秘笈」夾層中一些內容才是。

心念一轉，緩緩說道：「陶玉，任你千萬百計，我只有一個主意，除非你療治好蘭姊姊的傷勢，那就無法療治好你的毒傷……」

陶玉道：「姑娘口口聲聲要療治在下的毒傷，似是早已經胸有成竹？」

趙小蝶道：「你不過身上中毒，只要有解毒藥物，那是不難醫治了。」

陶玉道：「可是那藥物並非姑娘所有。」

趙小蝶道：「這你就不用管了，當著蘭姊姊和楊兄之面，我趙小蝶一言如山，只要你能療好蘭姊姊的傷勢，我趙小蝶定然將為你解去身中之毒，決不食言。」

陶玉雙目中奇光閃動，盯住在趙小蝶臉上瞧了一陣，道：「在下相信姑娘之言……」目光轉注到朱若蘭的身上，道：「蘭姑娘，仔細的告訴我傷處情形吧！」

朱若蘭望了趙小蝶一眼，緩緩把傷處情勢很仔細的說了一遍。

陶玉很用心的聽著，聽完之後，閉目而坐。

楊夢寰素知陶玉的為人，此事既然關係著他自己的生死，其必將全力以赴。

大約過了一頓飯工夫左右，陶玉突然睜開眼來，說道：「朱姑娘，那傷處可是一片紅腫，中間是一片醬紫。」

朱若蘭點點頭道：「目前如此。」

陶玉臉上顯出了興奮之色，道：「那紅腫日漸擴展，此刻，已該延至小腹。」

朱若蘭道：「不錯。」

陶玉道：「有一種很陰毒的武功，名叫『七煞斷魂手』，被傷之後，七日之內！傷發而死！」

朱若蘭道：「那智光大師，也曾告訴過我，傷至七日，必死無疑。」

陶玉道：「這是三音神尼一脈的武功，她曾和那天機真人談過，這種武功是憑一股透肌過膚的內力，傷人肝肺，使傷處日漸擴展，終至肝肺功能失效而死……」

他仰起頭來，長長吁一口氣，道：「如若在下猜得不錯，這傷勢過了第五日，就有了奇大的變化，肝肺二臟，都將受到了強烈的壓力，那時，姑娘的呼吸，也將感覺到大為困難了。」

朱若蘭望了陶玉一眼，默然不語，心中暗道：他說的不錯，傷不過兩日，我已感覺到肝肺之間有了變化。

趙小蝶望了朱若蘭一眼，道：「姊姊，他說的對是不對？」

朱若蘭道：「不錯。」

趙小蝶望了陶玉一眼，道：「你已經說對了傷勢情形，該說如何療治了。」

陶玉道：「那三音神尼雖然提到了療治之法，但那記載中卻也說明了存疑，只有試試看了，不過……不過……」

趙小蝶道：「不過什麼？」

陶玉道：「朱姑娘傷在前胸之上，在下如若動手療傷，只怕有所不便。」

趙小蝶暗道：這話不錯，查傷療救，勢必要解開衣服不可，此乃女孩子家的緊要之處，如何能暴現在陶玉眼前，而且還得手指觸摸……念轉智生，緩緩說道：「我有法子了。」

陶玉道：「請教高見。」

趙小蝶道：「在廳角張起布簾，你在簾外口述，我在簾內替你施術。」

陶玉回顧了一眼，道：「姑娘的法子確然不錯，只可惜沒有布簾……」

語聲微微一頓，又道：「有一件事，在下要先行說明，在下只是說出那『七煞斷魂手』傷人的情形，朱姑娘是否傷在那『七煞斷魂手』下，在下不敢預作斷言。」

趙小蝶道：「沒有人責怪你，但你不是替我蘭姊姊療傷，你是自救。」

陶玉淡淡一笑，道：「我知道。」

趙小蝶扶起朱若蘭，正待向大廳一角行去，陶玉突然伸手攔住，道：「兩位且慢，讓在下想一想再說。」

趙小蝶奇道：「你要想什麼？」

陶玉道：「姑娘先請坐下。」言罷，閉上雙目，不再多言。

朱若蘭望了陶玉一眼，舉手一招，楊夢寰、趙小蝶一齊伸過頭去。

楊夢寰道：「姊姊有何見教？」

朱若蘭道：「你們不能留這裏，趁天還未亮，快衝出去吧！」

趙小蝶道：「姊姊呢？」

朱若蘭道：「我不能走，你們也無能帶我離開。」

趙小蝶道：「我們走了，有誰保護姊姊呢？」

朱若蘭道：「我安全得很，智光未醒之前，他們誰也不敢動我……」聲音突然變低，接道：「要玉簫仙子找到那百毒翁來，最好的辦法，就是施展毒藥毒粉，一舉間盡傷天竺群僧。」

趙小蝶道：「楊兄一人去吧！我留這裏陪姊姊。」

楊夢寰道：「我看在下留在這裏，趙姑娘武功強過在下，衝出的機會大些……」

突然間，火光一閃，兩個手執火把的黑衣大漢，導引著兩個身著紅袍，手托銅缽的和尚，行了過來。

這兩個紅衣僧侶，面色奇異，火光下閃閃生光。

趙小蝶看四個直對自己等停身之處行來，不禁大怒，一揚手道：「站住。」

兩個手執火把的黑衣大漢，似是知道那趙小蝶的厲害，聞聲警覺，停住身子不再前行。

但兩個身著紅袍的和尚，卻是不理趙小蝶的呼喝，托著銅缽，直行過來。

趙小蝶暗運功力，正待推出一掌，朱若蘭卻及時阻止，道：「不可造次，看看他們用心何在再說。」

兩個紅衣僧人大步直行到幾人身前兩三尺處，才停了下來，緩緩放下了手中銅缽，人也盤膝坐下。

那兩個紅衣僧人手捧銅缽行來，朱若蘭等卻因坐在地上，自是無法瞧到那銅缽之中放的何物，直待兩人放下銅缽之後，才探頭望去。

只見那銅缽之上，各加密蓋，仍無法瞧得缽中之物。

趙小蝶暗作打算，道：不論他這銅缽之中放的什麼惡毒之物，我只要舉手一揮間，立可把它摔出大廳，問題是這兩個人的武功如何，卻難以預料，但我如動這銅缽，這兩人必將是全力保護。

陶玉雖然覺著這兩個紅衣和尚，捧著一個銅缽而來，事情有些奇怪，但他頗有自知之明，心知此刻說話亦是無人肯聽，心中暗作戒備，口中卻不多言。

趙小蝶望了那兩個手執火把的黑衣大漢一眼，冷冷問道：「這兩個和尚，聽不懂中土言語？」

左首那黑衣大漢應道：「一字不懂。」

趙小蝶道：「你們導引他兩個到此，用心何在？」

仍由左首那黑衣大漢應道：「監視幾位行動。」

趙小蝶冷冷說道：「就憑這兩個呆笨的人麼？」

那黑衣大漢應道：「姑娘不要小看了他們兩人，兩人武功，在天竺國中也算得第一流的高手了……」

目光一掠那兩個銅缽人，接道：「諸位武功高強，也許他們仍無法攔住諸位，那就要借重兩個銅缽對付諸位了。」

趙小蝶道：「那銅缽中放的何物？」

那黑衣大漢道：「金蠶蠱毒。」

趙小蝶臉色一變道：「金蠶蠱毒！」

那黑衣大漢道：「不錯，這銅缽中的蠱毒，只要打開缽蓋，即可飛出，不論諸位武功如何高強，也是無法逃避，除非諸位安坐於此，等待那大國師復生之後，下令他們收回蠱毒。」

趙小蝶回顧朱若蘭一眼，揮手說道：「兩位可以退下去了。」

兩個手執火把的大漢應了一聲，退出大廳。

趙小蝶目注那個銅缽，心中暗打主意道：如若我和楊夢寰同時出手，陡然施襲，各攻一個紅衣僧侶，大約是不難一舉把他們擊斃，縱然無法擊斃，亦可逼他們躍身避開，那是不難搶到這兩個銅缽了。

只要那銅缽上蓋子未開，那缽中蠱毒不會外溢，自然是不用防蠱毒沾染了。

朱若蘭目光一掠趙小蝶，已從她神情中瞧出她心存冒險。

當下低聲說道：「小蝶，不要冒險。」

趙小蝶道：「姊姊，難道咱們就被這兩缽蠱毒鎮住不成？」

朱若蘭道：「等到那智光大師復生也好，那時再看情形吧。」

由於天竺僧侶突然間想出了這等惡毒的法子，朱若蘭不得不改變計劃。

時光匆匆，轉眼間七日限滿，到了智光大師復生之日。

數日中，那看守銅缽的紅衣和尚，每隔六個時辰，就換上一班，飲食之物，也由那天竺僧侶供應，初時，朱若蘭還不敢服用，由送上食物的人，先行進食一些，他們才敢進食。

陶玉原想一試療治朱若蘭的傷勢，但因守護銅缽的紅衣和尚，伸手阻攔，朱若蘭等不得不改變主意，那守缽的僧人，不解中土語言，也無法和他們說得明白。

這日，已到了第七日，朱若蘭的內傷，果然也有激烈的惡化，但她內功深湛，雖然第五日傷勢就已惡化，卻自咬牙苦撐，不讓傷勢的惡化之情，形於神色之間，但到了第七日早上，再也無法忍耐，呻吟出聲。

陶玉望了朱若蘭一眼，道：「很難過麼？」

朱若蘭暗裏咬牙，吸一口氣，道：「還好。」

陶玉望著那兩個銅缽，道：「如著這銅缽中不是金蠶蠱毒，嚇了咱們數日不敢妄動，那也是武林中一個笑話了。」

朱若蘭望了那銅缽一眼，心中暗暗忖道：這話倒是不錯，這銅缽在我們面前，放了數日夜，但缽中是否存放的金蠶蠱毒，卻是無法料斷。

趙小蝶低聲說道：「蘭姊姊，今日就是那智光大師復生之日，姊姊可有打算麼？」

朱若蘭道：「什麼打算？」

趙小蝶道：「防人之心不可無，如若那智光大師復生之後，食言變卦，不肯爲姊姊療傷，姊姊應該如何？」

朱若蘭淡淡一笑，道：「照那智光大師的說法，如若他不能在今日之中療好我的傷勢，好像在今夜我就無法度過。」

趙小蝶點點頭道：「好像如此。」

朱若蘭低聲說道：「我已然感覺到傷勢的變化，那天竺和尚可能不是說的謊言。」

趙小蝶道：「是不是和陶玉說的一樣？」

朱若蘭道：「有些相同……」語聲微微一頓，接道：「那澄因大師，這幾日中盤坐調息，氣定神閒，似乎是胸中早有成竹，萬一我有了三長兩短，你們暫時聽他之命，我想他此次前來，必然有了嚴密的計劃。說不定在這四周，都已佈下了接應之人。」

趙小蝶黯然說道：「無論如何，咱們要委屈求全，要那智光療治好姊姊的傷，天竺雖多異術，但真正的大敵還是陶玉，如無姊姊領導，只怕是再無人能夠和他抗拒，老實說，小妹實無信心能和陶玉在江湖一爭雄長。」

朱若蘭附在趙小蝶耳邊，說道：「如是情勢有變，我非死不可，那你就先設法殺了陶玉。」

趙小蝶道：「十個陶玉，也抵不了一個姊姊，你要用點手段……」目光一掠楊夢寰，接道：「姊姊，你如死了之後，你知那楊夢寰，該有多麼傷心。」

朱若蘭一皺眉頭，道：「不要胡說。」

趙小蝶道：「小妹說的句句是真實之言，姊姊難道真的不信？」

朱若蘭說道：「我要勸你，萬一我有何不幸，你要好好和他們相處，想不到，你倒先行勸起我來了。」

趙小蝶道：「過去，我太自私，現在我想明白了。」

朱若蘭道：「明白什麼？」

趙小蝶道：「關於那楊夢寰，沈家姊姊說得不錯，咱們幾個姊妹在一起，如若大家能拋去私心，定然會生活得很快樂。」

朱若蘭嗤的一笑，道：「這中間有一個很微妙的道理，關鍵在琳妹妹的身上……」

只聽一陣樂聲揚起，打斷了朱若蘭未完之言。

抬頭一看，只見四個身著白衣，懷抱戒刀的天竺僧侶，當先步入廳中。

在四個僧侶之後，八個紅衣和尚，抬著一張雲床，走了進來。

那雲榻上舖著一張白色的毯子，上面仰臥一人，身上又覆蓋著一個紅色的毛氈。

朱若蘭雖然無法瞧到那臥在床上的人，但想來定然是那智光大師了。

緊隨在那雲榻之後的是智心大師，神色莊嚴，緩步而入。

朱若蘭強自振起精神，手扶趙小蝶肩頭而起。

只見四個身著白衣，懷抱戒刀的和尚，分守四個方位，八個身著紅衣的和尚，緩緩把雲榻放在廳中。

朱若蘭附在趙小蝶耳際說道：「記著，殺了智光之後，立刻就搏殺陶玉。」

但聞智心大師口中嘰哩咕咯說了幾句，那兩位看守銅缽的和尚，突然抱起銅缽，退出大廳。

智心大師舉手一招，一個青衣文士緩緩而入。

那人留著一絡長髯，滿臉陰沉的笑容，望了朱若蘭一眼，道：「在下奉命和朱姑娘談一點事。」

朱若蘭傷勢發作，強打精神而立，但勢又不能不理那人，只好一提真氣，說道：「談什麼？」

那青衣文士淡淡一笑道：「那智心大師說咱們中土人物，陰險奸詐，常常改容換裝，使人難辨敵我，因此，他對咱們中土武林人，不得不存上幾分戒心。」

朱若蘭傷勢發作正兇，說話之時，亦有著極痛苦的感覺，望了趙小蝶一眼，默然不語。

趙小蝶心中會意，緩緩說道：「他存上戒心，又能如何？」

青衣文士道：「此時此刻，最好不要太過強嘴。」

趙小蝶心中仍然想頂他幾句，但卻強自忍下，未說出口。

但聞青衣文士說道：「過往之事，不再追究，但此刻，卻要希望你們多守信譽，如若驚擾到大國師的復生，諸位自然是都別想活了，而且，都將死得十分淒慘。」

趙小蝶冷笑一聲，道：「希望那大國師也守信諾，清醒之後，先療治我蘭姊姊的傷勢。」

青衣文士道：「這個自然。」

趙小蝶道：「你自言自語，不肯代我轉告你那異域主子，你可作得主意？」

青衣文士被趙小蝶罵得臉上發熱，停了一陣，才緩緩說道：「我們早已有備，姑娘等如若妄圖有所作爲，那是自找苦吃了。」

轉臉和智心低言數語，退到一側。

四個白衣執刀的和尙，突然走過來，並排而立，擋住了去路。

趙小蝶望了楊夢寰一眼，低聲說道：「多多忍耐，不可莽撞。」

楊夢寰點點頭，緩緩上前兩步，護住朱若蘭的一側。

這時，天色已經快近午，智心大師緩緩揭開了智光大師身上掩蓋的毛氈，又取下那臉上的黃綾。

趙小蝶凝目望去，只見智光臉色一片蒼白，不見一點血色。

但聞青衫文士說道：「諸位見識一下天竺絕世奇術。」

趙小蝶冷笑一聲，道：「你們把他抬來此地，誰知由何處而來，此刻是死是活，別人如何知道？」

那青衫文士道：「姑娘如何才肯相信他此刻確然已死？」

趙小蝶道：「我要去瞧瞧心臟是否還在跳動。」

那青衫文士道：「這個，在下也作不得主。」轉身對那和尙低言數語。

智心大師點點頭道：「讓她驗證一下便了。」說的一口漢語。

趙小蝶回顧了朱若蘭一眼，緩步而出，直行到那木榻之旁。

這時，環守在智光大師身側的和尙，群情激動，各自搖動手中兵刃，大有立刻出手之意。

趙小蝶藝膽高大，暗自吸一口氣，緩緩伸出左手，按在仰臥雲床智光大師的前胸之上。只覺他前胸一片平靜，果然不覺心臟跳動。

趙小蝶抬頭望了朱若蘭一眼，雙目中是一片閃動的奇光。

要知趙小蝶此刻只要稍一加力，立時可把那智光心脈震斷，那他就永無復生之望，但因這其間，牽連到朱若蘭的生死，使她不敢擅自出手。

回首望去，只見智心大師臉上一片平靜，似是對智光之死，毫無畏懼、哀傷。

趙小蝶緩緩收回按在智光大師前胸的手掌，說道：「果然氣息已絕。」緩步退回原位，站在朱若蘭的身側。

朱若蘭低聲說道：「幸好你忍了下去。」

趙小蝶道：「我想到了姊姊的生死，不敢貿然出手。」

朱若蘭道：「還有那智心大師，他對智光之死，不但毫無悲傷，而且似暗存喜悅，你未暗發內力震斷智光的心脈，那智心倒有著失望之感。」

趙小蝶道：「難道那天竺國的僧侶們，也和我們中原武林人物一般，勾心鬥角？」

朱若蘭道：「權勢名利所在，師兄弟的情義，顯然是淡薄多了。」

陶玉突然緩步走了過來，低聲說道：「智光復生之後，大局將立時有變，朱姑娘大傷在身，難以有迎敵之能，姑娘一人之力，只怕是無能應付。」

朱若蘭低聲說道：「小蝶，如你有解毒之藥，那就給他一粒吧。」

趙小蝶沉吟了一陣，緩緩從懷中摸出玉瓶，悄然倒出一粒丹丸，交到朱若蘭的手中，道：「姊姊給他吧。」

朱若蘭接過丹丸，低聲說道：「陶玉，你引狼入室，才鬧出今日之局，對中原武林，你要負多大責任……」緩緩把手上的藥丸，遞了過去。

陶玉道：「在下知道了。」接過丹丸，吞入腹中，閉目調息。

趙小蝶望了閉目調息而立的陶玉一眼，道：「姊姊，一個智光大師已夠咱們對付，爲什麼你還要加個陶玉？」

朱若蘭道：「智光醒來，姊姊將落在天竺僧侶之手，救我之人，只有陶玉。」

陶玉本正閉目而坐，聞言突然啓目，傲然一笑。

顯然，朱若蘭這幾句話，使他生出了莫大的慰藉之感。

趙小蝶目光一轉，只見楊夢寰神色異常，肅然而立，一望之下，就知他心中有著不悅之感，但他爲人老成，心中雖有不悅，卻是不願多言。

只聽噹的一聲鑼響，傳入耳際，緊接著那青衫文士的聲音，道：「大國師復生在即，諸位準備迎駕了。」

趙小蝶看天竺群僧，一個個神色緊張，四個白衣執刀的僧侶，更是蓄勢戒備，對自己監視甚嚴。

朱若蘭低聲說道：「大約那智光大師在復生之時，最爲脆弱，難以當受一擊，故而，此刻戒備的最爲森嚴。」

趙小蝶搬轉話題，附在朱若蘭耳際說道：「蘭姊姊，我告訴你一件輕鬆的事。」

朱若蘭一皺眉頭道：「什麼事？」

趙小蝶道：「關於楊夢寰。」

朱若蘭回顧了楊夢寰一眼，道：「他怎麼了？」

趙小蝶道：「吃醋啦，你稱讚陶玉，他聽在耳中，心中很不高興。」

朱若蘭道：「不許胡說，此刻咱們的處境，生死未卜，你還有心情說笑。」

趙小蝶道：「我是由衷之言，如若他心中沒有姊姊，自然就不會生氣了。」

朱若蘭輕輕歎息一聲，欲言又止。

只聽大廳外，一人喝道：「天近正午。」

那青衫文士突然舉手一抬，道：「朱姑娘，請到前面來吧！」

四個白衣執刀的和尙，突然分向兩側避開，讓出一條路來。

朱若蘭緩步而出，行到那棺木面前，說道：「什麼事？」

那青衫文士道：「姑娘和敝國師訂下的賭約，自然要請姑娘看個仔細了。」

朱若蘭心中暗道：我不過一句戲言，這番僧竟然如此認真。

這時，大廳中所有的人，大都屏息而立，望著那仰臥在木榻上的大國師。

朱若蘭希望能從這大國師復生的過程之中，瞧出一些天竺武功的內情，強忍著傷勢發作之苦，全神貫注。

只見智光那垂在榻下的手臂，緩緩伸動了一下，突然間，挺身坐起。

朱若蘭一皺眉頭，暗道：怎麼醒得如此快速。

心念轉動之間，耳際間突然響起了悠揚的歌聲，四周群僧，齊齊跪了下去。

朱若蘭回頭望去，連那智心大師竟然也跪了下去，心中暗道：這智光能得屬下從人如此崇拜，實非易與人物。

但覺胸腹間突然泛起一陣劇烈無比的痛苦，出了一身大汗，人也站立不住，向後退了兩步。

只聽一聲深長的歎息之聲，傳了過來，道：「姑娘的內功精深，竟然還支撐得住。」緊接著伸過來一雙粗壯的手臂，抓住了朱若蘭的皓腕。

朱若蘭舉手拭了臉上汗水，凝目望去，只見那抓住自己右腕的，正是剛剛醒來的智光大師，眾目睽睽之下，被他握著右腕，心中又羞又怒，用力一收右臂，希望奪回右腕，哪知不但未能奪回，反因強行內力，疼痛加重，幾乎暈倒了過去。這當兒，突然兩聲斷喝同時響起，道：「放開手！」

朱若蘭定神望去，只見楊夢寰大步直行過來，金環二郎陶玉，緊隨在楊夢寰的身後。將近朱若蘭時，陶玉突然快行兩步，搶在楊夢寰的前面，冷冷說道：「不要污染了朱姑娘的皓腕，快些給我放開。」

智光大師緩緩回過臉來，望了陶玉一眼，用生硬的漢語，說道：「你是陶玉？」

陶玉道：「不錯，快放開朱姑娘。」

智光大師道：「她傷勢很重，除了本座之外，天下無人能夠醫得……」

這時，楊夢寰已然運集了功力，準備出手，但聽得那智光大師一番話後，又忍下未動。

趙小蝶生恐陶玉出手，害了朱若蘭的性命，暗施傳音之術說道：「陶玉，不可出手，咱們忍辱負重，就是要等這一會工夫。」

陶玉回顧了趙小蝶一眼，道：「姑娘說得是。」緩步退到楊夢寰的身後。

智光大師望了楊夢寰一眼，緩緩說道：「在此地無法療治朱姑娘的傷勢。」

趙小蝶越眾而出道：「那要到哪裏療治？」

智光大師道：「必得找一處無人打擾的幽靜之地才行。」

這時，朱若蘭全身衣服盡爲汗水濕透，人也進入了暈迷，痛苦之情，流露於神色之間。

趙小蝶回顧楊夢寰一眼，道：「楊兄之意呢？」

楊夢寰道：「救活蘭姊姊的性命要緊。」

趙小蝶點點頭，道：「好！咱們找一處幽靜地方，」

趙小蝶等正待舉步相隨，瞥見人影閃動，四個執刀的白衣僧侶，一排橫立，攔住趙小蝶等的去路。

只見智光大師停下腳步，回過頭來，嘰哩咕咯說了數言。

攔路僧侶，立時退避一側。

智光目光轉動，望了智心一眼，微一頷首，抱起朱若蘭大步行去。

趙小蝶、楊夢寰、陶玉、澄因大師，魚貫相隨在智光身後而行。

大約那智光大師已有交代，這次天竺僧侶，未再攔阻。

智光抱著朱若蘭出了大廳，轉入了一個小院落中，回身擋在門口，生硬的說道：「諸位，只能進來一人。」

陶玉接道：「為什麼？咱們都要進去。」

智光搖搖頭，道：「不行，一則療傷之時，朱姑娘受不得一點驚擾，再者諸位人多手雜，如若借我替朱姑娘療傷的機會，出手暗算於我，豈不是叫本座防不勝防了麼？」

趙小蝶心中暗道：人在矮簷下，怎能不低頭，當下說道：「我們之中，是大師指定一人呢？還是我們任選一人？」

智光大師笑道：「最好是你了。」

趙小蝶道：「好！我跟你去……」回顧了楊夢寰和陶玉一眼，道：「他們兩位呢？」

智光道：「就在此地等候。」

陶玉冷哼一聲，道：「要區區等在這裏麼？」

趙小蝶接道：「此刻是一個風雨同舟之局，兩位還望委屈一些。」

楊夢寰道：「姑娘放心，如有什麼事故，還望招呼我等一聲。」

智光大師回身而行，抱著朱若蘭直入跨院之中。

趙小蝶緊隨智光身後而入。

楊夢寰和陶玉站在跨院門口之處，眼看著兩人行入跨院之中，楊夢寰還能保持沉靜，陶玉

卻是大爲氣憤，回顧了楊夢寰一眼，道：「楊兄，咱們當真的守在這裏麼？」

楊夢寰道：「爲了朱姑娘的安危，咱們受點委屈又有何妨？」

陶玉道：「兄弟難有這份耐性。」

楊夢寰道：「如以陶兄之意呢？」

陶玉道：「在下準備硬闖進去。」

楊夢寰心中暗道：此人說得出，就能作到，如若當真的闖了進去，驚擾蘭姊姊的療傷，那又如何是好？無論如何，必得阻止於他才行。

心念一轉，緩緩說道：「闖進去並非難事，只是此刻不行。」

陶玉道：「兄弟說的就是此刻。」

舉步直向跨院中行去。

楊夢寰心中暗道：看來只有強行阻攔於他了，陡然一提真氣，快速絕倫的一個側轉，擋在陶玉的前面，道：「陶兄不可造次。」

陶玉道：「你害怕那智光和尙，在下可不怕他，閃開去路。」

呼的一掌，拍向楊夢寰的前胸。

形勢迫逼，楊夢寰只好硬接一掌。

雙掌接實，響起了一聲蓬然大震，陶玉被震得向後疾退兩步。

原來，他身受毒傷，時日過久，雖然服了解藥，但一時之間，功力還難復元。

陶玉被楊夢寰一掌震退，突然停下手來緩緩說道：「如其咱們在此坐待那智光爲朱姑娘療

治傷勢，倒不如闖入跨院強迫他療治朱姑娘的傷勢。」

楊夢寰冷然一笑，道：「陶兄見風轉舵的本領，兄弟十分佩服，不過，陶兄諸般詭計，已然無法在兄弟面前施展，如若陶兄功力盡復，適才一掌，強過在下，那就不用施這緩兵之計了。」

陶玉心中暗道：此人對我，已然不存君子之心，再有機會，必得殺他……

心中念轉，口中卻緩緩說道：「此刻咱們生死與共，命運相同，兄弟就算和楊兄誓不兩立，那也要等到身脫此危之後，再和楊兄見個高下不遲。」

楊夢寰道：「此刻陶兄還未盡復神功，兄弟之言是不聽也得聽了。」

陶玉道：「楊兄有何吩咐？」

楊夢寰道：「站這裏別生妄念，亦不許闖入跨院中去，除非你已然感覺到神功盡復，勝得我楊某了。」

陶玉突然格格一笑，道：「這麼看來，我陶玉今後再也無法在楊兄面前施展詭計了。」

只見趙小蝶站在跨院中一間精緻的小室之外，不停的徘徊走動，顯然，她亦被那智光大師拒於小室之外。

突然間，楊夢寰感覺到一種強烈的不安之感，心中暗暗忖道：智光大師和蘭姊姊一人，相處小室，萬一有什麼事故，如何是好？……忖思之間，突見趙小蝶大步衝入室中。

陶玉冷笑一聲，道：「遇君子講道理，逢小人動干戈，天竺番僧不講信義，楊兄守在室外，未免是太過相信人了。」

楊夢寰道：「如有需要咱們之處，那趙姑娘自會招呼咱們。」

說話之間，突見趙小蝶站在小室門口，舉手相招。

楊夢寰道：「趙姑娘在叫咱們了。」舉步直向前行去。

陶玉緊隨楊夢寰身後，奔入跨院小室門口。

抬頭看去，只見朱若蘭仰臥在一張木榻之上，智光站在榻後，面對門口，右手按在朱若蘭前胸之上。

陶玉冷哼一聲，道：「怎麼樣？我知道這天竺和尚不可靠，兩位偏偏不信，現在信了吧？」

趙小蝶身子一側，衝入室中，冷冷喝道：「你這是何用心？」

智光微微一笑道：「貧僧請三位到此，旨在和三位商量一事。」

趙小蝶道：「你答應復生之後，就療治蘭姊姊的傷勢，此刻可以履行約言。」

智光道：「三位只管放心，此刻朱姑娘的傷勢已然無礙，不過，貧僧下手時，用力太重，雖得療救，只怕她短期之內，也是難得復元，但貧僧卻得天竺飛函相催，委貧僧早回天竺，朱姑娘勢難獨自留在中原了。」

趙小蝶吃了一驚，道：「什麼？你要把蘭姊姊帶回天竺麼？」

智光道：「不錯，朱姑娘如若不得適當養息，使傷勢全部復元，一月之後，傷勢仍將發作，爲了朱姑娘的安危，貧僧不得不帶她同往天竺了。」

趙小蝶望望仰臥在木榻上的朱若蘭，又回顧瞧瞧陶玉和楊夢寰，顯然，她無法決斷的處理此事了。

楊夢寰行前一步，緩緩說道：「人無信不立，大師承諾過你復生之後，療治好朱姑娘的傷勢，我等因大師一言，恪守信約，未乘勢施襲，如今大師自食諾言，要把朱姑娘帶回天竺，難道就沒有羞愧之感麼？」

智光大師輕輕歎息一聲，道：「貧僧原本無此存心，但你們漢人的奸詐，惡毒，我們天竺難以及得，貧僧如若再留中土，只怕隨來之人，要傷亡殆盡了。」

陶玉冷冷說道：「閣下此時想走，難道就能夠平安的走了麼？」

智光大師道：「此刻，有這朱若蘭在我手下留作人質，自然是不用怕了。」

陶玉流目四顧一眼，道：「朱姑娘在中原武林道上，甚得人望，你如要帶她西行天竺，整個的中原武林，都將和你為敵了。」

智光大師哈哈一笑，道：「三位都是中原道上第一流領袖人物，只要三位不和貧僧作對，還有誰敢和貧僧為敵。」

趙小蝶道：「留下蘭姊姊，你們可以平安撤離此地。」

智光臉色一沉，道：「我知道三位不肯，所以才邀三位到此談判……」

陶玉道：「談判什麼？」

智光大師道：「關於朱姑娘，貧僧以及三位之間的事。」

趙小蝶道：「你想以朱姑娘的生死，迫使我們就範，那就不用談了。」

智光大師道：「這倒不是，貧僧借重朱姑娘的，是不讓幾位施展狡計……」

陶玉接道：「那是說，大師想我們憑借真功實力，一分高低了。」

智光大師道：「若非如此，只怕諸位心中要大罵貧僧了。」

陶玉目光轉動，望了趙小蝶和楊夢寰一眼，道：「大師準備如何和我等交手？」

智光道：「貧僧提出兩個辦法，任由三位選擇一個。」

陶玉暗道：好大的口氣，口中卻說道：「好！大師請說吧！」

智光大師道：「最公平的辦法是，三位之中請推舉一位出來，代表三位，由他和貧僧動手，如若那人勝了貧僧，貧僧就聽候諸位發落了。」

陶玉一皺眉頭道：「除了這個辦法之外，還有什麼辦法？」

智光神情嚴肅道：「還有一個辦法，聽起來似是對各位有利得很，其實，卻未必如此了。」

趙小蝶、楊夢寰，都知陶玉的爲人，由他出面答話，決然是不會吃虧，而且兩人也可有一個思索的機會。

但聞陶玉說道：「有這等事，咱們要請教大師了。」

智光大師目光轉動，緩緩由三人臉上掃過，道：「三位可是中原武林第一流高手麼？」

陶玉道：「中原武林第一流高手，大概是不會錯的。」

智光道：「那就由三位輪流出手，用車輪戰法和貧僧交手。」

陶玉心中暗道：這和尚如此大的口氣，當真是可惡得很。

轉念又想他能夠重傷朱若蘭，自然有非常的本領，他既然提出了自甘吃虧的辦法，爲什麼我們不樂得沾些光呢。

心念一轉，緩緩說道：「這辦法對我等有利，那是不錯了，但我卻聽不出一點有害之處。」

智光大師冷冷說道：「貧僧帶有一種天竺奇藥，人如服用之後，就忘去了過去未來，貧僧手下用了很多你們中原人，大都服過此藥。」

楊夢寰心中暗道：我說怎麼有很多中土人物，為他們效力呢？

陶玉道：「以後呢？」

智光目光逼注陶玉臉上，道：「三人之中，推舉出一位先和貧僧動手，如若那人敗在貧僧手下，就服下那些藥物，永駐天竺，為貧僧所用。」

陶玉道：「如若我等勝了呢？」

智光大師道：「你們沒有取勝的機會，你自信武功比起朱姑娘如何？」

陶玉緩緩說道：「朱若蘭為你所傷，那是她沒有準備，今番咱們交手，自然是有些不同了。」

餘聲微微一頓，又道：「如是大師敗了呢？」

智光大師道：「貧僧放下朱若蘭，率領屬下，轉回天竺，永不再犯中原。」

陶玉道：「大師是否相信，我們敗了之後，一定會服下那藥物？」

智光道：「但貧僧有所安排，使三位非服下那藥物不可。」

陶玉道：「大師既不相信我等，我等又如何相信大師呢？」

智光道：「苦的是諸位此刻早已沒有選擇的餘地了。」

陶玉臉色一變道：「大師自信能夠勝得我們，才定下這個辦法了。」

智光道：「不錯。」

陶玉道：「如若我三人一擁而上，聯手圍攻，大師是否亦有勝我們的信心呢？」

智光大師先是一呆，繼而笑了一笑，道：「這個麼？此時此地，三位還不敢如此。」

陶玉道：「為什麼？」

智光望望仰臥在木榻上的朱若蘭，道：「這位朱姑娘的生死，還掌握在我手中，因此，貧僧相信三位不敢甘冒犧牲這位朱姑娘的危險。」

陶玉突然縱聲大笑，良久不絕。

智光大師怒道：「你笑什麼？」

陶玉道：「大師如若確知以那朱若蘭的生死，能夠迫使我等就範，為何又加上動手比武一場，何不乾脆以那朱若蘭的生死，迫使我等服下大師的藥物？」

智光大師道：「我要你們心服口服，明知那藥物有毒，但卻又不能不服下。」

陶玉回顧了趙小蝶和楊夢寰一眼，道：「看來，今日之局，非得一戰不可，事關朱姑娘和咱們三人的共同命運，在下也不便擅自作主，兩位有何高見呢？」

趙小蝶道：「你相信他能勝過咱們三人麼？」

陶玉道：「有些不信。但他自行提了出來，自然是早已胸有成竹，手握勝券，是以也不可輕視。」

趙小蝶施展傳音之術，道：「眼下第一要事，是如何救出蘭姊姊，你一向詭計多端，難道此刻沒有了主意麼？」

陶玉道：「朱姑娘的生死控制他手，在下不敢冒險。」

智光大師淡淡一笑，道：「三位商量一下也好，貧僧耐心等待就是。」

趙小蝶不理智光的譏笑，接道：「那是說，咱們非得照他之意出手不可了？」

陶玉沉吟了一陣，道：「在下之意，只有暫時如此，咱們三人中選出一個和他動手……」

趙小蝶道：「餘下兩人，俟機出手，搶回朱姑娘。」

改用傳音之術，接道：「如若以你之見，咱們三人，哪一個武功最強，應該和智光動手？」

陶玉淡淡一笑道：「如論武功之強，在下似是略勝一籌。不過，此刻在下的毒傷還未完全復元，應是姑娘最強了。」

趙小蝶一沉吟，道：「好！我向智光挑戰……」

緩行兩步，目注智光，道：「我先領教天竺奇學。」

智光目光一掠陶玉和楊夢寰道：「兩位男子，不肯出手，卻要姑娘先打頭陣。」

趙小蝶道：「這是我們的事，姑娘不用你管了。」

雙目盯注在智光的手掌之上，眨也不眨一下。

只見智光按在朱若蘭前胸之上的右掌不動，左手卻探入懷中，摸出一個玉瓶，放在木榻之上，說道：「這瓶中就是三位要服用的藥物了。」

趙小蝶望了那玉瓶一眼，緩緩說道：「大師誇下海口，要車輪戰我們三人，現在可以出手了。」

智光大師抬起頭來，瞧了趙小蝶一眼，緩緩說道：「你先出手麼？」

趙小蝶道：「不錯，你再多問幾遍，也是一樣。」

智光大師道：「那就要他們退出室外吧！」

陶玉冷笑一聲，道：「大師很多慮。」

智光大師道：「和你們漢人打交道，貧僧不得不小心一些了。」

陶玉望了楊夢寰一眼，道：「楊兄，退出室外吧！」

智光雙目神凝，直待兩人退出室門，才緩緩把按在朱若蘭前胸上的手掌移開，雙肩一聳，陡然間離地而起，越過木榻，雙掌合十，放在胸前，道：「姑娘請出手吧！」

趙小蝶心中暗道：這和尚約了我們三人來此，要獨戰我們三人，自己卻沒有帶一個幫手，狂妄的有些愚昧了，但他說話、處事條理分明，又不像愚蠢之人。

心中念轉，右掌已然遞出，迎胸一掌，拍了過去。

智光大師合在胸前的雙掌，陡一轉，迎向了趙小蝶的掌勢。

趙小蝶心中暗道：原來他是這樣拒敵，我分由兩面攻他，看他如何拒擋。一挫腕，收回右掌，然後雙掌一分，分由左右兩側攻了過去。

那知智光大師，雙掌仍然合著未動，雙臂一分，雙肘分迎向趙小蝶腕穴之上。

趙小蝶暗自怒道：好狂的打法。掌勢中易，分向智光雙肘間擊了過去。

智光大師雙掌突然一沉，竟把趙小蝶的掌勢一齊避開。

備。

趙小蝶的攻勢轉快，片刻之間，連攻了十幾招。

那智光大師一直是雙掌合一，或封或避，讓開了趙小蝶十幾招的攻勢。

但聞智光大師冷冷喝道：「姑娘小心，貧僧要反擊了。」

趙小蝶連攻了十幾招，全都被他避開，已知遇上勁敵，聽得他要展開反擊，立時全神戒備。

只聽智光大師冷冷喝道：「站住。」

趙小蝶回目望去，只見陶玉正自轉身而去，聽得智光喝叫之言，只好停下腳步。

智光大師冷笑一聲說道：「有一件事貧僧忘記說了，就是那朱若蘭朱姑娘，此刻誰也不能碰她一下的。」

趙小蝶道：「爲什麼？」

智光大師道：「我療治好她傷勢，就卸了她幾處關節，如是你們動了她，骨骼離位，那就有她的苦頭吃了，一個不好，或將落下個殘廢之身。」

趙小蝶冷冷說道：「你這臭和尙，好狠的心啊！」

智光大師微微一笑，道：「如若那朱姑娘能夠對貧僧稍示溫存，你們中原武林即將改換一番形勢。」

忽聽陶玉縱聲而笑道：「可惜呀！可惜。」

趙小蝶道：「可惜什麼？」

陶玉道：「姑娘如若能在他說話當兒，陡然出手，此刻，咱們已經控制全局，大獲全勝

了。」

趙小蝶心中暗道：如若我在那智光大師精神分散之際，施用天罡指，全力攻他，也許真能得手。

陶玉高聲說道：「姑娘多留心一些就行，江湖上人人稱我陶玉詭計多端，豈能是讓人白叫的麼？」

智光大師冷笑道：「可惜是貧僧早已有備了。」

趙小蝶突然嬌叱一聲，反臂拍出一掌。

這一擊，乃回龍三式中的一招，虛中藏實，變化萬端。

智光大師似是知道厲害，陡然向後退開三尺。

趙小蝶心中暗道：如不逼他硬拚一招，永遠無法測出他的內功深淺。

心念一動，發出內力，一股強猛的暗勁，直逼過去。

趙小蝶自幼熟讀「歸元秘笈」，不但內功精深，且因任、督二脈已通，雖是女流之輩，但內力綿綿不絕，強大異常，潛力有如排山倒海般撞擊過去。

智光未曾想到趙小蝶有著過人的內力，隨手推出一掌，心想她一個女孩子，縱有驚人的成就，也不過是在招術變化上使人難測，內力方面因受先天體質所限，決難有什麼高深成就，是以這一掌推出的漫不經心。

哪知一和趙小蝶掌力相觸，立時警覺到情勢不對，但已失去了先機，只好一提真氣縱身而起，避到木榻之後。

趙小蝶生恐掌力傷到了朱若蘭，立時收起掌力。

智光大師冷笑一聲、道：「姑娘好深厚的功力。」立時一揚右手，反擊一掌。

他已吃過苦頭，這一掌用出了八成功力，力道強猛，有如洪流急瀑，洶湧而至。

趙小蝶心中暗道：我如能和他互拚內力，相持不下，楊夢寰和陶玉，豈不是可以借此救了蘭姊姊麼？

心中念轉，雙手已然推出。

兩股強猛絕倫的暗勁，一接之下，狂風突起，吹起了地上塵土。

智光已和趙小蝶推出內力的觸接，立時覺出她掌力的強猛，朱若蘭亦是難及，遂避重就輕，左掌在右掌背上，重重一拍，右掌上力道陡增，反擊過去，人卻借勢躍開。

趙小蝶感覺到一股暗勁，突然反擊過來，而且來勢甚猛，心中亦是暗暗吃驚，忖道：這天竺和尚的確是不可輕敵。

正待加力反擊，突然那拒抗之力，忽然消失。

趙小蝶急急收住內力，凝目望去，只見他繞過木榻，緩步行來，當下冷冷說道：「咱們這一戰分出勝敗沒有？」

智光大師道：「沒有。」

趙小蝶道：「你處處逃避，不肯和我硬拚內力，自然難分出勝敗了。」

智光大師道：「貧僧已然領教過姑娘的拳掌，小心貧僧要反擊了。」

說話之間，陡然一個長身，直向趙小蝶懷中欺來，左掌近胸拍來，右手一探，數縷指風，

疾向趙小蝶小腹擊去。

趙小蝶左手食中二指一並，封住智光左掌，右手施展擒拿法，反向智光抓去。

右手剛剛伸出，突覺小腹之上一涼，已爲智光指風擊中。

原來智光擊出的指風，乃一種極爲陰毒的武功，未擊中人前，聽不出一點聲息。

趙小蝶被擊中之後，已然覺出不對，想到朱若蘭的才智，勝己十倍，武功亦不在自己之下，只因傷在這智光大師手中，才無可奈何的聽他擺佈，他這傷人惡毒指風，不見一點預兆，實叫人難防得很，自己既已受傷，不能讓楊夢寰和陶玉也爲他陰毒的指風所傷。

心念一轉，強提真氣，疾向後退出了三步，人已到室門口處。

那智光大師也不追趕，站在木榻之前，微笑不語，楊夢寰已瞧出情勢不對，低聲說道：「姑娘可是受了傷麼？」

趙小蝶道：「他武功平常得很，功力也不驚人，但卻有幾種陰毒的險惡武功，厲害得很，而且出擊之時，無聲無息，使人防不勝防。」

陶玉道：「姑娘傷在何處？」

趙小蝶略一沉吟道：「小腹之間。」

陶玉道：「有何感覺？」

趙小蝶道：「小腹處感到冰冷，全身乏力，似已無再戰之能。」

陶玉口中在和趙小蝶說話，但雙目一直望著那智光大師，此刻，卻突然轉過臉來，說道：「這麼嚴重？」

趙小蝶道：「我一直運氣把傷勢逼在一處，不敢放開，是以，此刻還可以行動自如，但已感覺出那是一種很惡毒的奇傷。」

楊夢寰道：「姑娘還有行動之力，快些走吧，在下去會他一陣。」

緩緩向室中行去。

智光大師道：「你想怎麼樣？」

楊夢寰知他掌指功夫，惡毒無比，不再和他比試拳腳，右手一探，摸出了一把匕首，緩緩說道：「大師，咱們比比兵刃如何？」

原來，楊夢寰和陶玉的兵刃，已爲天竺和尚取去。

智光搖搖頭道：「你們不守信用，咱們也不用比了。」

楊夢寰冷冷說道：「大師暗算傷人，咱們敗的不服，大師也勝的不榮，何況，到目前爲止，那趙姑娘傷不見血，還有著再戰之能……」

智光大師接道：「如是有再戰之能，何不叫她出手再戰。」

楊夢寰道：「大師誇下海口，要車輪戰勝我們三人，不論我們如何調配，都不能算錯了。」

智光大師神色嚴肅，冷冷說道：「你們這等不守承諾，貧僧也不用守什麼信諾之言了。」

陶玉冷冷說道：「楊兄快出手吧！小心他暗施算計。」

楊夢寰匕首一揮，陡然刺了過去，左掌一揚，拍出一擊。

他心知自己機智難及朱若蘭，武功不如趙小蝶，這一番惡戰，勝算不大，心中預想了一個

打法，小心防守，但如有搶攻之機，就不惜生死的全力搶攻，寧可兩敗俱傷。他有這等算計，打來謹慎中含有凌厲。

智光大師傷了趙小蝶和朱若蘭一等一的高手，但和楊夢寰打起來，卻是倍感吃力，他處處小心，一直不給他施下毒手的機會。

三八　陰毒武功

轉眼之回，兩人纏鬥了二十餘合。

智光不但未傷得楊夢寰，反被楊夢寰幾招急迫，劃破他身上僧袍。

陶玉凝神觀戰，心中暗道：這和尚大概只練了幾種武功，只要能防他，那就不難對付，我如能傷得此人，不但可在趙小蝶面前揚眉吐氣，亦可救得朱姑娘脫險，這和尚苦心設計的一番，我陶玉豈不是唾手可得了麼？

心念一轉，回望著趙小蝶說道：「姑娘，在下去換那楊大俠下來如何？」

趙小蝶道：「爲什麼，他不是打得很好麼？」

陶玉道：「咱們要快速求勝。」舉步向室中行去。

趙小蝶也不知陶玉想出了何等求勝之法，是以也不便追問阻攔於他。

陶玉步入了室中之後，沉聲說道：「住手。」

楊夢寰應聲停手，退後兩步，道：「陶兄有何高見？」

陶玉道：「兄弟想接替楊兄。」

楊夢寰心中暗道：他自動要替我出手，也許已經想出勝敵之法，只好讓他一陣了。

心中念轉，緩緩應道：「好，陶兄既已是智珠在握，兄弟只好奉讓了。」緩步退到一側。

陶玉緩步行近智光，單手一揮，道：「在下領教幾招。」

智光大師道：「如是兩位一齊上，豈不更爲省事一些。」

陶玉冷冷說道：「大師如是對在下有些畏懼，那就再換別人上來好了。」

智光大師陡然欺身而上，呼的劈出一掌道：「不用誇口了。」

陶玉心中早已想好了動手的打法，一吸氣，退後兩步，避開一擊，卻繞向智光左側，不肯還手。

智光身子一轉，又是一拳擊來。

陶玉縱身讓開，避開一擊，仍是不肯還手。

趙小蝶舉步行到楊夢寰的身側，低聲說道：「陶玉想激怒於他。」

楊夢寰點點頭道：「不錯，希望他胸有成竹，一擊成功……」語聲微頓，接道：「姑娘的傷勢如何了？」

趙小蝶道：「我一直提聚真氣保住傷勢不使擴展，雖然外面看來無事，但已無法再動手了。」

楊夢寰道：「姑娘還要多撐一些時間，只要你能使傷勢不發作，就可不用認輸了。」

趙小蝶道：「我適才默思眼下形勢，愈想愈覺不對，除非咱們能夠在最快的時間中，擊敗那智光大師。」

楊夢寰接道：「姑娘可瞧出有什麼不對麼？」

趙小蝶道：「我感覺到，咱們正跌入別人預布的陷阱之中。」

楊夢寰沉吟了一陣，道：「姑娘的憂慮不錯，如是情形不對，在下也只好暗中出手，先傷了那智光大師再說。」

趙小蝶道：「只怕不易，這和尚的武功，實有些高深莫測。」

只聽蓬蓬兩聲，傳了過來，陶玉和智光大師竟然硬拚兩掌。

趙小蝶心中暗道：那智光大師的真實內力，並無驚人之處，陶玉如果是以全力出手，或可把他震傷掌下，立時對楊夢寰道：「楊兄，聽我招呼，全力出手，攻向智光大師。」

楊夢寰道：「好，在下蓄勢待命。」

趙小蝶抬頭看去，只見陶玉、智光各自退後兩步，相對而立。

趙小蝶目光迅快的掃掠過那智光大師，只見他神色鎮靜，絲毫不見有異樣情形，心中大感奇怪，暗道：這智光接我一擊後，立時就顯出異常神色，怎的和陶玉連拚兩掌，仍然不見有受傷模樣，難道那陶玉內力無法傷得了他麼？

楊夢寰提聚了真氣，準備出手，但始終不聞趙小蝶的喝令之聲，心中大奇，低聲說道：「趙姑娘，此刻不能出手麼？」

趙小蝶道：「不行，他全然無傷，你如何能夠傷得了他。」

楊夢寰抬頭望去，果見那智光大師，氣定神閑，倒是陶玉的神色，有些不對，不禁心頭駭然。

但聞智光大師冷冷說道：「陶玉，你已受了很重的傷，此刻已無再戰之能。」

陶玉回顧了趙小蝶和楊夢寰一眼，苦笑一下，道：「我受了這和尚的暗算。」

趙小蝶雙目圓睜，道：「受了他的暗算？」

陶玉道：「不錯。」

趙小蝶道：「他如何傷了你？」

陶玉道：「這正是我要問他的話了……」

目光轉注智光大師的臉上，接道：「在下亦感覺到沒有再戰之能，但使在下不解的是，大師用什麼武功傷了我？」

智光大師淡淡一笑，道：「我們稱它爲『多羅神功』，詳細內情恕不奉告了。」

楊夢寰心中暗道：趙小蝶和陶玉都已經受了內傷，還能一戰的只餘我楊夢寰一個人了，倒要問問陶玉是如何受傷的，我不能重蹈覆轍。

正待詢問陶玉，那陶玉已先行說道：「楊兄不能和他手掌相接，這和尚招術武功，看似平淡，實則各蓄玄妙……」

楊夢寰接道：「陶兄如何傷在他的手下？」

陶玉道：「我和他手掌相觸之後，就爲一種奇異暗勁所傷。」

楊夢寰道：「感受如何？」

陶玉道：「似有一股陰寒之氣，由毛孔之中透入肌膚，傷了經脈。」

楊夢寰吃了一驚，暗道：這是什麼武功，如此惡毒。

陶玉胸有成竹的喝退楊夢寰，自己接手出戰，想不到，竟然落得身負重傷，心知三人之中，楊夢寰武功是最次的一個，自然是難有取勝之望了，一面緩步退下，一面揮手說道：「楊兄，去盡盡人事吧！」

言下之意，那無疑是說，我和趙姑娘都受了傷，你楊夢寰自然不是敵手了。

楊夢寰振起精神，緩緩說道：「陶兄，還望多多保重，只要傷勢能不發作，咱們就不算輸了。」

陶玉道：「只要楊兄能夠勝人，就算在下和趙姑娘輸了，也不要緊。」

楊夢寰道：「事已至此，在下就算明知非敵也得一戰了。」

陶玉望了智光一眼，仰天一聲長歎，道：「想不到我陶玉竟然傷在一個番僧之手。」

智光大師冷冷說道：「兩位也許憑仗深厚的內功，不讓傷勢發作，但那是飲鴆止渴，一旦傷勢發作，那將增強數倍……」

重重咳了一聲，接道：「如若兩位肯聽貧僧勸告，那就別再壓制傷勢，讓它發作出來，對兩位日後療治方面，將是大有裨益，貧僧言出衷誠，信不信由兩位了。」

這時，楊夢寰已然提聚真氣，準備出手，緩步越過陶玉，直逼智光身前。

他見陶玉一和智光掌勢相接，就身受重傷，對此，心中有了很大的警惕之心。是以，右手之中，仍然握著一把匕首。

智光大師神情鎮靜，望了楊夢寰一眼，冷冷說道：「閣下這等不畏傷亡的勇氣，實叫貧僧敬佩得很。」

楊夢寰道：「大師小心了。」右手匕首一揮，點了過去。

智光閃身避開，雙掌分由左右合擊，從兩側攻來。

楊夢寰本可左手點他腕脈，右手的匕首橫削攔截，迫他收回右掌，但他眼看陶玉和他一接掌勢之後，立時受傷，決意不貪心求功，一吸真氣，退後三尺，匕首揮動，閃起一片寒芒，分襲智光雙手腕脈。

智光雖然有非常的武功，倒也不敢和匕首相觸，收掌向後退去。

楊夢寰乘勢追襲，右手伸縮，匕首閃起一片寒芒，分襲智光前胸三大要穴。

陶玉心中雖然視那楊夢寰有如眼中之釘，但此時也盼望他能獲勝，強自運氣，暗施傳音之術說道：「楊兄，你如出其不意，把匕首當作暗器，突然間脫手飛出，傷他要害，緊接著以『迎風擊浪』的掌力，全力攻出，或可有取勝之望。」

楊夢寰的內功，比起趙小蝶等雖然差上一籌，但他處處謹慎小心，絲毫不肯大意，門戶嚴謹，又處處避開和智光掌指相觸，纏戰甚久，仍是一個不勝不敗之局。

智光大師，不知是有意或是無意，竟然也不施辣手，和那楊夢寰鬥了數十個照面，仍然未分出勝負。

楊夢寰雖聽得陶玉傳言相告，但他不敢冒險，他心中明白，那擲出匕首之舉，乃是孤注一擲的打法，萬一一擊不成，只有和他空手相搏，趙小蝶和陶玉都是傷在空手搏鬥之中。

激鬥之中，智光大師疾攻兩掌，倒退數尺，冷冷喝道：「住手！」

楊夢寰收住匕首，道：「什麼事？」

智光大師道：「此刻，你們已陷入了包圍之中，眼下只有兩條路，可以選擇了。」

楊夢寰回頭望去，果見窗外人影閃動，這跨院之中，已集聚甚多天竺僧侶。

陶玉冷冷說道：「哪兩條路？」

智光道：「一條是死亡，一條是隨貧僧同往天竺一行。」

陶玉目光投注到木榻上的朱若蘭，緩緩說道：「大師帶在下等同往天竺，不知是何用心？」

智光哈哈一笑，道：「中土文物鼎盛，風和日暖，景物美雅，使人留戀忘返，但貧僧此來中上，所帶人手不多，還不足和中土武林人物爲敵……」

陶玉冷然說道：「這和在下有何關連？」

趙小蝶心中暗道：這陶玉不但陰沉險惡，而且還十分怕死，聽他這番言中之意，似是要出賣我和蘭姊姊了。

趙小蝶江湖歷練大增，心中雖有所感，但卻隱忍不發。

但聞智光接道：「貧僧身爲天竺國師，在天竺國中，富貴已列極品，屬下養有甚多中土人物，朝朝暮暮，聽他們談論中土之事，但百聞不如一見，此番中土之行所見，尤勝聞名甚多，因此，貧僧已動了重入中土之心，兩位乃中土武林道中頂尖的人物，如是被囚於天竺國中，對貧僧征服中土武林之舉，必然大有助益。」

陶玉冷笑一聲，道：「中土武林道中，人才濟濟，和尚的狂想，只怕是永難實現。」

智光道：「貧僧看諸位也未見有何高明之處。」

陶玉不再多言，緩緩退到一側。

楊夢寰回顧了趙小蝶一眼，心中暗道：此刻陶玉和趙小蝶都已身受重傷，大局如何，繫於我一人之身，縱然此戰勝算極微，那也不能不盡人事了。

正待出手，突聞陶玉輕輕說道：「楊兄，不用打了。」

楊夢寰道：「為什麼？」

陶玉道：「智光陰謀早定，誘咱們來此，用意不過再試試咱們武功而已，其實勝負之分，已不重要，楊兄縱然勝得了他，他亦不會踐行承諾之言。」

智光冷然一哂，道：「貧僧如若再不救醒朱姑娘，只怕她永遠難再醒了……」抱起朱若蘭，向外行去。

行到門口之處，突然又停了下來，回頭說道：「三位好好想想，貧僧在天黑之前，再來問問三位心意。」言罷，口頭而去。

智光去後，室中只有楊夢寰、趙小蝶，和陶玉三人。

趙小蝶目注陶玉，冷笑一聲，道：「你想害蘭姊姊，卻不料把自己也陪了進去，是麼？」

陶玉緩緩說道：「姑娘此刻抱怨在下又有何用？」

趙小蝶道：「說幾句氣憤之言，那總是應該的吧！」

陶玉道：「此刻此情，不是氣憤之時，要緊的是如何逃脫此難。」

趙小蝶道：「那要請教高見了。」

陶玉瞧了楊夢寰一眼，緩緩說道：「咱們三人之中，只有楊夢寰未曾受傷。」

趙小蝶道：「你可是心有未甘？」

陶玉道：「就目下情勢算計，咱們逃脫的機會不大，唯一有逃命機會的人，就是楊夢寰了。」

趙小蝶道：「嗯！你可是準備讓他也脫逃不了。」

陶玉道：「那倒不是……」

趙小蝶道：「那你的用心何在？」

陶玉道：「咱們助他逃走。」

趙小蝶道：「如何助法？」

陶玉道：「咱們詐降智光，然後找機會再助楊兄逃走。」

趙小蝶眨動著一對圓圓的眼睛，道：「難得你有些好心。」

陶玉歎息一聲道：「咱們被他帶到天竺之後，活命的機會甚微，今後武林大事，全要靠楊兄主持了，因此，咱們兩人，都要把本身所知所學，全都轉授楊兄……」

趙小蝶奇道：「你這話是真是假？」

陶玉道：「在下已經三思，自然是句句出自肺腑了。」

趙小蝶道：「那很好，咱們都不許藏私。」

陶玉點點頭，道：「時間不多，決定了就要立刻行動。」

趙小蝶道：「不要慌。」

陶玉道：「姑娘究竟是女流之輩，做起事來，未免是……」

趙小蝶道：「那『歸元秘笈』上，所記武功甚多，如若咱們不能依序相告，他如何能夠記得下如此之多？」

陶玉道：「姑娘先傳授於他吧！」

楊夢寰待要推辭，卻為趙小蝶示意阻止。

陶玉冷冷說道：「我陶玉一生之中，並非從未說過真話，有時，的確是由衷之言，只因為不為人信，那就只好改變初衷了。」

趙小蝶道：「怎麼餘音未絕，你又想賴了。」

陶玉道：「此時此刻，兩位如若仍想和我動用心機，那未免是有些……」

趙小蝶接道：「時光不多，你如說的實言，那就該付諸行動了，時間迫急，只有先傳他的口訣。」

陶玉道：「那『歸元秘笈』的原文，姑娘已經耳熟能詳，在下先解說那夾層中的記載了。」

趙小蝶道：「那很好，快些說吧！」

陶玉目光一掠趙小蝶道：「姑娘可否把頭上的玉簪，借給在下？」

趙小蝶道：「幹什麼？」

陶玉道：「我要一面畫，一面解說，楊兄可收事半功倍之效。」

趙小蝶緩緩從頭上拔下玉簪，遞了過去。

陶玉接過玉簪，就地上畫了一個盤坐的人像，道：「欲登大成之境，必先破越人的體能極限……」目光一掠趙小蝶接道：「姑娘雖然打通了任督二脈，內力無窮無盡，不過，但成就仍然是局限體能極限之內，如是一個人能使真氣倒行，經脈逆轉，即可衝破體能極限，進入另一種境界，那才是『歸元秘笈』所記武功的真締所在。」

趙小蝶緩緩說道：「如何才能進入此種境界呢？」

陶玉道：「兩位請看這付畫像，盤坐的姿勢，和我們平日坐息，有何不同？」

一眼看去，那畫像打坐的姿勢，並無不同之處，但仔細看去，果然是有很多小異之處。

陶玉伸出玉簪，點著丹田要穴部位，接道：「真氣聚於丹田之後，應該是逐步上升，登上十二重樓，直逼生死玄關，但此刻，卻要返其道而行了。」

趙小蝶道：「先施真氣下沉……」

陶玉接道：「這是基本工夫，解說只怕也無法使楊兄全然瞭解，最好的辦法，就是楊兄照著施爲，兄弟從旁指點，衝破此關，以後的，就可順理成章的學下去了。」

趙小蝶搖頭攔住楊夢寰，道：「不行。」

陶玉道：「怎麼？趙姑娘此刻仍然不相信在下麼？」

趙小蝶道：「不是不信任你，而是我們的時間不多，如若都化在習練武功之上，豈不是太可惜了……」目光一掠楊夢寰，接道：「陶玉，我要告訴你一椿隱密……」

陶玉道：「你說吧，在下洗耳恭聽。」

趙小蝶道：「你一向認爲你的才慧都在那楊夢寰之上，是麼？」

陶玉道：「此事有目共睹，那也不用我陶玉誇口了。」

趙小蝶道：「我過去也這樣想，不過，現在，這觀念改變了。」

陶玉道：「姑娘之意，那是說在下不如楊夢寰了？」

趙小蝶道：「不錯，不但是你，算上蘭姊姊，也未必強得過他……」

陶玉道：「這個，在下就不信了。」

趙小蝶道：「不信麼？……」

陶玉仰天打個哈哈，接道：「這個不但在下不信，話出自姑娘之口，只怕是你自己也不會相信了。」

趙小蝶道：「未和智光動手之前，我只是有這種感覺而已，但和智光大師動上手後，我就證實了自己的想法。」

陶玉道：「何以見得？」

趙小蝶道：「咱們的武功，都強過他甚多，是不是？」

陶玉道：「嗯！不錯……」

趙小蝶道：「但你我都傷在智光大師的手中，是不是？」

陶玉道：「因此，姑娘就斷言楊夢寰的才智，舉世無匹了？」

趙小蝶道：「我看他和智光動手情形，當處危境不亂，而且，有很多手法，從另外的武功變化而來，創意甚高，這證明了他在這方面的才智，強過我們了。」

陶玉雙目眨動，沉吟不語。

顯然，他不同意趙小蝶的話，但卻一時間又無法駁倒趙小蝶的話。
趙小蝶似是已了然陶玉的心情，淡淡一笑，道：「你還是不信麼？」
陶玉冷然一笑，道：「各人看法不同，姑娘也不能迫我陶玉非要相信不可。」
趙小蝶道：「我要你承認了這件事實，那就是說，如是楊夢寰有著和我們同樣的機會，今日他的成就，就非我你能夠及得了，哼哼，那智光大師，早已敗在他的手中了。」
陶玉道：「但目下形勢，你和我，以及那朱若蘭，都已身受重傷，生機茫茫，這才能高低的事，似已無爭論的必要了……」
目光轉注在楊夢寰的臉上，接道：「除非楊夢寰能夠擊敗那智光和尚，救了咱們三人。」
楊夢寰道：「兄弟慚愧，尚無這份能力。」
趙小蝶道：「九九歸一，現在是咱們談論的主題了。」
陶玉道：「姑娘快些說出用心何在？」
趙小蝶道：「咱們只要把秘訣告訴他，他自可就諸般武功中，選出一兩種，克制智光的武功去練，陶玉，你要瞭解一件事，此刻咱們不是傳他武功，而是在設法自救。」
陶玉臉上突然一紅，道：「姑娘說得是，幸好他未照我陶玉的話去練習。」
趙小蝶道：「如若照你的話做呢？」
陶玉道：「此刻他已經身受重傷了，和咱們一般的沒有了逃走之能。」
趙小蝶淡淡一笑，默默不言，楊夢寰卻是聽得眉頭一皺，暗道：這人果然是惡毒得很。
陶玉目光緩緩轉注到趙小蝶的臉上，道：「在下倒有一策，立可收效，但不知姑娘是否相信？」

趙小蝶道：「你先說出來，我聽過之後，才能作得主意。」

陶玉道：「姑娘熟讀歸元秘笈，可讀過媚術篇麼？」

趙小蝶道：「媚術篇，沒有聽說過。」

語聲微微一頓，接道：「不過，那『歸元秘笈』中，有一段被家母封了起來。家母說那篇記載不好，不許我看。」

陶玉道：「也許就是那媚術篇。」

趙小蝶道：「如非家母遺命，那『歸元秘笈』中夾層記載，也輪不到由你發現了。」

陶玉道：「這麼說來，在下還要多謝令堂一番了。」

趙小蝶道：「不用了。」

陶玉輕輕咳了一聲，道：「顧名思義，姑娘想已了然那媚術篇中的記載了。」

趙小蝶道：「不知道。」

陶玉冷然一哂，道：「姑娘是真不知道呢？還是故作不知？」

趙小蝶道：「自然真不知道了。」

陶玉道：「這麼說來，還得在下講給姑娘聽了？」

趙小蝶道：「我們洗耳恭聽。」

陶玉道：「那媚術篇中，先講哭笑二字，以後麼，全說的取悅於人的方法，可惜在下堂堂男子，雖知其術，卻無能發揮。」

楊夢寰本想斥罵那陶玉一頓，但轉念一想，此刻險惡萬分，那媚術篇既然記載於「歸元秘笈」之上，想必有它道理，應變所需，也只有從權了。

趙小蝶心中一動，道：「那是給女人看的了。」

陶玉道：「不錯啊！堂堂男子，縱然熟記了全篇，也無甚大用。」

趙小蝶抬頭望了楊夢寰一眼，默默不語。

陶玉輕輕咳了一聲，接道：「如若姑娘能熟讀那媚術篇中的所記，咱們也許可以脫身。」

趙小蝶緩緩說道：「你是想要我施用媚術，對付那智光和尚？」

陶玉道：「除此之外，在下想不出咱們還有什麼逃走辦法了……」

語聲微微一停，又道：「姑娘如若記熟那媚術篇後，一舉一動間，都帶有自然的魅力，嫵視媚行，無不撩人情懷，不用迷人人就自迷了。」

趙小蝶忽然間感覺到無限羞意，泛上心頭，抬頭望了楊夢寰一眼，道：「楊兄，你說，我可以學學麼？」

楊夢寰道：「此刻處境，生機茫茫，如若那媚術篇中記載確然能夠有助咱們逃亡，從權應變，學學無妨。」

趙小蝶喜道：「怎麼？你也贊成了。」

楊夢寰道：「如若陶玉不是說的謊言，那『歸元秘笈』上確有記載，想那天機真人，三音神尼，都是一代才人，決不會失之於偏……」

陶玉冷冷接道：「楊兄錯了，這也是一門武學，既叫媚術，那就是愈媚愈好。」

楊夢寰道：「也許那『歸元秘笈』，確有很奇怪的記載，但就在下看法，卻有不同之見。」

陶玉冷冷說道：「什麼不同之見？可否先說給在下聽聽？」

楊夢寰道：「自然可以了……」微一沉吟，接道：「如是遇上修爲精深的人，不爲妖媚之術所動，那媚術豈不是英雄無用武之地？」

陶玉道：「據那媚術篇中記載，習學媚術之人，並非是人人都成，而要好的先天條件才行……」

目光一掠趙小蝶接道：「趙姑娘正是此中最好的人……」

楊夢寰冷冷接道：「陶兄可是說趙姑娘的容貌麼？多情仙子之美，天下有誰不知，那也用不到陶兄誇獎了。」

陶玉道：「如若楊兄不信兄弟之言，咱們最好當面試過。」

楊夢寰道：「如何一個試法？」

陶玉道：「在下先轉告口訣、方法，讓她找機會在智光身上試驗一下如何？」

楊夢寰心中暗道：不論是否有用，學學總是無妨。心念一轉，不再多言。

只見陶玉和那趙小蝶相對坐下，似是討論那媚術篇中內情。

三人心中已知道這窗外有著很多人在監視，是以，重要的事，都不便大聲說出。

過有一頓飯工夫之久，曾見一個青衣文士走了進來，道：「敝國師要在下來問三位，可曾想好了麼？」

楊夢寰道：「想好什麼？」

那青衣文士道：「三位是否想跟他同往天竺國去？」

楊夢寰心中暗道：趙小蝶、陶玉都受傷不輕，我楊夢寰總不能丟下兩人而去啊……口中卻應道：「此刻咱們還沒有決定。」

那青衣文士道：「該早些決定了，敝國師急待回音。」

楊夢寰望了趙小蝶一眼，只見她雙眉緊顰，臉上汗水湧出，滾滾而下。

原來，陶玉和趙小蝶的傷勢都已開始發作，而且來勢甚猛。

楊夢寰緩緩對那中年文士說道：「請轉告智光大師，我等此刻尚未決定，要他耐心的多等一會就是了。」

那青衣文士冷笑一聲，道：「在下奉命來此，手握生殺之權，三位……」

楊夢寰冷然接道：「在下還有再戰之能。」

那青衣文士，略一沉吟，道：「一個時辰之內，咱們就要離開，三位再多想想吧！」緩步退了出去。

這時，趙小蝶、陶玉都在運氣和發作的傷勢抗拒，早已無暇談話。

楊夢寰看兩人痛苦之情，心中大為焦急，暗道：蘭姊姊沒有救出，如今，陶玉、趙小蝶又受重傷。此刻，必得先設法止住他們痛苦才是。

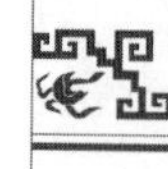

心念一轉，高聲說道：「兄台請回……」

那青衣文士，應聲入室，說道：「什麼事？」

楊夢寰道：「他們傷勢甚重，有勞兄台去問問那智光大師，是否有療傷之藥？」

青衣文士道：「那療傷之藥，在下就帶在身上。」

楊夢寰霍然站起身子，道：「拿來。」

青衣文士冷冷說道：「敝國師早有交代，要在下把話說明。」

楊夢寰道：「快些說。」

青衣文士道：「那藥物雖可療傷，但亦能使人中毒……」

楊夢寰突然一伸右手，迅速絕倫的扣住了那人的手腕。

那青衣文士右手卻緩緩從懷中摸出一雙玉瓶，道：「瓶中就是療傷的藥物，服用之後，痛苦立除，但這藥物之中，含有一種毒素，服過之人，很快的為那毒素控制，每日必得服此藥物才成。」

楊夢寰冷冷說道：「這藥物只能解一時之苦，無法長時療治好他們的傷勢是麼？」

青衣文士道：「不錯，在下就是為此藥所困，不能離開天竺。」

楊夢寰冷笑一聲，道：「閣下為什麼要說得這般清楚？」

青衣文士道：「在下身受其害，不忍再讓諸位重蹈覆轍。」

楊夢寰道：「服用幾次之後，就為這毒素控制呢？」

青衣文士道：「就在下所知，大約服用六次之後，就將為藥物毒素控制了。」

楊夢寰道：「如若兩個時辰服用一粒，那只要一日夜的時光，即將為人控制了。」

青衣文士道：「正是如此，他這藥量，算計的非常精密，只要你服用到一定數量，一定中毒。」

楊夢寰看那青衣文士，只見他臉色黃中透青，極是難看，不禁一皺眉頭，道：「這麼說來，閣下每隔兩個時辰就要服用一粒藥物了？」

青衣文士道：「他這藥物，分類甚多，所含藥素，各有不同，我等已受毒物控制，每日由他們賜贈一粒毒丸，當面吞下。」

楊夢寰道：「服用一粒，不會中毒吧！」

青衣文士道：「服用一粒，即便中毒，亦不會很深，以一個人的定力，大約是可以控制。」

楊夢寰道：「那就先讓他們各服用一粒，先解除他們傷勢痛苦再說。」

青衣文士輕輕歎息一聲，道：「楊大俠要小心了……」聲音突然轉低，道：「咱們中原武林道中，甚多武林高手為他們所困，都非心甘情願，而是身為毒素控制，無法反叛他們。」

楊夢寰鬆開了那青衣文士的腕脈，打開瓶塞，倒出兩粒藥物，分讓趙小蝶和陶玉各自服用了一粒說道：「咱們中土武林人物，有好多人為他們收用？」

青衣文士道：「大約在二十個以上，凡是我中土人物，全都一樣打扮，青衣方巾。」

楊夢寰道：「兄台在天竺很久了麼？」

青衣文士道：「七年左右了。」

楊夢寰道：「兄台留居七年，可知他們這毒物的製造之法麼？」

青衣文士道：「造此藥物的地方，在下雖然知曉，但戒備森嚴，無法接近。」

楊夢寰道：「那是天竺國境了？」

青衣文士道：「不錯，在下亦和幾位志同道合，同爲毒物所困的朋友，密議破壞那製毒的地方，可惜那地方防守之人，個個武功高強，三位同道當場戰死，在下幸脫危難……」

那藥物果然靈驗無比，趙小蝶和陶玉服用之後，傷疼立止。

但聞陶玉說道：「楊兄不能信任他們。」

原來，陶玉傷疼難耐之中，仍然聽到了兩人談話。

那青衫文士道：「在下說的句句實言，信與不信，悉聽諸位了。」

言罷，出室而去。

楊夢寰心中暗道：此人之言，決非虛假，口中卻說道：「兩位現在好些了嗎？」

趙小蝶道：「什麼藥物，如此靈驗，拿給我瞧瞧如何?!」

楊夢寰從瓶中倒出一粒，托在掌心，道：「這藥品雖然可止傷疼，但卻是含有劇毒，服用幾次之後，就爲藥中之毒控制了。」

陶玉凝目望去，只見那丸色呈紫紅，大如黃豆一般，奇異的香氣，飄入鼻中。

趙小蝶道：「內傷劇疼很難忍耐，而且愈是運功抗拒，疼得愈狠，縱然明知道藥物有毒，

那也是非得吃下不可了。」

楊夢寰道：「在下適才見兩位痛苦之狀，實非常人所能忍受，才讓兩位各服下一粒藥丸，此刻兩位痛苦已消，神志清明，至少可有兩個時辰的平安，該當如何，還望兩位多多研商一下才是。」

趙小蝶道：「事已如此，你把毒丸留下，自己早些逃離此地吧。」

楊夢寰道：「在這小室之外，已設下重重埋伏，我想那不止是對付我們幾個人了。」

陶玉道：「內防逃逸，外拒追兵。」

趙小蝶輕輕歎息一聲，道：「就算我們不怕中毒，只怕也無法用出武功助你……」聲音突然轉低道：「逃走此地，是你自己的事了，你要設法逃走。」

陶玉道：「以在下之見，要他逃走，還不如不逃的好。」

趙小蝶道：「爲什麼？」

陶玉道：「智光不殺咱們，必有用咱們的地方，那時自然要恢復咱們的武功……」

只聽一個朗笑之聲，傳了進來，說道：「不錯，只要你們肯助貧僧一臂之力，不但可使你武功盡復，而且還有著享不完的榮華富貴。」

隨著大笑聲，智光大師走了進來。

陶玉冷冷說道：「什麼事？」

智光不理陶玉，目光卻轉到楊夢寰的臉上，道：「楊大俠……」

楊夢寰道：「不敢當，大師有什麼事？」

智光道：「適才貧僧得報，中原武林道上，很多高手聯袂而來，要救你楊大俠。」

楊夢寰道：「大師屬下高手甚多，自是不用怕了。」

智光大師道：「此番我等進入中土，旨在朱若蘭姑娘身上，楊大俠、趙姑娘卻是額外的收獲。因此，貧僧不願在全無準備之下，和中土高手相搏。」

楊夢寰冷冷說道：「大師之意，如何才好？」

智光大師道：「老衲不想……」

陶玉道：「那是想活了。」

智光冷笑一聲道：「貧僧和楊大俠說話，陶玉最好是不要多口。」

陶玉碰了一個釘子，默默不語。

楊夢寰道：「要在下如何幫你退敵？」

智光道：「只要你出面和他們首腦相見，就說你受貧僧之邀，帶著朱姑娘、趙姑娘，同往西域一遊。」

楊夢寰：「如是在下不答應呢？」

智光大師冷冷說道：「楊大俠不要忘了，那朱姑娘還在我們掌握中。」

楊夢寰心中暗道：你這異域野僧，不知信義二字，那也不用和你們講什麼一諾千金的道理了，當下冷笑一聲道：「大師別忘了我楊夢寰並未受傷，還有再戰之能。」

智光大師道：「貧僧本已下令動手，但聞得此訊之後，已決定暫時停下。」

楊夢寰道：「中原武林道上，高手千萬，如若聞得消息，必將蜂湧而至，閣下等再想平安返回天竺，只怕不是易事了……」

語聲微微一頓，又道：「不過，此刻倒有一個妥協辦法。」

智光大師道：「貧僧所知，決難行通，不過貧僧仍願問內情。」

楊夢寰道：「你如能救了朱姑娘，療好趙姑娘和陶玉的傷勢，放開他們離此，在下留此，為你退去中原武林高手。」

智光道：「在下已擺下驚魂大陣，我不信你們中原武林高手殺之不盡。」

陶玉冷冷接道：「在下已經見識過那驚魂大陣，實也看不出有何新奇之處。」

智光大師道：「那時貧僧神智未復，他們不敢作主，故而那驚魂大陣的威力，十成未能發揮一成。」

趙小蝶心中暗道：他也許說得不錯，但看那詭異的氣氛，已足使人心生駭然，決非全無威力，要設法套他說出一點內情才行……心念一轉，緩緩說道：「那驚魂大陣中的人物，乃是受一種藥物控制，不足為奇，如論施用毒物，中原武林，不乏此中高手，屆時，你自會嘗到苦頭了。」

智光大師目注楊夢寰，冷冷說道：「貧僧原想和楊大俠和好解決，諸位可到天竺一遊，楊大俠既不願和好解決，那只有各憑手段，一分勝負了。」

楊夢寰橫身擋在門口，準備出手，卻聽陶玉喝道：「楊兄讓他出去。」

楊夢寰身子一側，放過智光，道：「為何要放他離開？」

陶玉道：「時機未到，動手於我不利……」

語聲微微一頓道：「在下適才想到了『歸元秘笈』上一種武功，十分惡毒，不知楊兄是否敢練？」

楊夢寰道：「什麼武功？」

陶玉道：「閉血神掌。」

楊夢寰道：「閉血神掌，好惡毒的名字。」

趙小蝶道：「記載於哪一篇中，我怎麼沒有讀過呢？」

陶玉道：「記載於那夾層之中，姑娘自然是不知道了。」

趙小蝶道：「要如何才能練成，如果需時甚久，只怕咱們沒有機會了。」

陶玉道：「如果需時甚久，在下也不會提出來了。」

楊夢寰道：「這麼說來，那閉血神掌，似是一種容易學會的速成武功了？」

陶玉道：「那也不是，如果一個人的功力基礎不夠，練起這閉血神掌，那就大費周折了，楊兄功力深厚，練習起來，可得速成……」

語聲微微一頓，又道：「不過兄弟得事先把話說明，這閉血神掌，雖然記載於『歸元秘笈』之上，但卻並非那天機真人和三音神尼一脈的武學。」

趙小蝶道：「既非兩位老人家的武學，爲什麼要記載於那『歸元秘笈』之上呢？」

陶玉道：「說起來，姑娘也不信，那『歸元秘笈』夾層之中，記載的武功，除了天機真人和三音神尼的武功之外，還有很多絕技，大都是天下至毒的武功，這『閉血神掌』不過是其中之一罷了……」

趙小蝶道：「哼！別人沒有瞧過，隨便你怎麼說，也就是了。」

陶玉冷冷說道：「在下說的句句實言，姑娘不肯相信，那也是沒有法子的事了。」

趙小蝶道：「如今時間有限，如何在極短時間中，練成絕技？」

陶玉道：「如若不能在極短時間練成此技，在下也不用提出來了……」

語聲微微一頓，接道：「問題是看楊兄是否有此膽量了？」

楊夢寰道：「練武功還要膽量麼？」

陶玉道：「武功一道，大都是循序漸進，時間愈久，成就愈高，如若想以極短的時刻中，練成絕世之技，大背習武之道，自然是要冒著很大的危險了。」

趙小蝶道：「既是在極短的時刻中，可成絕技，那你爲什麼不肯習練呢？」

陶玉道：「平常之日，在下不願冒此險，此刻情勢迫我冒險，可惜在下已身受重傷，無法練習了。」

楊夢寰道：「要冒些什麼危險，陶兄可否告訴兄弟一聲？」

陶玉道：「自然可以了，那『閉血神掌』的源流，說來深長，不談也罷，兄弟只談談那『閉血神掌』的惡毒，此掌中人之後，外面不見掌痕，但中掌之處的血管，卻逐漸硬化，而日漸擴大，終至自行閉塞而死。」

趙小蝶一皺眉頭，道：「有這等武功麼？」

陶玉道：「不錯，在下也曾想到，說來只怕姑娘不信，但事實確是如此。」

楊夢寰道：「陶兄請說下去吧！兄弟想了然練此武功有何危險。」

陶玉冷肅的說道：「習練之中，如是稍有偏差，自己將先蒙其害，血管硬化而死。」

趙小蝶道：「那是一種毒掌了？」

陶玉道：「近似一種毒掌。」

楊夢寰道：「如何練法，陶兄可否先行說給兄弟聽聽。」

陶玉道：「楊兄如想練習，兄弟立刻可以傳授，如是楊兄不要練習，那也不用多問了。」

楊夢寰心中暗道：這人當真是陰險得很，一時猶豫難決，不知該如何才好。

但聞趙小蝶冷冷說道：「不用練了！」

楊夢寰一皺眉頭，道：「爲什麼？」

趙小蝶道：「如若真有其事，陶玉爲什麼自己不早些練習，卻要講給你聽。」

陶玉道：「此時何時，此刻何刻，在下爲什麼還要撒謊。」

楊夢寰目注趙小蝶淒然一笑，低聲道：「爲了你和蘭姊姊，縱然有害，在下也要練習。」

陶玉道：「楊兄要學，在下立刻可以傳授。」

楊夢寰道：「陶玉，我要先警告你一件事，若你想藉機施什麼手段，可別怪我立刻施下毒手，取你性命。」

陶玉道：「在下盡力傳授，不過，這武功要冒著很大的危險，在下已經再三的說明了。」

楊夢寰道：「只要確非你施展詭計，在下縱然走火入魔，也是與你無干。」

陶玉緩緩從懷中摸出一個玉瓶，道：「楊兄準備練在哪一隻手掌之上？」

楊夢寰望了那玉瓶一眼，道：「瓶中何物？」

陶玉道：「練習閉血神掌的藥物。」

楊夢寰道：「還要借重藥物？」

陶玉道：「凡是一種速成惡毒武功，全都要借重藥物。」

楊夢寰伸出左手，道：「如何施用？」

陶玉道：「楊兄先請自行運氣閉著穴道，兄弟把瓶中毒水，倒在楊兄掌心。」

趙小蝶突然接道：「不要學，這等旁門左道之術，縱然練得十成功力，也是有害無益。」

陶玉望著楊夢寰道：「楊兄，此刻還可以改變心意。」

趙小蝶忽然微微一笑，道：「寰哥哥，把他手中藥品奪過來。」

楊夢寰聽她突然改稱寰哥哥，不禁一怔，順手取過玉瓶，道：「什麼事？」

趙小蝶道：「拿起陶玉的左手。」

楊夢寰已知她用心，道：「趙姑娘，他此刻身受重傷……」

趙小蝶道：「如若他不受重傷，你亦非他之敵了，聽我的話吧！」口氣流現出哀求之意。

楊夢寰道：「陶玉，這瓶藥水，如是害人之物，那是你作法自斃了，伸出左手罷。」

趙小蝶伸手從楊夢寰手中搶過玉瓶，道：「你如不迫陶玉伸出左手，我把這瓶毒汁，倒在自己的手上了。」

楊夢寰心中暗道：她不解練習之法手染毒汁，如何得了，當下說道：「陶玉，你是自願伸出左手呢，還是要在下動手？」

陶玉神色冷肅，緩緩伸出左手。

趙小蝶打開瓶塞，揮手一翻，數滴黑水，滴在陶玉的手心之上。

只見陶玉神色肅然，雙目中暴射出怨毒的光芒，但卻一語不發。

那幾點黑色水珠，在陶玉掌心上略一遊動，很快的消失不見。

原來那毒水，一眨眼間，竟都滲入了陶玉的肌膚之中。

趙小蝶、楊夢寰眼看那毒水極快的侵入肌膚之中，心中大為震駭，忖道：好厲害的毒水。

只見陶玉長長吸了一口氣，緩緩收回左手道：「楊兄此刻相信了吧！」

趙小蝶道：「你要開始練習了，那毒水已經侵入肌膚，再不練習，只怕立時有中毒之危。」

陶玉冷漠一笑，道：「兩位都知道在下身受重傷，此刻來練『閉血神掌』，成功的機會，將大為減少。」

趙小蝶道：「如是練習不成，該會如何？」

陶玉道：「作法自斃！」說罷，不再理會兩人，閉上雙目，全力運功。

面臨生死之危，陶玉不得不強忍著痛苦和死亡搏鬥。

楊夢寰雖然不知那陶玉的內傷如何，但卻看到他汗落如雨，顯然在忍受著無比的痛苦。

突然間，傳來一聲尖厲的長嘯，緊閉的室門突然啟開。

一個矮小的黑衣人，疾閃而入。

此刻三人當中，只有楊夢寰一人還有再戰之能，當下運氣，暗作戒備，留心著那黑衣人的

舉動。

只見那黑衣人雙目中暴射出憤怒之火，凝注著陶玉，顯然，對陶玉似有著很深的積怨，心中暗自奇怪，忖道：這人對陶玉，似是有很深的仇恨。

只見那黑衣人直向陶玉行了過去，心中暗道：此刻無論如何，不能讓陶玉傷在那黑衣人手下，當下起身攔在那黑衣人的身前，說道：「閣下是誰？」

那黑衣人放低聲音，道：「是我，楊師弟。」

楊夢寰已經從聲音中聽出了來人是誰，急急說道：「你是童師姊……」

黑衣人點點頭，接道：「我沒有時間和你多談話，不要問我，聽我講，照著去做。」

楊夢寰道：「師姊請吩咐。」

童淑貞道：「日下已有很多中原武林人物，集聚於此，分別擋住了天竺群僧的去路，所以，智光不得不改變計劃，布下驚魂大陣，以阻群豪四路攻勢……」

楊夢寰仍然是忍不住的問道：「師姊可知道來的是些什麼人？」

童淑貞道：「據我得到的消息，令岳爲首，帶了一路，陶玉屬下，集聚一路，玉簫仙子帶了一路，還有一路人馬，卻不知是何人爲首。」

楊夢寰點頭，正待接言，童淑貞又搶先說道：「智光屬下之中，有許多中土人氏，這些人因爲身受一種特殊藥物的控制，不能和他爲敵，但他們心中，對智光早已充滿著敵意，我此刻幸得他們掩護，才能平安無事……」

仰起臉來，長長吁一口氣，道：「據我所知，那驚魂陣的威力很大，四路人馬只怕未必能

勝過智光，但因先聲奪人，致智光心生畏懼，如若他盡集高手，全力施爲，選擇一處方向，突圍而去，只怕難以攔得住他。」

楊夢寰道：「還有事麼？」

童淑貞道：「有，不過先讓我殺了陶玉再說。」

陶玉練功正值緊要關頭，全身汗出如漿，也未聽到兩人之言。

楊夢寰想到她昔年受陶玉所害，痛苦實非常人所能忍受，自是無怪她心中對陶玉積恨如山，但此時殺陶玉，時機不妥，當下說道：「小弟恨陶玉不在姊姊之下，但此刻時機不對，殺他無益，日後，小弟決心全力助姊姊殺此大惡就是。」

童淑貞道：「我信任你，一諾千金。」

楊夢寰道：「赴湯蹈火，決不悔改。」

童淑貞道：「好，我告訴你最重要的一件事，今夜三更，我會救出朱姑娘……」

楊夢寰接道：「師姊有把握麼？」

童淑貞道：「有把握，但不知把她送往何處？」

趙小蝶突然接口說道：「她傷勢很重，又非智光大師療傷不可，救她出來，也無法療治她的傷勢。」

楊夢寰道：「趙姑娘說得不錯，師姊最好能同時找到那療治朱姑娘傷勢的藥物。」

童淑貞道：「這個我就不大知曉了，朱姑娘傷勢情形，我亦不大了然，等我問問他們再說。」語聲微微一頓，接道：「我不能在此地多留，師弟、趙姑娘多多保重……」

望了陶玉一眼，又道：「今日之禍，全由陶玉所起，你們不要放過殺他的機會。」轉身一躍，出室而去。

楊夢寰目注趙小蝶道：「目下援手已至，可惜姑娘傷勢很重，無法接應群豪。」

趙小蝶神色肅然的說道：「楊兄，有一件事，希望你能聽我的話。」

楊夢寰道：「什麼事？」

趙小蝶道：「蘭姊姊和你，都是武林同道最爲崇敬的人物，此刻蘭姊姊身受重傷，已無法主持大局之能，無論如何，你不能再落那智光之手，不用管我和陶玉了，有機會，你先行離開此地。」

楊夢寰道：「如若救不出你和蘭姊姊，我一人離開此地，那還不如同往天竺一行。」

趙小蝶苦笑一下，道：「不要固執……」

語聲未落，突聞號角聲響，分由四面傳過來。

楊夢寰低聲說道：「我躍上屋面瞧瞧。」

閃身出室，躍上屋面。

流目四顧，只見天竺群僧往來如梭，智光大師站在大廳之前，指揮群僧，似是要依這山莊形勢，布成一座和群豪對抗的陣勢。

這時，守在跨院的僧侶，反而全部撤走，顯然因分拒四面強敵，天竺僧侶，已有著人手不足分配之感。

四面山峰群起，林木陰森，楊夢寰無法瞧到四面情勢，不過，聽四面號角聲彼此應和，可證明那四面人馬，都已經有了聯絡。

楊夢寰瞧了一陣，躍下屋面，反回室中。

趙小蝶道：「情勢如何？瞧到了什麼？」

楊夢寰道：「四面號角唱和，已收先聲奪人之效，天竺群僧，似已準備在這座大宅院中和中原武林群豪抗拒。」

趙小蝶道：「動上手，你最好能去接應他們。」

楊夢寰道：「可惜姑娘受傷甚重，如若當時你能多忍一刻，不和智光動手，此刻形勢，當另是一番景像了。」

說話之間，兩個青衣人，並肩而入，一抱拳，道：「敝國師有請三位，同往大廳一敘。」

楊夢寰略一沉吟，低聲問陶玉和趙小蝶，道：「兩位能夠走麼？」

趙小蝶道：「能走。」

當先站起身子。

這時，陶玉已然恢復了常態，但卻絕口不談練功的事，也不知他是否已練成了「閉血神掌」。

兩個青衣人在前，引導著楊夢寰跨出小院，直入一座大廳中。

楊夢寰匆匆一瞥間，已瞧出智光大師將以大廳為中心，準備和群豪對抗。

趙小蝶行入大廳，流目四顧，只見大廳中集聚著很多人，有天竺僧侶，也有身著青衫，頭

戴方巾，被藥物控制的中土武林人士。

不知這些青衫人爲毒所困，也還罷了，但知悉內情之後，果然發覺那些青衫人，一個個面色青黃。

只見大廳一角處，垂幔啓動，緩步走出智光大師。

楊夢寰一拱手，道：「大師召喚我等麼？」

智光道：「不錯，我要把你們集在一起，既易管理，亦好調遣。」

楊夢寰道：「朱姑娘何在？」

智光道：「就在廳角垂幔之中……」

語聲微微一頓，接道：「楊大俠如是憐惜他們的生命，最好和貧僧合作。」

楊夢寰淡然一笑，道：「我等可有一席落足之地麼？」

智光大師指指門口處，畫好的一個圓圈，道：「不論發生什麼事，三位最好不要離開那畫好圈子。」

楊夢寰暗道：他雖未明言，但分給我們的區域，卻是把守廳門，此事且不可挑明，緩步行入圈中。

陶玉冷笑一聲，道：「畫地爲牢。」

和趙小蝶一齊舉步而入。

三人進入圈中之後，齊齊坐下，閉上雙目，似是在運氣調息，其實都在動用心思，籌思接應四面群豪之策。

三九　群雄畢集

那傳來號角聲，突然靜止，但楊夢寰心中明白，這是大風暴前的一陣平靜，心中忖道：智光把我等盡集於此廳之中，童師姊救出朱姑娘的計劃，勢非改變不可，就目下情勢而言，救人並不太難，難的是三人傷勢無法療治。

這時，大廳外，天竺僧侶已然擺成了驚魂大陣。

但四面群豪，卻是沒有發動的警兆。

楊夢寰、陶玉，都以無比的耐心，等待著局勢的變化。

又是一日過去，天色逐漸的暗了下來。

大廳外，廣闊的庭院中，突然亮起一片綠色的燈火。

天約二更時分，突然間響起了一陣龍吟般長嘯，劃破了靜夜，也打破了這沉寂局面。

楊夢寰聽得那長嘯聲，立時辨出是岳父李滄瀾所發，不禁心中一動，忖道：如若岳父能和三路人馬會合，選出高手，攻入山莊，或可一戰，如是他單獨率領川中四義等人，獨自衝了進來，今夜一戰，勝算就十分微小了。

只聽一陣步履之聲，智光帶著兩個灰衣僧侶，奔出大廳。
大廳上未點燈火，一片幽暗，但廳外綠焰閃閃，景物清晰可見。
只見智光帶著兩個灰衣僧侶，穿陣而過，消失不見。
楊夢寰低聲道：「趙姑娘，此刻傷勢如何？」
趙小蝶道：「藥力已消，身體早感不支。楊兄可否把瓶中藥物，再給我服用一粒？」
陶玉道：「在下亦有同感……」
楊夢寰道：「藥中有毒，難道兩位不知道……」
趙小蝶道：「傷疼難忍，縱然是飲鳩止渴，也是非飲不可。」
楊夢寰取出玉瓶，倒出兩粒藥物，托在掌心。
趙小蝶和陶玉同時伸出手去，各自搶過一粒丹丸，吞了下去。
楊夢寰收起玉瓶，暗道：這毒丸果然厲害，這兩人只不過服用一次，但卻已似上癮一般，奇怪的是這藥丸，也確有止疼的神效。
趙小蝶四下回顧了一眼，說道：「楊兄，智光大師出去了。」
楊夢寰道：「出去了，目下趕來相助的武林高手，已經逼到了莊外……」
陶玉低聲接道：「這大廳中還有多少天竺僧侶？」
楊夢寰道：「約略估計，不過十人左右。」
陶玉冷笑一聲，不再言語。
趙小蝶心中一動，暗道：我把那一瓶毒水侵入他掌心之中，這久不見毒性發作，難道他已

練成了「閉血神掌」不成，此人陰險惡毒，尤在智光之上，如有機會，非要先殺了他不可。

忖思之間，廳外已有了變化。

但見火光閃動，驚魂陣外，正東方位上，出現長衫白髯，手執龍頭拐的李滄瀾，身後並立著川中四醜。

在李滄瀾右側，並立著羽衣道冠的崑崙三子。

廳中黑暗，楊夢寰看幾人雖很清楚，但幾人卻無法瞧到楊夢寰。

只見驚魂大陣外，火光連閃，正南方，正西方，同時亮起了幾支火把。

正南方居中而立的玉簫仙子，左側是三手羅刹彭秀葦，右側是形貌古怪，一見難忘的百毒翁，身後是趙小蝶隨身四婢，和十二花娥。

正西方，是以王寒湘爲首，帶著陶玉四靈化身，和數十位勁裝佩帶兵刃的大漢。

三方人馬，團團將驚魂陣包圍起來。

大廳後，嘯聲不絕，似已先動上手，但楊夢寰卻無法瞧見，不知是那些人物。

高燒的火把，光焰熊熊，那充滿著鬼詭氣氛的驚魂陣，在熊熊火把的光焰下，大見暗淡，數十盞慘綠色的燈光，也大爲減色，看上去若有若無。

智光帶著兩個灰衣僧侶，緩步進入陣中。

驚魂大陣，仍然是一片平靜，數十個天竺僧侶，盤膝交錯而坐。

李滄瀾突然一擺手中龍頭拐，道：「三位道兄，咱們領先殺進陣中如何？」

一陽子、玉靈子、慧真子，齊齊應了一聲，拔出長劍，準備衝入陣中。

卻聞玉簫仙子叫道：「諸位前輩且慢。」

李滄瀾放下手中龍頭拐，緩緩說道：「姑娘還有何高見？」

玉簫仙子道：「賤妾聞得這驚魂大陣，十分惡毒，還望諸位慎重一些，最好能和王寒湘取得協議，分由三路出手。」

李滄瀾略一沉吟，道：「姑娘和他說吧。」

玉簫仙子想到數年之前，王寒湘尚在李滄瀾手下，自是不便和他搭訕，當下說道：「王壇主。」

壇主之稱，乃昔年王寒湘在天龍幫中的身分，玉簫仙子此刻呼叫出來，王寒湘知道是呼叫自己，只好應道：「玉簫姑娘，有何見教？」

玉簫仙子道：「天龍幫第二代幫主陶玉，也困在陣中麼？」

王寒湘道：「敝幫主如若未困在陣中，在下也不會趕來此地了。」

玉簫仙子道：「最低限度，咱們人未救出之前，應該暫時摒棄嫌怨，合力對敵。」

王寒湘道：「姑娘有何見教，儘管請說！」

玉簫仙子道：「咱們三方各派四位高手，衝入陣中，先行一試這番僧的奇陣變化，不知王壇主的意下如何？」

王寒湘淡淡一笑，道：「在下有一個條件，姑娘如能答允，在下即允合作。」

玉簫仙子道：「什麼條件？」

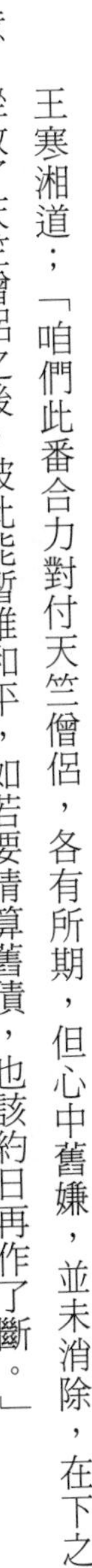

王寒湘道：「咱們此番合力對付天竺僧侶，各有所期，但心中舊嫌，並未消除，在下之意，挫敗了天竺僧侶之後，彼此能暫維和平，如若要清算舊債，也該約日再作了斷。」

玉簫仙子沉吟了一陣，道：「閣下作得了主麼？」

王寒湘心中暗作盤算道：四路人馬，三路都爲了楊夢寰和朱若蘭而來，彼此實力懸殊，如若動起手來，自然是我們吃虧了，縱然陶玉在此，亦無不應之理，當下說道：「在下既然說出口來，自然作得主意了。」

玉簫仙子道：「好！我也代姑娘作一次主意。」

王寒湘道：「彼此一言爲定。」

玉簫仙子道：「怕的是閣下無能爲多變的陶玉作主。」

王寒湘道：「姑娘放心，在下自信能勸服我家幫主……」

語聲微頓，又道：「姑娘既然慨允了在下之求，在下亦不用藏秘了。」突然舉手一招。

只見八個黑衣勁裝大漢，一湧而出，在王寒湘的前面，一排而立，各自取出一個連珠匣弩。

玉簫仙子暗暗忖道：這人想得果然周到，就算這驚魂大陣，變化萬千，但亦是血肉之軀的人布設而成，這樣近的距離，在一陣連珠匣弩之下，定然會有很大的傷亡，此人能預謀及此，果有人所難及之處。

八個黑衣大漢，動作奇怪，右手一揚，弩箭已如狂風驟雨一般，疾射而出。

就在那黑衣大漢射出連珠匣弩的同時，智光大師大聲呼喝數言。

他說的天竺語言，群豪知他是告訴群僧拒敵之法，卻不知他說些什麼。

但見那排坐的天竺群僧，突然探手入懷，摸出一面銅鈸。

群僧應變雖快，但仍是晚了一步，那八張匣弩，已然連珠箭出。人牆箭雨，立時十餘人中了弩箭。

但這一陣工夫，群僧已然舞動銅鈸，一片金光閃動，響起了一陣卜卜之聲，後發弩箭，盡都爲那銅鈸擊落。

每個匣弩之中，只有十支弩箭，也不過一眨眼間，匣中之箭均已射完。八個黑衣大漢，射完弩箭之後，立刻向後退去。

玉簫仙子凝目看去，只見十餘僧侶，身中弩箭，奇怪的是，竟然不知疼痛，穿插遊走，若無其事。

一個人不論武功如何高強，也無法練到受傷不疼之境，但這些僧侶，卻個個能忍受痛苦。

李滄瀾望了崑崙三子一眼，只見崑崙三子，也是一臉茫然之色，顯然亦是不解其中奧秘。

玉簫仙子突然一振玉簫，高聲說道：「王壇主，你心中害怕了麼？」

王寒湘眼看天竺僧侶不畏痛苦，心中實是有些害怕，但聞玉簫仙子直言相詢，自是不便承認，當下說道：「害怕什麼？」

玉簫仙子道：「王壇主既是不怕，那是最好不過，我想改變一下計劃。」

王寒湘道：「什麼計劃？」

玉簫仙子道：「先由咱們兩人進入陣中，試試天竺僧侶武功如何？」

王寒湘伸手取出招扇，道：「有何不可。」

玉簫仙子道：「好！」

玉簫一振，緩步向陣中行去。

這時，天竺僧侶，已然停止轉動，手執銅鈸，凝立不動。

玉簫仙子行入陣中，右手一抬，玉簫疾點而出。

一簫點出之後，那凝立不動的天竺僧侶，突然轉動起來，疾快無比把玉簫仙子圍了起來。

玉簫仙子展開快功，玉簫揮動，眨眼間連攻十八簫。

但聞叮叮咚咚之聲，玉簫仙子攻出的一十八簫，盡被天竺僧侶手中的銅鈸擋開。

就在玉簫仙子被困陣中的同時，王寒湘也同時進入陣中。

王寒湘還未來得及出手，四個天竺僧侶，已然分由四面攻到。

王寒湘招扇疾展，掃出一招，凌厲的扇風，迫開了四個僧侶，凝神待敵。

奇怪的是兩人停下手後，四周天竺僧侶，也同時停手不攻。

玉簫仙子默查形勢，這驚魂大陣，形勢並無多大變化，只是從群僧分出四人，把衝入陣中之人圍起，不禁膽氣一壯，暗道：「我還道這驚魂大陣有什麼千變萬化的驚人之處，看來不過如此。」

但聞李滄瀾長嘯一聲，說道：「老夫也要見識一下這驚魂大陣，有何出奇之處。」龍頭拐杖，帶起了一片嘯風之聲，衝入了陣中。

他天生神力，人所難及，兩個僧侶手中銅鈸，觸到他的拐杖，立時破空飛去。

這時，玉簫仙子和王寒湘，都未再出手，默察陣勢的變化，李滄瀾挾石破天驚的威勢，衝入陣中，拐杖到處，天竺僧侶紛紛退避，兩人同時心中一動，不約而同的一齊揮動手中兵刃，配合起李滄瀾的攻勢，準備一舉間，破去這驚魂大陣。

那知，事情竟然大出意料之外，兩人一動手，整個驚魂大陣，一齊發動，天竺僧侶交錯輪轉，分別把三人圍入了陣中。

李滄瀾排山倒海一般的拐勢，立時受到了強大的阻力，群僧展開了迅速絕倫的反擊，人影滾動，四面八方攻來，因爲那陣勢轉動的迅速，每一個僧侶只能攻出一招，就閃避讓開去。數十個天竺僧侶，在佳妙的配合之下，輪流還攻，而且分成四路，同時由四個方向攻到。

這時，場中的情勢，又有了劇烈的大變。

李滄瀾兇猛的攻勢，已被阻止，王寒湘、玉簫仙子，原想和李滄瀾會合一起的用心，亦受到阻攔，在群僧輪轉的攻勢下，只餘下招架之力。

李滄瀾見識廣博，隱隱感覺到這驚魂大陣的形勢、變化，和少林寺中的羅漢陣，極爲相同，登時恍然大悟，暗道：那達摩祖師渡海東來，但在天竺國中，亦有傳人，是以，這些和尚的武功，同出一源，只有年深月久，歷傳數十代，雙方歷代人物的才慧不同，才使同出一源的武功，有了很大的變化。

少林寺的武功，正大中蘊藏著奇奧變化，氣勢磅磅，這天竺一脈武功，卻流入了詭奇爲主，再和瑜珈匯合，自成一種格局，和少林武功，似是已經有了很大的分別，但這驚魂大陣，倒還保有少林羅漢陣氣勢。

要知那少林寺羅漢陣，天下聞名，在中原武林道上揚名數百年，這驚魂大陣，既有那羅漢陣的氣勢，自是非同小可，如是再不小心，只怕要立刻傷在天竺僧侶手中。

心中念轉，高聲說道：「三位道兄，不可擅自入陣。」

李滄瀾擔心那崑崙三子，衝入陣中，也被困住，是以，先行出言阻止。

崑崙三子眼看那李滄瀾衝入驚魂大陣之後，有如風捲殘雲一般，擋者披靡，這三人自持身分，不肯掠人之美，未曾出手，那知片刻之後，局勢大變，驚魂大陣全面發動，李滄瀾和王寒湘等，竟然被困在陣中，陣外看去，只見人影輪轉，火炬下黃光閃動，衝入陣中的李滄瀾等，已是人影難見。

玉靈子抽出長劍，低聲說道：「這陣勢非同小可，咱們不可分開。」

並肩攻入陣中！

一陽子、慧真子齊齊抽出兵刃，正待聯袂出手，卻聽得李滄瀾呼叫之聲。

玉靈子停下腳步，回顧了一陽子一眼，道：「師兄，那李老英雄不要咱們入陣，不知是何用心？」

一陽子略一沉吟，道：「他既出口喝止，必有道理，眼下未明內情，最好等候片刻。」

玉靈子道：「師兄說得是。」

崑崙三子，仗劍陣外，全神凝注陣勢的變化。

玉簫仙子和王寒湘在步入陣中之時，都曾囑咐過隨來屬下，如若未得招呼，不可擅入陣中。

所以，兩路人馬，雖然眼見主腦被困，卻是按兵不動，等候令下。

但見慧真子一皺眉頭，叫道：「兩位師兄，可瞧出這陣勢有何怪異麼？」

玉靈子道：「變化多端，奇詭難測，叫人看不出來龍去脈。」

慧真子道：「小妹之意，是說，這陣勢和少林羅漢陣有些相似。」

一陽子道：「不錯，可惜沒有少林高僧在此……」

但聞一聲佛號，傳了過來，大廳屋頂上火把閃動，出現了一僧一道，正是少林、武當兩派的掌門人。

玉靈子抬頭看那大廳一眼，少林、武當，兩位掌門聯袂而到，如是這驚魂大陣果然是少林羅漢陣一般模樣，少林僧侶必有對付之法。

慧真子望了一陽子一眼，道：「大師兄收傳的這位弟子，身受武林同道的感戴，的確是今古少見，他的一舉一動，似是都引動著武林同道的關心。」

一陽子正待答話，玉靈子卻搶先說道：「昔年我如不把他逐出門牆，九大門派的諸位掌門人，格於身分，心中雖然敬重於他，但卻不會以平輩相待於他了。」

慧真子道：「據小妹所知，楊夢寰雖已被掌門師兄逐出門牆，但他仍以崑崙門下弟子自居。足見他秉性純正，不忘舊情。」

玉靈子道：「所以，咱們才來相助於他了。」

爲逐出楊夢寰和沈霞琳的事，玉靈子、慧真子，不知鬥了多少次嘴，一陽子生恐兩人再吵起來，急急接道：「咱們既然已瞧出這種驚魂大陣和少林寺羅漢陣有些類似，何不通知那少林掌門一聲，讓他設法對付，只要驚魂大陣破去，不難一舉盡殲天竺惡僧了。」

這時，那群轉的僧侶，愈轉愈快，站在陣外，已然無法瞧到陣中情勢。

玉靈子暗運真氣，目注屋頂，高聲說道：「天宏道兄，貧道觀察所得，這天竺僧侶的驚魂大陣，和貴寺羅漢陣有甚多相似之處，道兄必有破陣良策了。」

他內功精深，說話的聲音雖然不大，但字字句句，都送到天宏大師的耳中。

但聞天宏大師應道：「貧僧亦有同感。」

突然一提氣，直撲而下。

他由廳頂上直撲下來，正是那大廳門口和驚魂大陣的連接之處。

智光眼看四面強敵，愈來愈多，而且個個武功都十分高強，心中暗自焦急，心知單憑這驚魂大陣，已然難和來人抗拒，心想，得早作準備，是以，陣勢發動之後，立時向廳中退去。

天宏大師站在屋頂之上，早已打量過四周形勢，他對羅漢陣的變化十分熟悉，此陣果有相似之處，瞧出那陣勢和廳門之處，有著一段空隙，立時提氣躍下。

智光大師剛剛步入廳門，天宏大師已落身廳門和驚魂大陣之間的空隙。

此刻全陣發動，黃芒閃動，把整個大廳封起，如非行家，決難瞧出其間空隙，也不敢冒險躍落空隙之間。

智光回手一揚，拍出一掌，冷冷說道：「什麼人？」

天宏大師右手推出，接下一擊，道：「少林派天宏大師。」

智光心知此刻處境危惡，能施毒手，傷他幾人，就減少幾分阻力，暗中運氣，揚手點出一指。

楊夢寰心知智光練有奇毒武功，天宏大師不知內情必爲暗算，即時一躍而起，高聲說道：「這番僧練有奇功，大師快些閃開。」

口中喝叫，人卻拍出一記劈空掌力，擊向智光大師的後臂。

智光大師心知以朱若蘭、趙小蝶、陶玉、楊夢寰當世四大高手的武功，自然不是好對付的人物，早已有了戒備。

楊夢寰躍起呼叫，天宏大師立時向旁側避去。

智光陡然回過身子，一揚左手，反拍一掌。

兩股掌風，擊撞在一起，彼此各自退了一步。

楊夢寰知那智光大師有很多詭異武功，常在不知不覺中傷人，此刻，趙小蝶、朱若蘭、陶玉都暫無再戰之能，依憑自己保護，不敢有絲毫大意，停手不攻，冷冷說道：「大師已陷重圍，中土高手，已從四面八方湧到，驚魂大陣決難擋群豪攻勢，但此刻大師如肯改變心意，療治好朱姑娘等傷勢，在下可保大師平安無事。」

智光大師冷笑一聲，道：「那驚魂大陣已經發動，被困於陣中之人不死，那驚魂大陣決然不會停手。」

楊夢寰道：「大師執迷不悟，那也是沒有法子的事了。」

天宏大師低吟一聲佛號，道：「楊大俠，朱姑娘無恙麼？」

原來，他只瞧見陶玉和趙小蝶盤膝而坐，運氣調息，卻不見朱若蘭人蹤何在。

朱若蘭此刻是何模樣，楊夢寰也不明白，但心中卻希望她完好無恙，當下說道：「朱姑娘麼？也在這大廳之中。」

天宏大師右手探入大袖之中，摸出一面銅鈸道：「老衲不願輕易動此兵刃，今日爲了救人，只好破例一用了。」

智光正待答話，瞥見人影一閃，眼前又多了一個道人。

楊夢寰抬頭看去，見來人正是武當掌門人靜玄道長，當下一抱拳，道：「有勞道長。」

靜玄道長嗯的一聲，拍出背上長劍，低聲對天宏大師道：「咱們聯手而上吧！」

智光前有楊夢寰阻擋去路，後有天宏大師和靜玄道長，背腹受敵，但他卻一直未喝令廳中的天竺僧侶助戰。

楊夢寰沉聲道：「大師、道長，這天竺僧侶，身懷奇技，常在激鬥之中，陡然傷人，朱姑娘、趙姑娘、陶玉，都是這般的傷在他們手中，兩位要小心一些了。」

靜玄道長心中暗道：那朱姑娘的才智、武功，無不強過你楊大俠，朱姑娘既然傷在了這番僧手中，你卻怎能安然無恙？

楊夢寰口中和天宏大師及靜玄道長談話，但雙目卻盯注在智光的雙手之上，不見他有出手

之意，接道：「但如能小心一些也不難對付，在下武功、才智均不及朱、趙兩位姑娘，但因小心之故，和這番僧，連鬥了數次，一直未為所傷。」

靜玄長劍一擺，冷冷說道：「大師父可以出手了。」

他矜持一派掌門身分，和天宏大師聯手攻敵，已覺不該，是以，再不肯搶先出手。

智光緩緩說道：「三位小心了。」

左手一揚，拍向楊夢寰，右手暗發掌風，分襲天宏大師和靜玄道長。

楊夢寰知他手法陰毒，傷人於不覺之中，當下說道：「兩位小心了，這番僧武功惡毒，傷人於無形之中，不能大意。」

口中在和天宏大師、靜玄道長招呼，手中卻冒險展開反擊，左手施一招「如封似閉」以阻智光大師的攻勢，右手全力拍出一掌，一股強猛的潛力，隨著拍出的掌勢，直湧過去。

原來，楊夢寰這幾日中，細想那智光大師的傷人手法，大都是同時攻擊兩人，一為佯攻，一面卻暗運功力傷人。

天宏大師、靜玄道長，都對那朱若蘭敬若天人，對那楊夢寰，亦是十分佩服，聽他指點，果然不敢大意，縱身向旁側閃開去，銅鈸長劍，交錯反擊。

饒是如此，天宏大師、靜玄道長，仍覺著兩縷暗勁，掠衣而過，威勢強猛絕倫，不禁暗暗吃驚，道：如若楊大俠沒有事先的警告，這樣無聲無息的暗勁，決無法閃避得開，此時，已然傷在天竺僧侶手中了。

智光本想出手一擊，就算不能讓兩人同時受傷，至少可以先傷一人。

那知楊夢寰料事機先，出言點破，使天宏大師、靜玄道長，脫去一場大難，智光白白費了一番心血，心中大是忿怒，暗道：這人可惡至極。正待回身先對楊夢寰施下毒手，楊夢寰拍來的一掌，已然先行攻到。

強烈的暗勁，洶湧而至。

匆忙之間，智光揚起左手，接下一掌，這一擊，硬碰硬打，全憑功夫實方，使不得一點巧。

智光但覺那湧來的勁力，十分強大，急急向旁側讓去。

這時，天宏的銅鈸，靜玄道長的長劍，因智光及時閃讓，一齊落空。

靜玄長劍一翻，唰的一招「孔雀開屏」，斜斜劃出。

快迅的劍勢，閃起一道銀芒，天宏大師的銅鈸，也同時攻出，襲向智光前胸。

智光三面受敵，心中微感慌亂，右手大袖拂動，掃出一股勁力，以封天宏大師和靜玄道長兵刃，左手迎向楊夢寰拍出的一掌。

楊夢寰心知此時此刻，自己無論如何不能受傷，看他掌勢拍來，竟然不肯硬接，一閃避開。

智光借勢，躍飛而起，衝入廳內。

天宏大師沉喝道：「佛門不幸，出此孽障。」

內力暗發，手中銅鈸，陡然脫手飛出，大如輪月，直擊過去。

銅鈸去勢勁急，挾帶著一股嘯風之聲，從楊夢寰等頭上掠過，直襲向智光大師。

少林銅鈸，別具一格，和一般暗器大不相同，急促的旋轉之勢，使人無法能推測出它的方向。

智光大師似是知道那銅鈸的厲害，探手一把抓過一個身側頭帶方巾的青衣人，硬向銅鈸之上擋去。

那青衣人吃智光一把抓住了身上兩處要穴，半身運轉不靈，眼看那銅鈸飛來，卻是無法閃避，但似有不甘心爲那銅鈸所傷，雙手齊出，向那銅鈸推去。

只聽一聲慘叫，鮮血濺飛，青衣人雙手齊腕處，被那飛轉的銅鈸，齊齊斬斷。

銅鈸斬斷雙腕，餘力不衰，旋飛直上，一陣嗆嗆之聲，大廳上一處木樑，亦被那銅鈸劃過，折作兩段，積塵紛紛落了下來。

智光雙手一揮，竟把手中青衣人當作暗器，直向天宏大師投擲過去。

楊夢寰雙手齊出，接住那青衣人，低頭看去，早已氣絕而亡。

靜玄道長低聲問道：「楊大俠無恙麼？」

楊夢寰道：「在下很好。」

靜玄道長道：「楊大俠的仁慈之名，天下皆知，但搏鬥之間，難免要有人傷亡。」

楊夢寰緩緩放下屍體，道：「道長說得是。」

靜玄道長緩緩把手中長劍，遞了過去，道：「楊大俠請暫用此劍。」

楊夢寰接過長劍，道：「大師、道長，可有破那驚魂大陣之策麼？」

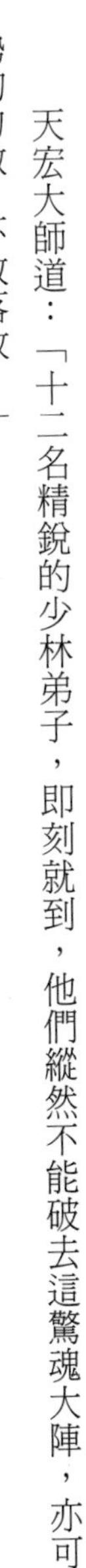
天宏大師道：「十二名精銳的少林弟子，即刻就到，他們縱然不能破去這驚魂大陣，亦可勢均力敵，不致落敗。」

楊夢寰道：「那很好，兩位好好照顧趙姑娘和陶玉。」仗劍直向前行去，口中喝道：「智光，閣下武功高強，在下親眼所見，但不知大師敢否和在下決一死戰？」

他見強援已到，善後之事，不用自己再多操心，登時豪氣奮發，指名挑戰。

智光用天竺語言，嘰哩咕咯，喝叫數聲，六個方巾青衫人，突然一齊行了出來，一排橫立，擋住了楊夢寰。

靜玄道長緩步行到趙小蝶的身側，道：「趙姑娘，可要貧道扶你一把麼？」

趙小蝶緩緩站起身來，淒涼一笑，道：「我受了很重的內傷，又服了毒藥，道長不用費心了。」

靜玄道長道：「姑娘不用自絕生機，天下武林同道，都已得到此訊，源源趕來此地，不難有療傷的能手。」

趙小蝶緩緩退到門側，背依木門而立，道：「我還可以支持，道長拒敵要緊。」

此刻，衝入大廳中人，只有天宏大師、靜玄道長兩人，加上一個楊夢寰，也不過三人而已，而大廳中，除了智光大師之外，還有十餘個天竺僧侶，和十幾個青衣人，雙方人數相較，楊夢寰等仍是處於劣勢。

天宏大師低宣一聲佛號道：「陶施主，可要老衲助一臂之力麼？」

陶玉睜眼望了天宏大師一眼，道：「不用勞駕。」

天宏大師輕輕咳了一聲，道：「此刻共禦外侮，老衲意出至誠。」

陶玉突然站起了身子，行到一側。

且說楊夢寰和六個青衣人相對而立，輕輕一揮手中長劍，劃出一道銀芒，說道：「各位都是中原人士，被擄異域，爲人奴役，此刻是諸位掙脫枷鎖，重歸故里的良機，難道你們真還要和我等爲敵麼？」

六個青衣人，一個個面色鐵青，呆呆的望著楊夢寰，臉上是一股進退維谷的表情，顯然，幾人已經被楊夢寰說動，但內心之中，卻似被另一股力量阻止不敢答應。

只聽那智光大師，施用天竺語，喝了一聲，六個青衣人，突然從長衫下，拔出了一把匕首，疾向楊夢寰撲了過去。

楊夢寰長劍疾揮，一陣叮叮咚咚之聲，擋開群襲而來的匕首，寒芒閃動，反擊數劍，把六個青衣人，逼在四五尺外，怒聲說道：「我知你們都爲一種藥物所困，不敢抗拒，但那毒藥性發作，也不過一個死字，你們受他之命，拒抗於我，也是一樣的難以得活。」

口中說話，手中長劍，卻是連續攻出，劍如電閃，盡都是又毒又辣的招數，片刻間，連傷三人。

楊夢寰素以仁義服人，從不妄傷一人，今日形勢所迫，不得不施下毒手了。

智光大師眼看楊夢寰勇猛無匹，再打下去，六個青衣人，都將要傷在他的手中，立時大喝

道：「住手。」

楊夢寰長劍疾出一招「法輪三轉」，逼開了三個青衣人，應道：「什麼事？」

智光冷冷說道：「你如要再進一步，我就立時把朱若蘭置於死地。」

楊夢寰心中暗道：狗急跳牆，迫他過甚，只怕他真要施下毒手了。果然不敢再向前逼進。

天宏大師接道：「此刻，這山莊四周，都已被重重包圍，你如敢害死了朱姑娘，必將受到最爲殘酷的報復，同爲佛門弟子，老衲特別奉勸一句，信不信那就在你了。」

突然陶玉舉步而行，直對智光大師行去。

楊夢寰沉聲說道：「陶兄傷勢未癒，豈可……」

陶玉冷冷接道：「不勞下問。」

直對智光大師行了過去。

楊夢寰知他此刻武功高強，已所難及，機智更在自己之上，此行必有用心，也不出手攔阻。

只見陶玉行到智光身前，低言數語，智光先時神色淡然，望著陶玉，一語不發。

靜玄道長低聲說道：「楊大俠，這人陰沉無比，不能太信任他。」

但聞陶玉沉聲說道：「除此之外，在下想不出你還有什麼辦法了。」

智光大師突然改用漢語，說道：「我如何能信得過你？」

陶玉道：「你必須要冒險，你來自異城，如何能獨自在中土行動，如若你今日一敗塗地，勢必將葬身此地不可。」

楊夢寰心中暗道：這智光不但武功高強，而且也是唯一能療治朱若蘭和趙小蝶傷勢之人，對他既不能放過，也不能施下毒手，如是陶玉能夠施用什麼手段，把他制服，那是最好不過了。

智光大師雙目圓睜，逼注陶玉臉上道：「你們中土人士一向狡猾，貧僧豈肯上當。」

陶玉冷笑一聲，道：「在下說的句句實言，你不肯信，那是無可奈何了。」

就在兩人說話工夫，打鬥之聲，突然消失。轉眼望去，只見大廳外火把高照，布成驚魂大陣的天竺僧侶，竟全都倒臥地上，有如死去一般。

這變化有如晴天霹靂，駭得那智光大師半晌說不出一句話來。

楊夢寰也是大為驚奇，他默察那驚魂陣的變化，卻是奇妙無方，縱然是天機上人重生，三音神尼還魂，也無能在片刻之間，一舉盡殲驚魂大陣的天竺僧侶。

只聽陶玉仰天大笑道：「智光，你已經窮途末路了，再不答應在下的條件，只有束手待斃一途了。」

智光臉色大變，目注陶玉，緩緩說道：「你如肯立下誓言，貧僧才能相信。」

趙小蝶突然舉步而行，直行到楊夢寰的身側，道：「借此機會，先殺陶玉，餘下智光一人，咱們就好對付了。」

只聽陶玉冷冷說道：「智光，你聽到了沒有？」

智光目光轉動，四顧了一眼，道：「貧僧決然不信。」

陶玉怒道：「立下誓言，又有何妨，我如口不應心，自斷肢體而死。」

心中卻是暗道：我如不自己下手，自然永不會應此誓言了。
智光右手揮動，迅快的拍了陶玉兩處穴道。
這時，楊夢寰已仗劍行了過來，探手一招「神龍出雲」，刺向智光大師。
智光疾快的向後退開三尺，避過一劍。
楊夢寰緊隨一步，揮劍追擊。
忽見陶玉右手一揚，斜裏一掌，劈了過來，直擊向楊夢寰握劍右腕。
楊夢寰心中雖然對陶玉動了懷疑，卻未料到他此刻會突然出手，急急一沉腕，避開一掌。
陶玉出掌迅快，楊夢寰應變雖快，仍是晚了一步，陶玉指風，掃在腕上，五指不自覺一鬆，長劍隨手落地。
智光反撲而上，迎胸拍出一掌。
楊夢寰大喝一聲，踢出一腳，直擊智光大師的丹田穴。
智光被迫，收掌而退。
陶玉右腳伸出一挑，挑起長劍，唰唰兩劍迫退了楊夢寰。
這時，李滄瀾、玉簫仙子、崑崙三子、百毒翁等，都已逼進廳門。
李滄瀾怒聲喝道：「寰兒閃開。」
大步衝入室中。
楊夢寰心知自己手中如無兵刃，萬難是陶玉敵手，只好倒躍而退。
他和智光動手數次，已知智光臨敵應變，拳掌招術也無驚人之處，至多和自己在伯仲之間，只是他練有幾種惡毒的武功，傷人於不覺之中，朱若蘭、趙小蝶、陶玉，都猝不及防的大意中受他暗算，但這陶玉卻是大不相同了，劍招、拳術，招招毒辣。

李滄瀾越過楊夢寰，一揮龍頭拐，道：「陶玉，你竟甘和這異域妖僧合流，當真是愈來品級愈發低下了。」

陶玉神情淡然，冷冷的望了李滄瀾一眼，道：「我陶玉縱然是滿懷仁慈而來，諸位也是一樣不會相信。」

天宏大師道：「佛門廣大，慈航普渡，只要陶施主能放下屠刀……」

陶玉仰天一聲大笑道：「在下如若不是爲了救人而來，那也不會落得這般下場了！」

李滄瀾道：「你爲救何人而來？」

陶玉道：「朱若蘭。」

李滄瀾冷笑一聲，道：「老夫看到你從小長大，對你有著二十年養育之恩，你反臉和老夫動手，一樣的是招數毒辣，劍劍想置老夫於死地，朱姑娘和你無干無涉，憑什麼你要救她呢？」

陶玉冷笑一聲，道：「這倒用不著你管了。」

李滄瀾長嘯一聲，道：「別人對你所知不多，大約認爲你有一天，將會放下屠刀，但老夫卻對你太清楚了，對付你只有一個辦法，那就是殺了你以絕後患。」

陶玉淡然一笑，道：「可惜的是你們已經放過了很多的機會，以後，殺我陶玉的機會不多了。」

李滄瀾冷笑一聲，道：「今日是最好的殺你機會。」

陶玉搖搖頭道：「如在一盞茶功夫之前，那時，在下身上的穴道未解，不論何人，只要一伸手就可以置我於死地。」

李滄瀾一振龍頭拐，迎面劈下，道：「今天，天下英雄，雲集於此，我不信，你還能逃走。」

崑崙三子各橫長劍，守住廳門。

玉靈子高聲說道：「除大奸，懲巨惡，用不著和他講什麼武林規矩了，咱們從未三人聯手拒敵，今日倒是不妨一試。」

崑崙三子任何一人，都是武林中一流高手，三人聯手之力，只怕當真如銅牆鐵壁一般。

陶玉凝目望去，只見王寒湘率領的人手，卻爲玉簫仙子率領之人，列隊擋住，雙方相持，還未動手。

川中四義，已然隨著那李滄瀾，欺入廳中，四人雙手各執著一把二寸的短刀。

陶玉心中暗估目下形勢，敵我強弱十分明確，身處逆勢，自是不便逞強，回顧了智光大師一眼，道：「朱姑娘現在何處？」

智光道：「壁角幕帳之中。」

陶玉道：「此刻咱們處境十分險惡，敵強我弱，不宜硬拚，如是大師肯相信區區之言，咱們可施用朱姑娘迎敵。」

智光道：「好！我去帶她出來。」

陶玉劍勢急振，絕招連出，封住了李滄瀾的拐勢。

他劍招變化多端，李滄瀾的龍頭拐猛惡的攻勢，竟然被他奇幻的劍招擋住。

李滄瀾龍頭拐長在六尺以上，施展開後，一丈內近不得人，崑崙三子等人都被李滄瀾的拐勢擋住，無法衝入廳中。

兩人搏鬥十招，智光抱著朱若蘭走了出來。

陶玉眼觀四方，雖在和李滄瀾動手，仍然兼顧四面形勢變化，眼看智光行了過來，立時收劍躍退，道：「快把朱姑娘給我。」

智光還在猶豫，陶玉已然伸手搶過了朱若蘭，厲聲喝道：「諸位如若再向前逼近一步，我就先殺了朱若蘭。」

這一著果然收效，群豪竟然不敢再向前逼近。

忽聽一個尖厲的聲音，傳了過來，道：「陶玉，朱姑娘如有毫髮之損，我要把你亂劍斬成肉泥。」

楊夢寰回頭望去，只見來人正是玉簫仙子，手執玉簫，滿臉激憤之容。

在玉簫仙子身後，緊隨著百毒翁。

對這位滿身劇毒的人物，群豪心中都有些畏懼憚忌，生恐碰上他沾了奇毒，紛紛讓開。

玉簫仙子直越過李滄瀾，橫著玉簫，不敢搶攻。

陶玉冷笑一聲，道：「朱若蘭還好好活著，毫髮未損，但如你們逼人過甚，在下為情勢所

迫，那是只好先殺朱若蘭了。」

目光一掠百毒翁，怒聲說道：「百毒翁，那驚魂大陣，可是你用毒破去的麼？」

百毒翁道：「不錯，我不過略施毒技，他們就個個中毒身亡，看將起來，這天竺僧人，卻是好對付得很。」

陶玉道：「我請你出山，卻想不到你竟要和我作對？」

百毒翁道：「區區敗在玉簫姑娘手中，不得不履行承諾，只好請你陶幫主見諒了。」

陶玉怒道：「彼此敵對，施用詐語，豈可認真麼？」

百毒翁道：「區區一向是言而有信。」

陶玉咬牙說道：「日後我陶玉如有機會，非把你劈死劍下不可。」

百毒翁道：「你如逼近我三尺之內，就要身中奇毒，這一生，你是很少機會殺死區區了。」

玉簫仙子道：「陶玉，放下朱若蘭姑娘，今日就再饒你一次不死。」

陶玉道：「在下信不過姑娘。」

玉簫仙子道：「如何你才肯相信？」

陶玉道：「我等帶著朱若蘭，離開險地之後再說。」

玉簫仙子道：「我問你放是不放？」

陶玉道：「放！不過，時機要由在下選擇……」

目光轉注智光大師臉上，道：「此刻這大廳中還有屬下幾人？」

智光道：「二十餘人。」

陶玉道：「你從中選出八人，帶他們走，餘下的留在這裏不用管了。」

智光大師道：「那怎麼成？」

陶玉道：「不成，你也留在這裏陪他們吧！我要走了。」

右手仗劍，左手抱著朱若蘭，向外行去。

智光大師急道：「你到哪裏去？」

陶玉道：「離開這死亡險地。」

智光道：「帶八人和二十餘人，有何不同？」

陶玉道：「此刻，我無暇說明，聽也在你，不聽也在你了。」

智光想到那驚魂大陣中的隨來弟子，忽然間全部倒下，鬥志全無，只好說道：「好！你等我片刻。」

陶玉手中長劍揮轉，架在那朱若蘭的項頸之上。

群豪怕他傷到了朱若蘭，果然都不敢再向前逼進。

智光大師已召集了室中的天竺弟子及一些青衣人，正自滔滔不絕的說了下去。

不過，他說的全都是天竺語言，別人只瞧到他口齒啓動，卻不知他說的什麼。

陶玉等得不耐，冷冷說道：「智光，你好了沒有？」

智光道：「好了，咱們可以走了。」

伸手摸出一個玉瓶，交到了爲首一個青衣人的手中。

楊夢寰心知那玉瓶之中，定然藏著那種很奇怪的藥物，不禁心中一歎，暗道：這等藥物，如若落在陶玉手中，那就不知道要有好多人遭殃了。

但聞陶玉高聲說道：「諸位先得退出大廳。」

群豪只好依言退出。

陶玉低聲對智光大師道：「大師帶著跟走的人，前面開道。」

神氣活現的智光，此刻卻變得聽話得很，當先舉步向外行去。

六個天竺僧侶，和兩個青衣人，魚貫的隨在智光身後，出了大廳。

陶玉最後出了廳門，玉簫仙子突然飛躍而起，攔住了陶玉道：「陶玉，放下朱姑娘，自己去吧！我們決不迫你。」

百毒翁冷冷接道：「如是真的動上手，只怕你也沒有機會能夠殺人。」

陶玉心知他用毒之能，一舉手，一投足間，都可能使人不自覺間身中奇毒，看他距離自己甚近，不禁心中發毛，疾退兩步，道：「你站遠一些。」

百毒翁道：「我如要決心在你身上下毒，你再離遠一些，也是無法避免。」

這時，楊夢寰、李滄瀾、崑崙三子，都已經分由兩側繞上。

所有人的目光中，都充滿著激憤，疑問。

陶玉忽然生出一種恐懼，淒滄之感，轉眼望去，只見王寒湘等人被彭秀葦率領的高手堵在一側，心中暗暗一歎，忖道：這些人和那朱若蘭全無關係，但對她的關心愛護，尤過本門中人，今日我如行事過分，只怕要激起眾怒，這朱若蘭受傷甚重，留下她也是一樣。

心中念轉，回首看了玉簫仙子一眼，道：「如在下留下朱姑娘，姑娘可能負責不讓在場群豪追趕在下？」

玉簫仙子道：「可以。」

陶玉道：「好！那咱們就一言爲定。」

放下朱若蘭起身而去。

李滄瀾、崑崙三子突然快步而上，直行到玉簫仙子身側，低聲說道：「姑娘，當真要放他們去麼？」

玉簫仙子道：「先救朱姑娘要緊。」

這時，王寒湘也率領著隨來之人，追上了陶玉。

彭秀葦帶著十二花娥，要待追趕，亦被那玉簫仙子喝止。

楊夢寰望了望留在室中的天竺僧侶和青衫人，看他們分聚兩處，低聲相商，看情形並無動手的準備。

他心知這些人的武功不弱，此刻既無動手之意，暫時不用理會他們。

場中群豪，大都關心那朱若蘭的生死，全都圍了上來，相較之下，趙小蝶顯得更孤零，倚門而立，神情間無限黯然。

其實，她傷勢沉重，往日嬌艷如花的粉臉上，變得一片蒼白，她咬牙苦撐，支持著未倒下去。

楊夢寰緩步走了過去，低聲說道：「姑娘，你臉色很壞。」

趙小蝶道：「我不要緊，快去看蘭姊姊，攔住智光大師……」

楊夢寰道：「不錯，但姑娘也不宜在這裏停留的了，這廳中的人，雖無動手之意，但也不能不作防備。」

也不徵求趙小蝶的同意，一把抱起了趙小蝶，直向朱若蘭身邊衝去。

楊夢寰衝入人群，放下趙小蝶，急急說道：「岳父，三位師尊，玉簫姑娘，快追智光大師，不能放他走。」

李滄瀾道：「玉簫姑娘已經答應放他，咱們不能出爾反爾。」

楊夢寰道：「他用獨門手法，傷了朱姑娘，別人無法解救！……」

話未說完，已有三條人影，聯袂而起，直向智光追去。

楊夢寰抬頭看去，見那飛躍而起的三人，正是崑崙三子。

李滄瀾回顧了天宏大師和靜玄道長一眼，道：「兩位道兄請率本門弟子，守護朱姑娘。」

帶著川中四醜，緊隨崑崙三子之後，追了過去。

楊夢寰、玉簫仙子、百毒翁、彭秀葦，四條人影，也聯袂而起、緊追在李滄瀾的身後。

陶玉似早已料到了群豪必會追他，放下了朱若蘭後，立時加快了腳步，向前奔去，一面低聲對智光大師說道：「目下，咱們是患難與共，生死同命的局面，在下有幾句話問你，你必得據實回答。」

智光道：「老衲知無不言。」

陶玉道：「這幾日裏，那朱若蘭可曾清醒過麼？」

智光道：「清醒過兩次。」

陶玉道：「她對你說些什麼？」

智光道：「一語未發，她睜開雙眼，望了我兩眼，就又閉上雙目。」

陶玉一跺腳，道：「你怎早不告訴我？」

智光道：「你沒有問，貧僧如何知曉。」

陶玉道：「唉！你這笨和尙……」

智光怒道：「你怎可出口傷人，貧僧乃天竺國師之尊……」

陶玉冷冷接道：「大國師一樣能被人殺死。」

智光大師道：「你們使毒物，勝之何武，如若憑借武功，單是那驚魂大陣，就足以對付你們中原高手了。」

陶玉心中大怒，正待發作，突然又想到了目下處境，必得暫時和他聯手不可，強自忍下怒火，笑道：「你可知道那朱若蘭是我們中原武林道上，第一位才人麼？」

智光道：「她還不是一樣的傷在老衲的手中。」

陶玉道：「那是她大意所致，別說她了，就是在下此刻如再和你動手，也不會傷在你的手中了。」

兩人談話之間，行速略慢，崑崙三子和李滄瀾等，已然追到身後七八丈左右，陶玉打量了一下山態形勢，前面兩丈左右處，是一個山谷入口，兩面山峰對立，正是一處易守難攻之地，當下對王寒湘道：「你帶四靈化身入谷，預作佈置……」

目光轉到智光大師臉上，道：「你和我，留在此地拒敵。」

智光冷冷說道：「貧僧乃是大國師的身分，閣下對我說話，總要客氣一些才是。」

陶玉道：「此地此時，大師最好能忘去自己的身分。」

說話之間，人已行近山口。

陶玉停下腳步，低聲對智光說道：「那相貌古怪，身著灰袍的人是百毒翁，此人武功並非絕高，但用毒之能，卻是人所難及，須得設法先傷了他。」

智光還未來得及答話，崑崙三子已然追到。

玉靈子長劍一擺，道：「聯劍出手。」

但楊夢寰高聲說道：「三位師尊且慢出手。」

玉靈子一收長劍，回身問道：「什麼事？」

楊夢寰使出八步趕蟬的輕功，越過李滄瀾，直到玉靈子的身側，揚劍指著智光大師，道：「這和尚練有兩種陰毒的武功，傷人於無形之中，朱若蘭、趙小蝶，都是傷在他手下，徒兒已和他搏鬥數次，對付較易，這和尚交給我，三位師尊，專心對付陶玉。」

這時，李滄瀾、玉簫仙子，都已追到，百毒翁大步而出，道：「諸位後退，在下來對付他們。」

群豪眼看他施毒之能，舉手之間，竟能使驚魂大陣的群僧，盡皆傷於劇毒之下，心中既是驚奇，又是害怕，暗道：此人如是為害江湖，那可怕之處，不在陶玉之下。

陶玉左手仗劍，右手放在衣袋之中，神態鎮靜、從容，微微閉著雙目，似是根本未曾瞧到群豪。

那智光大師卻是雙目忽睜忽閉，閃動的神光，一直在百毒翁臉上打轉。

百毒翁對陶玉，似是極為憚忌，遙遙一抱拳，道：「陶幫主……」

陶玉冷笑一聲，接道：「不用客氣了……」

百毒翁正待接言，突然小腹之上一疼，張嘴吐出一口鮮血。

楊夢寰怒道：「又是這和尙暗施算計。」

百毒翁重傷之後，強自運氣，大喝一聲，疾向智光撲去。

智光揚手一掌，正擊在百毒翁的前胸之上。

這時，天色早明，旭日金光下，只見百毒翁身上飛散一片如煙如露的白粉。

楊夢寰暗歎一聲，忖道：這一掌，力道甚重，百毒翁縱然有橫練的工夫，也是難以承受。

只聽百毒翁一聲悶哼，噴出一口鮮血，倒摔在地上。

原來，這一掌落勢奇重，那百毒翁生生被震得五腑離位，噴出鮮血。

玉簫仙子厲喝一聲，越眾而出，直向百毒翁撲了過去。

百毒翁人雖倒摔在地上，但卻有著死不瞑目的感覺，圓睜著一雙眼睛。

眼看玉簫仙子走了過去，突然挺身坐起，道：「不要行近我。」

玉簫仙子微微一怔，隨即大悟，知那適才飛揚的白粉，都是奇毒，停下腳步道：「你傷勢如何？」

百毒翁道：「我不行了。」

說完一句話，閉目而逝。

楊夢寰長劍一擺，道：「智光，你又傷了一人……」

瞥見智光雙目圓睜，大喝一聲，右手五指，反轉自襲，一下子，插入了自己前胸之中。

這意外的變化，使全場爲之震驚。

李滄瀾沉聲喝道：「諸位退後一些，他擊斃了百毒翁，但亦中了百毒翁身上的奇毒，此刻，毒性已經發作，咱們不用和他動手了。」

他想到適才百毒翁使用傳毒傷人之法，借那天竺和尙，一一傳出奇毒，片刻使整個驚魂大陣中的天竺僧侶，全部傷在那奇毒之下。

此刻，那智光既中奇毒，自然是不宜和他接近。

群豪果然紛紛後退。

只聽陶玉沉聲說道：「大師，你中了奇毒麼？」

智光大師心中有如千萬螞蟻蠕蠕爬行一般，難過之極，但他神智還未暈迷，口中連連喘息，答不出話。

陶玉道：「那百毒翁身上有解藥，快去取來吞下。」

智光右手一抬，拔了出來，數股鮮血，疾射而出。

陶玉趁智光目光轉注到百毒翁身上之時，突然手起劍落，橫裏斬去。

寒光閃過，智光大師被陶玉一劍斬作兩斷。

群豪看陶玉突然出此毒手，都不禁爲之一呆。

楊夢寰略一怔神後，揮劍而上，道：「陶玉，你殺了自己的幫手，不覺著人單勢孤麼？」

崑崙三子由側面繞了上去，道：「陶玉，你作惡多端，今日是你惡貫滿盈之時。」

李滄瀾帶著川中四義，橫身擋住了智光帶來的六個天竺和尚和兩個青衫人。

玉簫仙子突然縱身而起，直飛起兩丈多高，懸空打了兩個跟斗，超過了陶玉，擋住了陶玉後退之路。

楊夢寰冷笑一聲，道：「陶玉，咱們先動手吧！」長劍一振，寒光閃轉，連攻三劍。

陶玉揮轉手中之劍，封開三招。

三劍來三劍擋，響起了一陣金鐵相擊之聲。

陶玉擋開三劍之後，冷冷說道：「住手！」

楊夢寰停手說道：「陶玉，今日就算你說得天花亂墜，地湧金蓮，只怕也沒有人信了。」

陶玉目光轉動，四顧了一眼，只見崑崙三子和玉簫仙子，已佈下合圍陣勢，當下冷冷說道：「我只告訴你們一件事，那智光大師已死，當今之世，只有在下能夠救朱姑娘和趙小蝶的傷勢了。」

楊夢寰怔了一怔，道：「只怕未必吧！」

陶玉道：「朱若蘭、趙小蝶，此刻都傷勢嚴重，暈迷不醒，在下先救一位，以資證明。」

楊夢寰心中暗道：趙小蝶、朱若蘭兩位姑娘，不論哪一個落在他的手中，咱們都有所顧慮。

但聞陶玉冷然接道：「那趙小蝶不但內傷沉重，而且她還服用了天竺僧侶的毒藥，那藥性雖不劇烈，但她不能運氣抵拒，只有咬牙忍耐苦熬，就是再行服用那天竺毒藥，以解痛苦，如是再多服幾次，中毒過深，縱然醫好她的傷勢，那也是無法戒除她的毒癮了。」

言下之意，無疑說出先救趙小蝶了。

楊夢寰略一沉吟，回目對玉簫仙子，道：「有勞姑娘去請那趙姑娘來。」

玉簫仙子暗道：你受他騙了數十次，還聽他什麼鬼話。

口中卻忍下未言，轉身而去。

片刻之後，抱了趙小蝶出來。

這時，群豪雖然哀傷那百毒翁的死亡，但因強敵當前，誰也不存絲毫大意之心，強抑傷感，全神待敵。

楊夢寰低聲對崑崙三子，道：「三位師尊，咱們布成一個方陣。」

崑崙三子口未應言，人卻依言布成了一座方陣。

楊夢寰接道：「玉簫姑娘，把趙姑娘放在陣中。」

目光一轉，望著陶玉道：「陶兄，如若具有替趙姑娘療傷之心，請入陣中。」

陶玉仰天大笑三聲，棄去手中長劍，緩步行入陣中，蹲下身子，連拍了趙小蝶身上四處大

穴。

楊夢寰、崑崙三子，個個仗劍凝神而立，只要一發覺那陶玉別有圖謀，立時揮劍群攻。

陶玉拍過趙小蝶四處大穴之後，閉上雙目而坐。

過有頓飯工夫，趙小蝶突然挺身坐了起來。

楊夢寰道：「趙姑娘，請運氣一試，傷勢如何？」

趙小蝶緩緩站起身子，暗中運氣一試，道：「傷勢大好，餘疼甚微。」

陶玉一挺而起，道：「楊兄此刻相信了吧！」

楊夢寰道：「閣下這療傷之術，可是聽那智光所授麼？」

陶玉道：「個中道理深奧，但此刻在下卻無暇對幾位解說了。」

楊夢寰淡淡一笑，道：「陶兄，不願解說療傷之法，那也罷了，但還有朱姑娘的傷勢，也要借重大力。」

陶玉道：「難道閣下不怕在下挾持朱姑娘，逼諸位放走在下麼？」

楊夢寰道：「除非陶兄能夠先不管自己生死。」

陶玉冷笑一聲，道：「在下並未求治朱若蘭的傷勢，是楊兄請兄弟療治了。」

楊夢寰道：「你如能療治好朱姑娘的傷勢，咱們便讓路放行……」

陶玉目光轉動，只見那隨同智光而來的天竺僧侶，齊齊跪在地上，面對著智光的屍體合掌當胸，口中唸唸有詞，似是在低誦經文，超渡那智光大師的亡魂。

兩個隨來的青衣人，也隨著天竺僧侶，跪在地上，看樣子並無為智光報仇和自己拚命之心。

這時，趙小蝶已然把真氣運行一週，冷冷道：「陶玉，在場之人，都已經知道你的為人，你想施展詭計逃走，決難得逞，眼下你只有一條出路……」

陶玉淡然一笑，道：「救活朱若蘭。」

趙小蝶道：「不錯。」

陶玉微微一笑，道：「智光死後，環顧天下，只有我陶玉一人能夠救她，此刻，你們哪一個動手殺了我，也就算殺了那朱若蘭。」

四十　死裏逃生

楊夢寰道：「智光雖死，但仍有很多天竺僧侶在此，也許他們知道解救朱若蘭的手法。」

陶玉道：「這不是可冒險的事。」

趙小蝶道：「你說吧，提出條件，我們想想看能否答應。」

陶玉道：「在下的條件很簡單，我救活朱若蘭後，咱們雙方也同時停戰三月。」

楊夢寰道：「三月之後呢？」

陶玉道：「各憑本領、心智，一爭長短。」

楊夢寰望望崑崙三子，道：「三位師尊意下如何？」

一陽子道：「自然先救朱姑娘了。」

楊夢寰道：「陶玉，三月之中彼此互不相侵，在下可以答應，但在下亦有一個條件。」

陶玉道：「什麼條件？」

楊夢寰道：「你要訂下一個會面之處，而且還得立下重誓，屆時，定要赴約。」

陶玉略一沉吟，道：「好，三月之後，咱們南嶽衡山相見。」

楊夢寰道：「你如不守約言呢？」

陶玉道：「天誅地滅。」

楊夢寰道：「好，在下也答應你。」

回顧了玉簫仙子一眼，道：「吩咐他們扶朱姑娘過來。」

玉簫仙子應了一聲，親去抱了朱若蘭過來。

陶玉先點了朱若蘭兩處穴道，說道：「朱姑娘傷勢過重，不是片刻能夠醫好。」

玉簫仙子道：「需要好多時間？」

陶玉道：「兩個時辰左右。」

玉簫仙子道：「我們等你兩個時辰就是。」

陶玉道：「療治她的傷勢，一要知曉竅訣，二要深厚的內功才行。」

慧真子想到七年之前，在饒州城中，那朱若蘭曾經不惜大耗內力，替自己療治蛇毒，此情此恩，一直存在心中，當下說道：「陶玉，朱姑娘乃千金之軀，男女有別，你堂堂男子，自是不便動手，貧道願代效勞，助你療治她的傷勢。」

陶玉略一沉吟，道：「好吧！你先以本身真氣，攻入她命門穴中，不可停息。」

慧真子還劍入鞘，蹲下身子，依言施爲，右手按在朱若蘭命門穴上，使真氣源源攻入。

陶玉閉目靜坐了片刻，突然揚手點出一指，口中卻對慧真子道：「不要使那真氣中斷。」

他連續點出了四指之後，朱若蘭果然睜開了雙目。

玉簫仙子道：「姑娘你醒來了？」

朱若蘭緩緩坐起，回顧了慧真子一眼，道：「多謝前輩。」

慧真子道：「區區微勞，何足掛齒。」

朱若蘭目光轉注到陶玉臉上，道：「不論你用心何在，但你救了我，總要領你之情。」

陶玉淡淡一笑，道：「在下是不得不救。」

站起身子，一拱手，接道：「姑娘保重，在下要去了。」

轉身大步而去。

楊夢寰讓開去路，道：「陶兄，別忘你訂下之約。」

陶玉冷冷說道：「在下受了這次教訓，決然不會再重蹈覆轍，三月後重會之日不是你死，便是我亡。」

楊夢寰淡然一笑，道：「最重要的是陶兄能依時赴約。」

陶玉道：「楊兄放心。」

轉身疾奔而去。

朱若蘭望著陶玉的背影，一直是一語不發，直待陶玉消失不見，才輕輕歎息一聲，道：「縱虎歸山，唉！你們今日爲什麼不殺了他？」

趙小蝶道：「爲了救姊姊，他們不得不答應放了陶玉。」

朱若蘭道：「這數月來，我和陶玉見面次數不少，每一次見他時，都覺著他陰沉驕狂中，帶著一點迷惘。」

楊夢寰道；「難道這一次不同麼？」

朱若蘭道：「不同，而且是大大的不同，他有著從未有過的開朗，神色充滿著自信，他對訂約會之日期，有了很大的制勝把握。」

趙小蝶道：「姊姊，難道他能在數月中，突飛猛進，這約期只不過三個月啊……」

朱若蘭目光轉動，回顧了一眼，道：「這件事，咱們等會再談吧……」

欠身對崑崙三子等行了一禮，道：「多謝諸位老前輩趕來相助。」

慧真子道：「能爲朱姑娘略效微勞，貧道等引以爲榮。」

李滄瀾道：「朱姑娘能脫大難，實我武林之幸。」

玉簫仙子道：「九大門派，各方英雄，都已得到了姑娘蒙難之訊，正由四面八方趕來此地。」

朱若蘭道：「一個女流，生死何惜，怎敢勞動天下英雄。」

李滄瀾道：「姑娘身繫武林正邪消長，天下英雄大都欠了朱姑娘一份情德，此番趕來，理所當然，姑娘當之無愧……」

朱若蘭道：「這個，這個……」

玉靈子突然接道：「李老英雄說得不錯，趕來此地的人，個個都出自願，千百年來，只怕無一人能和姑娘一般，在武林中有著如此重大的聲譽德望。」

朱若蘭道：「賤妾何德……」

一陽子接道：「姑娘不用客氣了，我等和少林、武當兩派掌門人，因瀏覽風光，一直未離北湘省境內，聞得姑娘受到暗算之訊，匆匆趕來此地，就貧道所知，姑娘蒙難之訊，都是各方武林人物自願快馬兼程四下傳告，此刻，姑娘已脫大難，但天下群雄，此刻正好可趕上參與和陶玉約會決戰，此事關係天下安危，武林正義，凡我武林同道，人人有責，還望姑娘出面主持，眾望所歸，才可團結一致，一舉擊敗陶玉，清除妖氣。」

朱若蘭道：「此事只怕不是老前輩想的那樣簡單，咱們得從長計議。」

玉簫仙子緩步行了過來，道：「姑娘，那些天竺和尚如何處理？」

朱若蘭道：「留下他們的性命，不要傷害他們，要借他們之口，把智光慘死之事，帶回天竺，使他們此後不敢再妄動進入中土之念。」

玉簫仙子應了一聲，轉身而去。

朱若蘭似是很睏倦，望望四周的崑崙三子和李滄瀾，道：「有勞諸位前輩……」

慧真子接道：「姑娘很倦了，先去休息一會，我等助玉簫姑娘料理這些天竺餘孽。」

朱若蘭也不客氣，舉手對趙小蝶和楊夢寰一招，道：「你們跟我來。」

楊夢寰感覺到有些事不尋常，當著這多人前，穩重的朱若蘭決不會把自己叫到一側，回顧了李滄瀾一眼，道：「岳父大人，請招呼各大宗主，暫回那巨宅休息，勞請川中四義，埋了百毒翁和智光的屍體……」

李滄瀾低聲接道：「這些事不用你煩心了，快去瞧瞧吧，朱姑娘情形有些不對。」

楊夢寰道：「小婿亦有同感。」

轉身向前行去。

只聽李滄瀾低聲喝道：「回來。」

楊夢寰已行出丈餘，聞聲又轉了回來，道：「岳父大人，有何吩何？」

李滄瀾道：「不論她說什麼，都答應她。」

楊夢寰略一沉吟，道：「小婿自有應付之道。」

轉身行去。

朱若蘭、趙小蝶並肩而行，繞過一處山角，在一塊山巖之上坐下。

楊夢寰匆匆追了上去，道：「姊姊，身體不適麼？」

朱若蘭點點頭，伸手拍拍石巖，道：「坐下來，我有話對你說。」

楊夢寰心中雖有了準備，仍是忍不住吃了一驚，定定神緩緩坐了下去。

朱若蘭抬頭望著遙遠處一片白雲，道：「兄弟，有一句俗話說，天下沒有不散的筵席，這雖是很普通的一句話，但卻有著它的哲理，道盡了人間生死、離別、歡笑、悲傷。」

趙小蝶奇道：「姊姊，你在說什麼啊？」

朱若蘭淡淡一笑，道：「我想暫時告別你們……」

趙小蝶急道：「你要到哪裏去？」

朱若蘭笑道：「很遠的地方，所以，我要請你兩位來，交代你們幾件事。」

楊夢寰道：「姊姊，你忍心……」

朱若蘭接道：「先聽我說。」

楊夢寰只好停下不言。

朱若蘭舉手理一下頭上秀髮，道：「我知道你們都對我很好，捨不得我離開你們……」

趙小蝶道：「姊姊既然知道，為什麼還要離開我們呢？」

朱若蘭道：「所以，我要先找你們來，告訴你們幾件事，再向你們辭別。」

趙小蝶又待插口，卻被楊夢寰伸手攔住，道：「讓蘭姊姊說下去。」

朱若蘭微微一笑，道：「不用想勸阻我，這一次我要和你們約法三章，姊姊說出口的話，決然不許有一點更改。」

楊夢寰歎息一聲，欲言又止。

朱若蘭道：「陶玉和你訂下三月之約，不可大意，你要好好的計議一番，不妨以車輪戰對付他，重要的是出手先攻，攻完即退，你和趙小蝶也要準備一下，盡三月時間，研究一兩種對付陶玉的方法出來才好……」

語聲微微一頓，接道：「我是說陶玉如期赴約的話，也許他不會按期赴約。」

楊夢寰心中一動，正待接口，朱若蘭又搶先說道：「第二件事，你要善待小蝶妹妹，我去了，她會寂寞……」

趙小蝶心中似是亦有警覺，急急說道：「姊姊，你要到哪裏去呢？」

朱若蘭微微一笑，道：「天涯遼闊，哪裏都可使姊姊安身立命，我已經決定了自己要走的路，你們不用管我了。」

說完了幾句話，神色突然間轉變得十分嚴肅，緩緩站起了身子，接道：「小蝶告訴玉簫仙子，要她帶著人手回天機石府去，半年之內，我如不回天機石府，天機石府就由她主理，不用

再等我了。」

這幾句話，說得十分明顯，楊夢寰、趙小蝶同時聽得心神震動，齊齊失聲而叫，道：「姊姊，你……你……」

朱若蘭冷漠的說道：「你們當真不肯聽我的話麼？」

趙小蝶道：「姊姊之言：我等豈敢不聽，但姊姊言中之意，似乎這一別即成永訣，小妹……」

朱若蘭道：「難道我要照顧你們一輩子麼？你們都很大了，應該知道如何珍惜自己……」目光轉注楊夢寰的臉上，接道：「楊兄弟，善待琳妹妹、李姑娘，她們對你情深如海，你不能負了她們，記住姊姊的話，我要去了。」

轉過身子，緩步向前行去。

趙小蝶站起身子，欲待攔住，卻爲楊夢寰示意攔住。朱若蘭行出兩丈左右時，突然加快了腳步，眨眼間走得蹤影不見。

趙小蝶突然把目光投注到楊夢寰臉上，怒聲喝道：「你安的什麼心，爲什麼要放走蘭姊姊，難道你聽不出她的話麼？」

楊夢寰道：「正因爲我聽明白了，才要攔住你。」

趙小蝶冷笑一聲，道；「那你的用心何在？」

楊夢寰道：「蘭姊姊語氣神情，堅決無比，咱們很難勸得住她……」

趙小蝶道：「所以，咱們不用管了，死活由她去了？」

楊夢寰道：「咱們如是強行勸阻，必會惹她發怒，那時，除了以武功阻勸於她之外，還有什麼辦法呢？」

趙小蝶道：「那也比不管好啊……」

楊夢寰道：「咱們要根本勸阻蘭姊姊，必得先行知曉她為了什麼才這般決心的棄我們不顧而去。」

趙小蝶點點頭，道；「有道理。」

楊夢寰道；「所以，我要和姑娘平心靜氣的談談這件事。」

趙小蝶緩緩坐了下去，道：「楊兄，可曾想到為什麼？」

楊夢寰神情嚴肅的說道：「只有一個原因，才會使蘭姊姊性情大變……」

趙小蝶道：「什麼原因呢？你想到沒有？」

楊夢寰道：「這個，這個……」

趙小蝶一皺眉頭，道：「怎麼不說呢，事已至此，還有什麼不能說的呢？」

楊夢寰輕輕咳了一聲，道：「趙姑娘，這數日來，朱姑娘一直在暈迷中，是麼？」

趙小蝶道：「不錯啊！」

楊夢寰道：「她神智不清，武功全失，毫無反抗之能，如是有人要強暴於她，她亦是無能力反抗的了。」

趙小蝶道：「怎麼？蘭姊姊受了……」

楊夢寰道；「我不是說一定，而是說有此可能。」

趙小蝶沉吟了一陣，道：「咱們快去追她回來。」

楊夢寰搖搖頭道：「不行。」

趙小蝶道：「爲什麼？」

楊夢寰道：「別說此刻咱們已追她不上，就算是追上了她，也無法勸她回心轉意。」

趙小蝶道：「照你說來，咱們只有放手不管了。」

楊夢寰道：「那倒不是……」

仰起臉來，長長吁了一口氣，接道：「咱們必得先找出蘭姊姊內心創傷的原因，然後再對症下藥。」

趙小蝶道：「如何對症下藥呢？」

夢寰道：「咱們先要設法查出蘭姊姊這幾天中有些什麼際遇。」

趙小蝶道：「如何一個查法？」

楊夢寰道：「自然要從那些天竺僧侶身上著手。」

趙小蝶道：「那智光來此不久，而且一直在咱們困擾之下……」

楊夢寰道：「也許是蘭姊姊心有所疑，咱們只要設法證明她並未受過強暴，那就成了。」

趙小蝶道：「如何證明呢？」

楊夢寰道：「這要動用心機安排了……」

語聲微微一頓，低聲說道：「不論事情經過如何，咱們都可以使它未曾發生過。」

趙小蝶道：「我明白了，咱們設法去騙蘭姊姊？」

楊夢寰道：「不是騙，而是真正的使此事未發生過，使她心理上，不存一點陰影。」

趙小蝶道：「楊兄說得是，不但咱們要使蘭姊姊相信，而且咱們亦要相信才行。」

楊夢寰道：「不錯，見過諸位老前輩時，也不要提起此事。」

趙小蝶道：「那要如何說呢？」

楊夢寰道：「說她有事準備先走，安排三月後和陶玉決戰的事。」

趙小蝶道：「這說法很好，別人不會再動疑心了。」

楊夢寰道：「好，咱們去吧！」

兩人繞過山彎回來，李滄瀾、崑崙三子，果然都在焦急的等待著。

慧真子最是關心，先行迎了上來，道：「朱姑娘無恙麼？」

趙小蝶道：「蘭姊姊很好，她有事要先行一步，要我向諸位致歉一聲。」

楊夢寰道：「看情形，朱姑娘此去，可能準備三月後和陶玉決鬥的事……」

李滄瀾道：「她年紀輕輕，但事事都能夠未雨綢繆，實是常人難及。」

楊夢寰道：「岳父說得是。」

語聲微微一頓，又道：「目下那朱姑娘既然去了，咱們也不用在此多等了。」

李滄瀾道：「嗯！有一件事，咱們也得早些處理了。」

楊夢寰道：「什麼事？」

李滄瀾道：「天宏大師和靜玄道長，還在守著那一批天竺僧侶，咱們也該回去處理一下了。」

這時，追隨智光大師而來的天竺僧侶，都已被崑崙三子和玉簫仙子等合力圍攻，死傷大半，餘下之人，也被點了穴道。

玉簫仙子選了一處青草地，挖了一個土坑，埋了那百毒翁的屍體，黯然說道：「大亂未定，只有暫時屈你在此，以後再爲你重建墓園。」轉頭向楊夢寰道：「我要他施毒廢去枯佛靈空的武功，他也做到了。所以，前日枯佛靈空出手搗亂，企圖放火燒了鄧家堡，六寶小和尚情急阻擋，竟一掌將他擊斃了。」

那百毒翁一生桀傲不馴，唯獨對玉簫仙子不肯拂逆，爲她效命，死而後已。

葬罷了百毒翁，玉簫仙子緩步走回到楊夢寰的身側，低聲問道：「楊相公，告訴我朱姑娘去了何處了？」

楊夢寰道：「她去時未曾交代。」

玉簫仙子道：「她走的哪個方向？」

楊夢寰道：「目下局勢未定，咱們先一起回到山莊中去，安排了天竺餘孽，再去找朱姑娘如何？」

玉簫仙子沉吟了一陣，道：「賤妾先走，相公隨後再來吧……」

目光一掠帶來的花娥、女婢，接道：「這些花娥女婢，由彭姑娘率領，相公有事，對彭姑娘說也是一樣。」

楊夢寰看她神情堅決，低聲說道：「似是向西南而去，姑娘不論是否追上朱姑娘，都望天黑之前，返回山莊。」

玉簫仙子淡淡一笑，道：「不用等我了，我如追上朱姑娘，未必能勸得她回去，如是追不上她，賤妾也無顏回來了。」

楊夢寰心中暗道：「這玉簫仙子果然聰明，似是已經瞧出情形不對，但內情未明之前，不便洩露。」

當下低聲說道：「玉簫姑娘，在下有一事相求，還望姑娘答允。」

玉簫仙子道：「什麼事？」

楊夢寰道：「姑娘追尋朱姑娘，還望能在沿途留下暗記，在下辦完善後之事，立刻趕往追尋。」

玉簫仙子道：「好，我答應你。」

轉身大步而去。

楊夢寰望著玉簫仙子的背影，消失不見，才和群豪一齊回到山莊之中。

這時，少林、武當兩個隨護掌門人的弟子，都已趕到，攻入大廳，一番激戰之後，天竺僧侶又有了甚多傷亡，大部被天宏和靜玄點了穴道。

少林僧侶，一死二傷，武當門下弟子，亦傷了三人。

天竺群僧中，只有智心大師一人破圍逃走。

楊夢寰等回到山莊之後，激戰已過，少林僧侶與武當弟子，都在整理善後，浩浩蕩蕩進入中原的天竺群僧，在百毒翁施用奇毒，破去驚魂大陣，和智光同歸於盡之後，不過幾個時辰，已然瓦解冰消。

計點生擒者，共有天竺僧侶九人，那身著青衫的大漢六個，除逃了一個智心之外，全數被殲。

天宏大師下令，把未死的天竺來人，全都點了穴道，關於一室之中，派了四個少林僧侶看守。

屍體橫陣，血污狼籍的山莊，經過少林僧侶和武當弟子的合力打掃、沖洗，很快的恢復了舊觀。

楊夢寰和群豪進入廳中落座，抱拳一禮，說道：「爲了楊某，勞動天下英雄，楊某在這裏拜謝了。」

天宏大師、靜玄道長齊齊起身，還了一禮，道：「楊大俠已是天下武林的正義之徵，那陶玉志在所有武林同道，楊大俠不過是首當其衝而已，楊大俠如若身遭暗算，必將是禍延武林，我等趕來相助，那也不過是力謀自保而已。」

楊夢寰道：「在下已和陶玉訂下了三月後南嶽衡山相會之約，屆時，陶玉必將全力以赴，諸位也該準備一下了，這大約應該是最後的一戰了，如若這一戰能夠剪除陶玉，三十年內，武林當可保平靜之局了。」

靜玄道長道：「事關重大，咱們必得有所準備才行，但蛇無頭不行，鳥無翅不飛，貧道之意，咱們之中，亦該推舉一人，主持大局，也好統一事權，遣兵調將，對付強敵。」

天宏大師道：「據老衲所知，目前天下英雄，正自四面八方，趕來此地，主持之人，必得眾望所歸的人物才是，因此，此人自是楊大俠了。」

楊夢寰道：「區區本該應命，但在下卻有一點苦衷，不得不先行說明。」

崑崙三子一直是靜坐無言，李滄瀾也不便多口，仍由天宏大師問道：「楊大俠有何苦衷，」

楊夢寰道：「爲了應付三月之後的會期，在下必須和朱姑娘等盡三月之力，研究幾種武功須知當今武林中，有此德望者，除了你楊大俠外，只有一位朱姑娘了。」

出來，以便三月之後對付陶玉，因此，諸位必須另外推舉一位主事之人出來。」

李滄瀾道：「朱姑娘到哪裏去了？」

楊夢寰道：「朱姑娘在另外一處地方，等候我和趙姑娘。」

李滄瀾點點頭，道：「這倒是一件很重要的事了。」

楊夢寰道：「因此，諸位之中，必須要再行推舉一人，主持其事。」

一陽子道：「李老英雄，望重江湖，貧道之意，由李老英雄主持大局如何？」

李滄瀾道：「這個，老朽如何敢當。」

天宏大師接道：「老衲贊成由李老英雄主持大局。」

李滄瀾道：「老朽如何有此德望，還是由大師主持的好。」

天宏大師道：「陶玉屬下，大都爲李老英雄舊部，如有李老英雄出面領導，最爲適宜，調

遣人手方面，亦可量敵而爲了。」

李滄瀾還待推辭，靜玄道長卻搶先接道：「貧道亦有同感，還望李老英雄能夠勉爲其難，答允此事了。」

楊夢寰起身說道：「各位大師、道長盛情，岳父就請偏勞了吧！」

李滄瀾沉吟了一陣，道：「老朽如再推辭，那是不識抬舉了。」

楊夢寰起身說道：「琳妹、紅妹那裏，還望岳父代我說明一聲，小婿這就動身了。」

李滄瀾道：「多多小心保重。」

楊夢寰欠身應道：「小婿知道。」

望了趙小蝶一眼，道：「趙姑娘，咱們走吧。」

趙小蝶回顧了李滄瀾一眼，緊隨在楊夢寰身後向前行去。

天宏大師、靜玄道長，齊齊起身相送。

楊夢寰出了山莊，立時加快腳步，片刻間，已走出五六里路。

回首不再見群豪蹤影，才又放下腳步，長長歎息一聲，道：「趙姑娘，有一事，必得和姑娘早作計議。」

趙小蝶眨動了一下圓圓的大眼睛道：「什麼事，快說吧，只要我力能所及，無不全力以赴。」

楊夢寰道：「是關於蘭姊姊的事。」

趙小蝶道：「那是更不能推辭了，要我做什麼？」

楊夢寰輕輕咳了一聲，道：「如若蘭姊姊受了屈辱，趙姑娘準備用什麼辦法勸她？」

趙小蝶道：「我求她留下性命，如是她要死，我就跟她一起死。」

楊夢寰道：「這法子不行。」

趙小蝶道：「那要如何？」

楊夢寰道：「我如是早已想出辦法，那也不用和你商量了。」

趙小蝶凝目思索了一陣，道：「我實是再想不出別的辦法了，楊兄多想想吧！」

楊夢寰道：「最好是咱們能想個法子，證明蘭姊姊沒有受到屈辱。」

趙小蝶道：「就算是咱們異口同聲，但蘭姊姊爲人主見甚深，她心中之疑不去，如何能夠說得服她？」

楊夢寰道：「所以，第二個辦法，咱們要使她忘去那些事。」

趙小蝶道：「她如自己要想，咱們有什麼法子呢？」

楊夢寰道：「前面兩個方法，如是不能辦到，那只有施用最後一個辦法了。」

趙小蝶道；「最後是什麼辦法？」

楊夢寰道：「咱們要她不忍死，也不能死。」

趙小蝶道：「說來容易，但如何才能作到呢？」

楊夢寰道：「這就是我要和你商量的了，你要想盡辦法，勸阻她勿生此心，動之以情，使她不忍死才行。」

趙小蝶道：「只能如此了，你呢？」

楊夢寰道：「我自有我的辦法，只要能夠使蘭姊姊打消求死之念，不論付出何等代價，我楊夢寰亦是在所不借。」

趙小蝶道：「我想起一件事了，趕快去接琳姊姊，蘭姊姊最喜愛她，也最憐惜她，她和我兩個人合作，當可增進了很多效率。」

楊夢寰道：「不錯，我去水月山莊接她。」

趙小蝶道：「我去吧！你先去追蘭姊姊，守著她，別讓她出意外，我去接琳姊姊來。」

楊夢寰道：「事不宜遲，咱們這就立刻動身。」

趙小蝶應道：「好。」

當即轉身，兩個飛躍，行蹤頓杳。

楊夢寰望著趙小蝶背影消失之後，也隨著縱身而起，追向西南。

行約十餘里，果然找到了玉簫仙子留下的暗記。

玉簫仙子留下的暗記十分清晰，楊夢寰接圖追索，毫不費力，又追了十餘里，到了一座荒涼的山谷口處。

抬頭看去，只見玉簫仙子坐在谷口處，一叢青草之後，雙目卻凝注深谷中，似是在監視什麼一般。

楊夢寰緩步行到玉簫仙子的身前，低聲說道：「玉簫姑娘。」

玉簫仙子回顧了楊夢寰一眼，低聲說道：「朱姑娘在谷中小廟之內。」

楊夢寰凝目望去，果見一個小廟，突立在深谷懸崖之下。那是深山常見的土地廟，不過一間房子大小，廟中的設施簡陋，樵夫、獵戶們入山大都到此晉香祈福，這座小廟，既無定期的廟會，也無什麼香客。

楊夢寰望了那小廟一陣，輕輕歎息一聲，道：「她一人跑入那荒涼的小廟之中做什麼？」

玉簫仙子道：「我從未見過朱姑娘有過今日這般的憂鬱，她智慧過人，浩瀚如海，心胸闊達，常人難及，什麼事，都不會難得住她，但今日，她的神情，卻是不同往常……」

楊夢寰道：「姊姊久年追隨朱姑娘，定然可以想到發生了什麼事？」

玉簫仙子道：「那該是心靈上的創傷，永遠無法彌補的痛苦……」目光凝注到楊夢寰的臉上，接道：「楊相公，你明白我的話麼？」

楊夢寰輕輕歎息一聲，道：「我不忍想……」

玉簫仙子道：「不忍想，也得想下去，你必須面對著這個事實。」

楊夢寰道：「小弟真不知如何才能勸得蘭姊姊回心轉意，拋去愁苦。」

玉簫仙子道：「也許那只是她心理的一種錯覺，其實像她那天神般的尊貴，又有誰真敢輕易的冒瀆她呢？」

楊夢寰眼睛一亮，道：「玉簫姊姊說得是。」

玉簫仙子道：「兄弟，恕我放肆的再這般叫你一句了。」

楊夢寰道：「咱們過去一直是姊弟相稱，叫的自是應該。」

玉簫仙子道：「你覺著朱姑娘平日對你如何？」

楊夢寰道：「情摯意真，視我如同手足一般。」

玉簫仙子道：「你別忘了一件事啊。」

楊夢寰道：「什麼事？」

玉簫仙子道：「那朱若蘭強煞了也是個女人啊……」

語聲微微一頓，接道：「去吧！到那小廟中去，仔細的問問她，也許她會講出心中的憂苦出來。」

楊夢寰緩緩站起身子，道：「姑娘呢？你不去麼？」

玉簫仙子道：「我不去，人多了反有不便。」

楊夢寰道：「爲蘭姊姊，楊夢寰粉身碎骨，亦是在所不惜。」

玉簫仙子微微一笑、道：「但願你此行得償心願，勸得她意回心轉。」

楊夢寰一提真氣，舉步直向那小廟奔了過去。

走到小廟口處，探頭向裏望去，只見那朱若蘭依壁而坐，微閉雙目，兩行淚珠兒，正自腮間滾下，落在胸前。

她胸前衣服，早已濕了一片，顯是已經哭了很久時光。

楊夢寰輕輕咳了一聲，緩步行入廟中。

朱若蘭霍然而起，拭去臉上淚痕，冷冷說道：「你來幹什麼？」

她內功精湛，耳目靈敏，數丈可辨落葉，但此刻卻是大失常態，直聽得楊夢寰那輕咳之聲，才驚覺到有人行來。

楊夢寰抱拳一揖，道：「小弟來得魯莽，還望姊姊恕罪。」

朱若蘭冷哼一聲，道：「好多大事，你都丟下不辦，來此作甚？」

楊夢寰道：「小弟心中，再沒有比蘭姊姊生死更大的事了。」

朱若蘭眉宇間掠過一抹悲傷神色，但不過一瞬間重又恢復了平靜，緩緩說道：「你在發的什麼瘋，哪一個要死要活了？」

楊夢寰道：「唉！蘭姊姊，事到如今，難道你還騙我麼？」

朱若蘭道：「你在胡說些什麼？」

楊夢寰道：「姊姊的失常神情，不但小弟我瞧得出來，在場中人，又有誰瞧不出呢？姊姊一向是教訓我們，今日小弟斗膽，想奉勸姊姊幾句話了。」

朱若蘭道：「你說吧。」

楊夢寰道：「姊姊分明有著很沉重的心事，但卻不肯宣之於口，這一點，趙姑娘和小弟都早已看出來。」

朱若蘭淒涼一笑，道：「告訴你們，又有什麼用呢？失去的，有如流水落花，誰能使時光倒流，落花重開。」

楊夢寰道：「姊姊不肯告訴小弟內情，卻要忍心棄我們而去……」

朱若蘭黯然說道：「我不會就這樣白白死去，我要利用殘餘的生命，助你們一臂之力。」

楊夢寰道：「姊姊可是要搏殺陶玉？」

朱若蘭點點頭，道：「不錯，不過，不是現在，我要休息一個月，一月之後，我再追蹤尋他，希望能在你們相約之期未滿之前，和他決一死戰，但我不一定能夠勝他，因此，你們還要準備，不論這二戰勝負如何，陶玉至少會受些內傷，三月期滿之約，你們可以多幾分殺他的機會。」

楊夢寰靜靜的聽完之後，突然微微一笑，道：「陶玉勝了姊姊，他不會放過姊姊……」

朱若蘭道：「我會早作準備，如果落敗，我就會自行死去，不會活著受辱。」

楊夢寰道：「姊姊敗了那是求仁得仁，如是萬幸姊姊勝了呢？」

朱若蘭道：「我如能殺了陶玉，也可以使你們省卻一番氣力。」

楊夢寰道：「那姊姊不是不能死了麼？」

朱若蘭道：「埋骨青山何處無，不死在陶玉手中，難道我就不能自尋了斷麼？」

楊夢寰臉色一整，道：「現在，咱們談到正題了，小弟斗膽相問，姊姊爲何要死？」

朱若蘭兩道清澈的雙目，投注在楊夢寰臉上，道：「你一定要知道麼？」

楊夢寰道：「姊姊不把小弟當作外人，說說自是無妨。」

朱若蘭道：「好！我告訴你，姊姊的清白受到了沾污……」

楊夢寰突然仰天大笑，歷久不絕。

朱若蘭一皺眉頭，道：「你笑什麼？」

楊夢寰道：「我笑姊姊才慧過人，怎會如此多慮！」

朱若蘭緩緩說道：「你在說什麼？」

楊夢寰道：「武林中人，處境複雜，豈能和世俗中人一般，姊姊受傷暈迷，被那和尙劫持，實非得已，古往今來，似此等事普通得很，姊姊又何必放在心上呢？遠的不去說它，琳妹妹、趙姑娘，都曾有過這等遭遇。」

朱若蘭輕輕歎息一聲，道：「糊塗的兄弟，我的遭遇，和她們大不相同了……」

一整臉色，緩緩接道：「當今之世，你該是我最爲親近的一位男人，說我們之情如姊弟也好，說我們是一對情侶也好，那都不能算錯，但我們幾年的交往中，一直清清白白……」

楊夢寰接道：「姊姊說得不錯，小弟心中一直藏有幾句肺腑之言，不敢輕易出口，生恐冒瀆了姊姊。」

朱若蘭聳了聳柳眉兒，道：「什麼事？」

楊夢寰道：「我不知琳妹妹是否對姊姊講過，她們許下的心願，也是我藏在心中的隱秘。」

朱若蘭道：「什麼事，你說吧！」

楊夢寰道：「這些年來，不但小弟處處得姊姊的呵護照顧，琳妹妹和瑤紅，都得了姊姊很大的幫助，如不是姊姊多方相扶，我們三個，哪裏會有今日，因此，不但小弟心中感激不盡，就是她們兩位亦是念念難忘，而且是出自衷誠，因此，小弟和他們成婚之日，她們都不肯身居正位，而以偏房自居，姊姊見過她們替你佈置的閨房，當可知小弟之言非虛了。」

朱若蘭道：「荒天下大唐的事……」

楊夢寰微微一笑，接道：「不管如何，她們的用心，都是出自一片至誠，而小弟心中也有著一個想法。」

朱若蘭道：「什麼想法？哼！你也和她們一般荒唐。」

楊夢寰心中暗暗忖道：不論她清白是否真的受了沾污，但她心理上這份打擊太大了，此時此刻，我如不挺身而出，動之以情，只怕她決難再活下去……

心中念轉，口中卻接道：「姊姊可知，我們婚後數年，一直未有過夫婦生活麼？這都是爲了姊姊之故……」

偷眼望去，朱若蘭臉上不見怒意，才接口說道：「她們說直等姊姊回心轉意，肯和我們生活在一起時，她們才有快樂。」

朱若蘭道：「嗯！你也這樣想，是麼？」

楊夢寰道：「小弟雖不敢形諸口舌，但內心的渴望之情，決不在她們之下。」

朱若蘭道：「楊夢寰，你想娶好多妻子啊！看來是多多益善了。」

楊夢寰道：「這些年來，姊姊對我知之甚深，小弟是否好色之人呢？」

朱若蘭道：「你雖不好色，但卻貪得無厭。」

楊夢寰道：「對霞琳和瑤紅，小弟是責無旁貸，對姊姊，小弟是敬愛有加。」

朱若蘭道：「你現在也學得會講話了。」

楊夢寰正色道：「小弟是情出至誠，言由衷發。」

朱若蘭道：「你現在說不覺著太晚一些了麼？」

楊夢寰道：「小弟對姊姊敬愛並重，地老天荒，此情不變，再晚二十年，也是一樣。」
朱若蘭仰起臉來，長長歎息一聲，道：「你的一番盛情，姊姊心領了，不過，這是不可能的事。」
楊夢寰心中暗道：無論如何，也要把她說動才成。
黯然歎息一聲，接道：「姊姊難道對小弟，毫無一點情意麼？」
朱若蘭搖搖頭，道：「不要誤會……」
楊夢寰接道：「不是誤會，數年來，小弟一直把刻骨銘心的思慕之情，壓在心底，不敢稍有冒瀆姊姊之言，今日出之於口，實是……」
朱若蘭緩緩站起身子，接道：「不要說了，我知道你的用心。」
楊夢寰道：「小弟言發乎情。」
朱若蘭道：「你只是想解除我心中的負擔，用心雖然是非常的可貴，但可惜姊姊不是那等人……」
凝目望著廟外遠天處一片白雲，接道：「如若姊姊我還是清白之身，我也許會答應你，但如今姊姊已經是白璧沾污。」
楊夢寰道：「小弟並未存過份妄想，只望姊姊答應我們，能讓小弟常留在天機石府之中，朝夕能見到姊姊。」
朱若蘭苦笑一下，道：「這些事以後再說吧，我要去了。」
舉步向廟外行去。

楊夢寰道：「姊姊要到哪裏去？」

朱若蘭道：「你要說的話，大概已經說完了，我已經記在心中，我會好好的想想這件事，不用再追蹤我了。」

楊夢寰站起身子，本想要追隨那朱若蘭身後而去，但被朱若蘭當面揭穿，自是不便再硬追下去，一時間，進退失據，呆呆的站在廟門口處出神。

朱若蘭舉動迅快，片刻間走得蹤影不見。

楊夢寰心中暗道：「我此刻如若追她而去，定將引起她的不快。」

正在爲難之間，瞥見玉簫仙子急急奔來，閃入廟中，道：「楊相公，你和朱姑娘談些什麼？」

楊夢寰略一沉吟，道：「事已至此，在下也不用避諱什麼了，小弟要據實而言。」

玉簫仙子道：「最好是一字一句，都不要改，完全照你們談話的經過說出來。」

楊夢寰遂把會談經過之情，一字一句的說了出來。

玉簫仙子聽得很用心，楊夢寰說完，良久之後，玉簫仙子才緩緩說道：「楊相公，你對姑娘的生死看法如何？」

楊夢寰道；「恨不能替她死去。」

玉簫仙子黯然一笑，道：「那是說，你有決心救她了。」

楊夢寰道：「只要能使她打消死念，不論任何重大犧牲，均所不惜。」

玉簫仙子道：「楊相公有此用心，事情還有可爲了……」

語聲微頓道：「她憂慮的是自己的清白受污，才不願偷生人世，只有對症下藥，想法子證明她還是清白之身才行。」

楊夢寰道：「在下實是想不出有何辦法，還望姑娘指教。」

玉簫仙子長長吁了一口氣，道：「證明的辦法雖有，只怕有所不妥。」

楊夢寰道：「有何不妥之處？」

玉簫仙子道：「萬一不幸被她料中，求得證實之後，豈不是更加深她死亡的決心。」

楊夢寰呆了一呆，道：「姑娘說得是。」

玉簫仙子臉上泛起了兩朵紅暈，垂首說道：「楊相公，爲了朱姑娘，賤妾有甚多不當之言，說出口來，還望楊相公不要見笑才好。」

楊夢寰道：「姑娘請說吧。」

玉簫仙子道：「要知那朱姑娘的料斷，並非無因，她這些日中，一直在迷糊之中，隨時可能遭遇到不幸的事。」

楊夢寰道：「朱姑娘有若天人，諒那智光大師也不敢侵犯於她。」

玉簫仙子道：「咱們把她看作天人，但她在智光和陶玉的眼中，卻是一位人間少見的絕色美人，這是因感受不同，看法也就各異了。」

楊夢寰沉吟了一陣，道：「不錯，不論她是否清白沾污，咱們也不能讓她死去。」

玉簫仙子道：「因此，咱們不能冒險。」

楊夢寰道：「在下和她懇談甚久，看她神態十分堅決，眼下，她只有一個心願，殺死陶

玉，然後自絕而死。」

玉簫仙子雙目凝注楊夢寰臉上，緩緩說道：「我先要問你一句話。」

楊夢寰看她神色凝重，心中有些忐忑不安，緩緩說道：「什麼話？」

玉簫仙子道：「你口口聲聲要救朱姑娘，自然是全心全意了，但如她真的清白受了沾污，你是否願娶她為妻？」

楊夢寰呆了一呆，道：「這個，這個……」

玉簫仙子道：「不用這個那個了，這才是救她的關鍵，你如沒有娶她為妻的決心，那也不用談救她了，讓她去死就是。」

楊夢寰神情激動，臉上是一片極為複雜的神色，沉吟了良久，道：「如若真能救她，區區是在所不惜。」

玉簫仙子神色凝重的道：「你要仔細想想，此事勉強不得，如是被她瞧出不對，那就前功盡棄了。」

楊夢寰道：「我如答應了，那就全心全意，姑娘但請放心。」

玉簫仙子道：「那很好，咱們此刻就設法佈置一個讓她無法尋死的局面。」

楊夢寰道：「請教高見。」

玉簫仙子道：「高明之策，全仗隨機應變，到時間，你聽我的就是。」

楊夢寰道：「此刻呢？咱們何去何從？」

玉簫仙子道：「追蹤朱姑娘。」

站起身子，向外行去。

兩人出得小廟，直向正西奔去。

那朱若蘭似是早已有備，竟然是不留痕跡，兩人直追出數十里之遠，仍是不見朱若蘭的蹤跡。

玉簫仙子停身在一處高峰之上，流目四顧了一陣，搖搖頭，道：「只怕咱們追錯了方向。」

楊夢寰道：「她如誠心逃避咱們追蹤，那就是不易追上她了。」

這時，已是太陽偏西的時分，玉簫仙子伸手指著山下一座谷口道：「楊兄弟，你瞧可是一處賣酒的簾兒麼？」

楊夢寰凝神望去，果見遙遠處有一個酒簾兒隨風招展。

當下點頭說道：「不錯。」

玉簫仙子道：「這等深山之中，既有賣酒所在，定然是一處交通要隘了，咱們過去瞧瞧，也許能打聽出朱姑娘的行蹤。」

兩人下了山峰，提氣疾奔，不大一會工夫，已到那酒店前面。

說它是一家酒店，事實上，只是兩間簡單的茅舍，一個當爐的伙計，賣幾樣小菜，燒酒。

玉簫仙子打量了一下四周形勢，只見這座酒店，乃是一處十字路口，除非朱若蘭越山而渡，非要經過此地不可。

這時，酒店中正坐著一個黑衣老者，在食用酒飯。

玉簫仙子低聲說道：「楊兄弟，你去問問那當爐伙計，是否看到了朱姑娘。」

楊夢寰依言行了過去，抱拳一禮，道：「借問一聲，可曾見過一位姑娘，行經此地麼？」

那當爐伙計正在忙著，聽得楊夢寰的問話，竟是連頭也未抬的應道：「一位姑娘麼？剛剛過去了不久。」

楊夢寰喜道：「走的哪個方向？」

那伙計應道：「向正西而去。」

兩人腹中本感饑餓，想吃點東西，但獲得朱若蘭行蹤，心中大喜，想不到這麼輕易的就打聽了出來，遂忘記了吃飯的事，而聯袂向正西行去。

提氣疾奔，一口氣跑出了十餘里路。

玉簫仙子突然停下腳步，道：「姑娘的輕功絕倫，如是她施展輕功，咱們追她不上，如是緩緩趕路，這一陣，咱們也許趕上了。」

楊夢寰想了一想，道：「不錯，玉簫姊姊似是心有所疑？」

玉簫仙子道：「那店中坐的一個黑衣人，你可曾當心瞧過麼？」

楊夢寰道：「匆匆一瞥，好像在哪裏見過。」

玉簫仙子道：「不錯，我也有此感，剛才，我才想起，他很像一個人。」

楊夢寰道：「什麼人？」

玉簫仙子道：「蛇叟邱元……」

楊夢寰接道：「不錯，正是那蛇叟邱元，我瞧的是他的衣服。」

玉簫仙子道：「他一個人坐那裏決非爲了吃飯，只怕是別有用心了。」

楊夢寰道：「此人已經很久未在江湖之上出現，難道也爲陶玉收羅了不成？」

玉簫仙子道：「很難說，我們未留心他，他該已留心到我們，如是那朱姑娘從此走過，他定會打上一個招呼。」

楊夢寰道：「姑娘說得不錯，咱們該當如何？」

玉簫仙子道：「咱們追出十餘里，仍未見姑娘行蹤，八成是岔了路，也許那伙計在騙咱們，咱們回去瞧瞧，那人如是邱元，事情只怕就有些複雜了。」

兩人仍從原路折返，直奔那小店前面。

只見那全身黑衣人，仍然坐在原位，卻似力不勝酒，伏案睡了過去。

那當爐伙計，此刻已然離去，一眼望去，簡陋的茅舍中，只有那全身黑衣的酒客一人。

楊夢寰行入店中，伸出右手，正想推那邱元一下，突聞玉簫仙子道：「不可造次。」

一躍而入，拔出玉簫，疾向那黑衣人肩後點去。

只聽那黑衣人哈哈一笑，挺身而起，道：「區區今日已然兩度經歷生死大劫了！」

楊夢寰凝目望去，其人果然是蛇叟邱元。

玉簫仙子道：「此話怎麼說？」

邱元道：「陶玉錯開我四肢關節，把我放在路旁，他說我一生玩蛇，等一條毒蛇來咬傷我。」

玉簫仙子道：「誰救了你？」

邱元道：「朱若蘭朱姑娘，接上我四肢關節，囑咐在下坐等兩位，告訴你們幾句話。」

楊夢寰道：「什麼話？快快請說。」

邱元道：「她要兩位不用追她了……」

玉簫仙子接道：「怎麼？朱姑娘已經知曉是我們兩個人麼？」

邱元道：「一個楊夢寰，一個玉簫仙子，說得清清楚楚，難道還會錯麼？」

玉簫仙子點點頭，道：「你說下去吧。」

邱元道：「朱姑娘要兩位會合趙小蝶，找一個幽靜之地，好好的研練武功，以備對付南嶽之約。」

說罷，霍然站起身子。

楊夢寰道：「邱兄意欲何往？」

邱元道：「那朱姑娘要在下轉告之言，我已句句轉告，此地無事，還留在此作甚？」

玉簫仙子道：「適才我等經過此地，邱兄是否看到了呢？」

邱元道：「看到了。」

玉簫仙子道：「看到了，爲什麼不招呼我們一聲？」

邱元道：「那時，朱姑娘尚在附近，在下不便開口。」

楊夢寰想到那個當爐伙計，不禁冷笑一聲，道：「那當爐伙計何在？」

邱元搖搖頭，道：「不要錯怪了他，這都是那朱姑娘的安排，她心中明白，如不給你們一個顯明的勸告，只怕不肯甘心，你追她逃，大家都無法安下心來學習武功。」

楊夢寰心中暗道：這話倒是不錯，目下第一件重要的事，是對付那陶玉的約會，陶玉未死之前，朱若蘭只怕也無法安心去死……

只聽玉簫仙子問道：「那朱姑娘還說些什麼？」

邱元道：「沒有，那朱姑娘只交代這幾句話。」

大步出店而去。

兩人望著邱元的背影，片刻間繞過一個山角不見。

玉簫仙子道：「楊兄弟，此刻咱們該當如何？我也被鬧得沒有主意了。」

楊夢寰道：「那蘭姊姊說得也是，此刻，咱們第一件大事，應該設法對付陶玉，如若咱們把這寶貴的三個月虛耗而過，那未免太可惜了。」

玉簫仙子沉吟了一陣，道：「這麼辦吧，你去會合那趙小蝶，我去找尋姑娘，尋得姑娘下落，我再去通知你們一聲。」

楊夢寰沉吟一陣，道：「最重要的是，咱們應該監視著陶玉……」

玉簫仙子點點頭，道：「不錯，朱姑娘就算決心一死，也必會先找陶玉一拚，找到陶玉存身之地，也許比找朱姑娘的行蹤容易一些，事不宜遲，咱們就此分手吧！」

楊夢寰道：「我會合了趙小蝶之後，也無法安心去練武功，勢必仍要追尋那蘭姊姊的下落，姑娘不要忘了行經之地，留下標記。」

玉簫仙子道：「好！不論是否見到朱姑娘，咱們十日內再見一面。」

言罷，轉身而去。

四一　天地茫茫

楊夢寰望著玉簫仙子背影消失不見，才輕輕歎息一聲，回頭而行。

他曾經和那趙小蝶約好了相會之處，趕到之後，趙小蝶和沈霞琳尚未來到。

楊夢寰選擇了一處幽靜之地，坐了下來，想到朱若蘭此刻的際遇，心中難過至極。他自出道江湖以來，處處都得那朱若蘭扶助，自己能有今日聲望地位，可算是那朱若蘭一手培植而成，沈霞琳、李瑤紅又何嘗不是承受了朱若蘭的大恩大惠，此刻，朱若蘭遭遇了生平未有的大挫，自己不管要付出多大代價，也要拯救於她。

他心中思潮起伏，想來想去，就是這一件事，他設想了數十種拯救朱若蘭的辦法，但又都覺得不妥，竟然是難取一個決定之策。

不知過去了多少時間，趙小蝶帶著沈霞琳如約而至。

這時，已是日落西山時分，兩人匆匆而來，沈霞琳直跑得香汗透衣。

楊夢寰起身相迎，還未來得及開口，沈霞琳已經搶先說道：「你追到了蘭姊姊？」

楊夢寰點點頭，道：「追到了。」

沈霞琳道：「現在何處，快帶我去見她。」

楊夢寰道：「不要慌，咱們先商量個辦法出來。」

沈霞琳道：「不行，我獲得消息，說陶玉已應蘭姊姊之約，今夜在谷中一座森林中決戰，咱們……」

趙小蝶道：「楊兄說得不錯，如若咱們想不出辦法，見了她也是無用。」

沈霞琳用衣袖拭一下頭上汗水，緩緩坐了下來，道：「我們不用商量辦法了，只要找出如何能夠攔阻她尋死方法就行。」

楊夢寰道：「你知道蘭姊姊為何要尋死麼？」

沈霞琳道：「小蝶妹妹已經告訴我了。」

楊夢寰道：「你是否已想出了救助她辦法？」

沈霞琳道：「我不信蘭姊姊那等人，會受到強暴……」

楊夢寰道：「她自己深信不疑，別人也無法勸得醒她。」

沈霞琳道：「那就沒法說服她？」

楊夢寰道：「如若能說服她，那也不用等到你們來了。」

沈霞琳凝目思索了一陣，道：「寰哥哥，你心中很感激蘭姊姊，是麼？」

楊夢寰道：「不錯。」

沈霞琳道：「好！那就娶了她吧！」

楊夢寰道：「我縱然有此用心，但也要她答應才成。」

才行。」

沈霞琳道：「我去求她。」

趙小蝶道：「蘭姊姊懷疑她白璧沾污，求她，她也不會答應，必得想個辦法使她無法推辭

沈霞琳抬起頭來，兩眼望天，思索了一陣，道：「寰哥哥、小蝶妹妹……」

兩人齊聲應道：「什麼事？」

沈霞琳道：「那醫病的大夫，說過兩句話，菩薩心腸，霹靂手段，是麼？」

楊夢寰道：「是啊！怎麼樣？」

沈霞琳道：「咱們只要用心善良，就是手段厲害一點，那也是無傷大雅的事了。」

楊夢寰沉吟了一陣，道：「你是說，咱們施用強迫手段，對付蘭姊姊麼？」

一向優柔寡斷的沈霞琳，此刻，突然間變得堅強起來，說道：「蘭姊姊懷疑她失去清白，決非是無病呻吟，因此，寰哥哥必得下大決心才行。」

楊夢寰說：「你說吧，要我如何？」

沈霞琳道：「蘭姊姊不能商量，一商量她一定拒絕不允……」

楊夢寰駭然說道：「你是說咱們要動強麼？」

沈霞琳道：「嗯！你要這麼說也不能算錯。」

楊夢寰搖搖頭道：「這事不行，這是一步足辱盛名，終身大憾的棋。」

沈霞琳道：「除非你能想出更好的法子，不答應也得答應。」

趙小蝶輕輕歎息一聲道：「琳姊姊說得不錯，目下是只有這個法子了。」

楊夢寰回顧了趙小蝶一眼，道：「你也同意這辦法麼？」

趙小蝶道：「我想不出更好的法子，只好照著琳姊姊的意見做了。」

楊夢寰輕輕歎息一聲，不再答話，心中卻是不以兩人之言爲然。

沈霞琳目光轉動，掃掠了楊夢寰和趙小蝶一眼，道：「現在，咱們就決定如此做了，小蝶妹妹要牢牢記好，我一使眼色，你就陡然出手，點蘭姊姊的穴道。」

趙小蝶點點頭，道：「我一切遵照姊姊的吩咐就是。」

沈霞琳目光盯注在楊夢寰的臉上，柔聲說道：「寰哥哥，這些年來，我沒有勉強過你一件事，這一次要救蘭姊姊，希望你聽我一次話。」

楊夢寰仰臉望天道：「如若咱們做錯了呢？」

沈霞琳道：「咱們做的也許錯了，但也可能做對了，如若是一點不做，那是非錯不可了。」

趙小蝶接道：「蘭姊姊存心想死，就算咱們做錯了，她也是尋死一途，一個人不能死去兩次，是不是？」

楊夢寰輕輕歎息一聲，道：「家岳如在此，咱們能和他商量一下，那就好了。」

趙小蝶搖搖頭，道：「你是說李滄瀾麼？」

楊夢寰道：「不錯，正是他老人家，他經驗豐富，見多識廣，必可想出良策。」

趙小蝶道：「他是大英雄，大豪傑，但卻未必能瞭解女兒心，蘭姊姊強煞了，也是女人啊！」

沈霞琳道：「事情決定了，那就不要談了，此刻，時間還早，咱們找個地方休息一下，晚上，如能一鼓作氣，殺死了陶玉，然後，再解決蘭姊姊的事，江湖上也可有一段風平浪靜的日子好過。」

楊夢寰心知此刻反駁她，亦是無用，索性不再多言。

三人找了一處秘密所在，盤坐調息，準備應付晚上大戰。

楊夢寰心中一直想著沈霞琳的辦法，左思右想，一直是覺著不對，但又想不出好的辦法。

天色逐漸的黑了下來，這是個沒有月亮的夜晚。

沈霞琳站起身子，道：「走吧，咱們到那森林邊，不要誤了事情。」

她一向柔弱，缺乏主見，事事都聽人安排，但此刻突然振作了起來，毅然主持全局。

楊夢寰、趙小蝶站起身子，三人借夜色掩護，奔向林側。

暗幕低垂，四周景色，完全為夜暗掩去。

突然間，那林木旁側，亮起了一道火光，閃了一閃，重又熄去了。

趙小蝶一提真氣，道：「那火光必是一種暗記，我去瞧瞧，你們在此稍候。」

正待縱身而起，卻被楊夢寰一把抓住，道：「不可造次。」

趙小蝶低聲道：「放開我，咱們守在這裏，也許會錯過了蘭姊姊和陶玉之約。」

談話之間，瞥見一條人影，緩緩走了過來，直向三人停身之處。

凝目望去，夜色中隱隱可辨那人影十分嬌小。

楊夢寰一推霞琳和趙小蝶，低聲說道：「這人可能是童師姊，咱們三面包圍，如若不是童師姊，那就一舉搏殺。」

趙小蝶、沈霞琳應了一聲，齊齊站起身子，三面向那人影圍去。

三人動作奇快，一齊發動，有如脫弦之箭，眨眼間，已把那人影圍了起來。

那人膽氣很壯，雖然被三人圍了起來，但卻毫無驚慌之態。

楊夢寰右掌蓄勁，冷冷喝道：「什麼人？」

那黑影身材嬌小，臉戴了一面紗，伸手拉下面紗，低聲說道：「小聲一些。」

沈霞琳低聲叫道：「童師姊？」

來人正是童淑貞。

楊夢寰道：「事情有了變化麼？」

童淑貞道：「見到朱姑娘了麼？」

楊夢寰搖搖頭，道：「沒有見到，陶玉已經來了麼？」

童淑貞道：「陶玉已經帶了兩個高手，隨身相護離開森林，大約去會朱姑娘了。」

楊夢寰道：「哪個方向？」

童淑貞道：「正東方向。」

楊夢寰道：「很遠麼？」

童淑貞道：「不會很遠……」

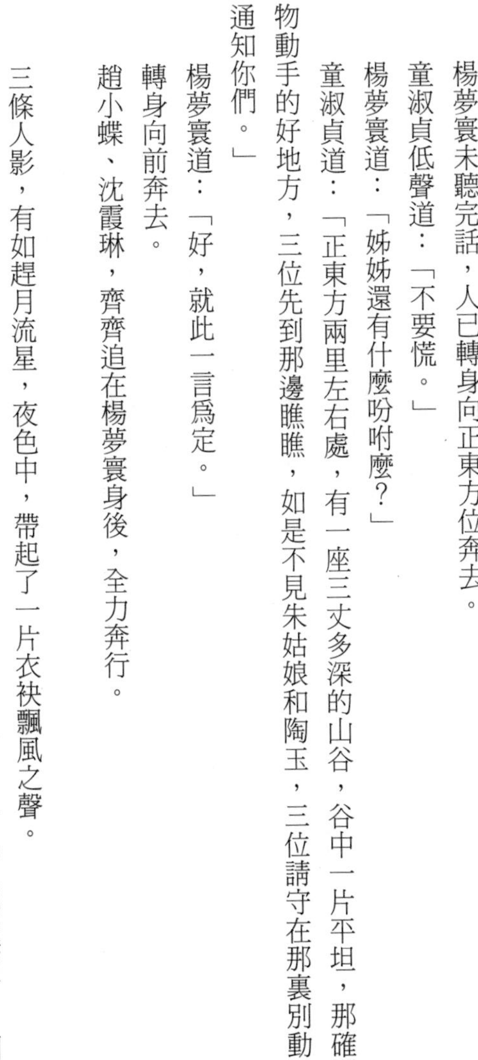

楊夢寰未聽完話，人已轉身向正東方位奔去。

童淑貞低聲道：「不要慌。」

楊夢寰道：「姊姊還有什麼吩咐麼？」

童淑貞道：「正東方兩里左右處，有一座三丈多深的山谷，谷中一片平坦，那確屬武林人物動手的好地方，三位先到那邊瞧瞧，如是不見朱姑娘和陶玉，三位請守在那裏別動，我再去通知你們。」

楊夢寰道：「好，就此一言爲定。」

轉身向前奔去。

趙小蝶、沈霞琳，齊齊追在楊夢寰身後，全力奔行。

三條人影，有如趕月流星，夜色中，帶起了一片衣袂飄風之聲。

果然，三人奔行了兩里左右，見到一個深谷，這道深谷，由山峰上綿延而下，到了平地，仍然是一條深溝。

凝目望去，果見谷中有幾個人影，相對而立。

楊夢寰一提氣，當先而下，趙小蝶、沈霞琳相隨躍入谷中。

三人已有了計議，落入谷底，立時分開去，成了三面包圍之勢。

沈霞琳高聲說道：「蘭姊姊，我們助拳來了，今夜非殺死陶玉不可。」

凝目望去，只見陶玉帶著兩個黑衣勁裝大漢，三個人扇形而立，面對朱若蘭。

朱若蘭卻是單人匹馬而來，只是背上多了一支斜插的長劍。

陶玉回目一顧楊夢寰和趙小蝶，冷笑一聲，道：「三位追蹤之能，實叫兄弟佩服，看起來，我手下必有奸細了。」

楊夢寰心中暗道：這人果然是聰明得很，一轉念間，就想出當中內情。

心中念轉，口中卻說道：「陶玉，難道你認為你的逃避之術，也是天下獨步麼？」

陶玉道：「兄弟自信行經之處，未留痕跡，諸位如無內線，決難追蹤到此。」

趙小蝶道：「朱姑娘呢？難道她也有內應接應不成。」

陶玉道：「那不同……」

趙小蝶接道：「哪裏不同了？」

陶玉道：「朱姑娘是我等故意誘她而來，諸位卻是追蹤而至。」

一直木然而立，不講話的朱若蘭突然接口說道：「陶玉，今日只怕比不成了。」

陶玉淡淡一笑，道：「隨便姑娘作主，此刻，姑娘的實力，又比在下強了。」

朱若蘭道：「我要和你單打獨鬥，不許別人插手，而且一定要分出生死，不死不休。」

陶玉目光一掠趙小蝶等，說道：「這個麼？在下自然奉陪了。」

沈霞琳道：「陶玉，你想得很好啊！」

陶玉道：「怎麼樣，楊夫人有何高見？」

沈霞琳道：「今晚上，既然叫我們遇上了你，那只有兩個結果，不是我們死於你手，就是你被我們所殺，這一次，我們實該有一個結果了。」

陶玉淡淡一笑。道：「在下只要招呼一聲，四外立刻可以招來很多助拳之人。」
沈霞琳目光轉到朱若蘭的臉上，道：「姊姊，今日不該再放過他了。」
朱若蘭口齒啓動，欲言又止。
沈霞琳唰的一聲，抽出長劍，道：「陶玉你亮兵刃吧。」
右腕一振，直刺過去。
陶玉身子一側，左首一個大漢，快速絕倫的拔出了兵刃，噹的一聲，震開了沈霞琳手中兵刃。
那是一柄厚背雁翎刀，份量十分沉重，封開沈霞琳一劍，立時反擊，唰唰唰，連攻三刀。
沈霞琳心中暗道：這人武功不弱。避開三刀，長劍「金絲纏腕」，向那大漢手腕之上刺去。
那大漢一沉腕勢，避開了一劍。
楊夢寰冷眼觀察，發覺那執刀大漢確非泛泛之輩，不知何以竟然不認識他。
忽然間，心念一轉，暗道：這陶玉詭計多端，也許這兩個大漢，都已經過了易容。當下翻腕抽出長劍，主動的攻向另一個大漢。
另一大漢驟不及防，幾乎被楊夢寰一劍刺中，匆忙間，閃身退開五尺。
楊夢寰道：「不用緊張，你亮出兵刃來吧！」
其實，不用他說，那黑衣大漢，已然從背上拔出了兩柄長劍，雙手各執一柄，分由左右，一齊攻來。

楊夢寰右手長劍舉起，一揮之間，由「抽樑換柱」變成了「春雲乍展」。

但聞叮叮兩聲金鐵交鳴，那黑衣人手中雙劍，盡被震開。

楊夢寰試過一招之後，心中暗暗驚道：這人的內力不弱。

心中念轉，手中長劍卻展開了一陣快攻，追魂十二劍綿連出手。

那個執雙劍的大漢，被楊夢寰一輪快攻逼得連連後退，手中空有雙劍，卻是無法施展。

楊夢寰殺機已動，劍招愈來愈是奇幻，毒辣，劍劍直向著那黑衣人的要害。

陶玉冷眼旁觀，眼見兩個隨來大漢，分被沈霞琳、楊夢寰逼得餘下招架之力，但仍然不肯出手相助。

朱若蘭站在旁側，若有所思。

趙小蝶雙目神凝，盯注在陶玉的臉上，只要陶玉稍有舉動，立時快速搶攻。

惡鬥中，突聞得一聲慘叫，楊夢寰手中長劍，奇招突出，斬斷了對手一條左臂。

但那黑衣大漢驃悍絕倫，斷去一臂之後，仍然是不肯停手，右臂單劍，守中有攻。

楊夢寰又和那大漢鬥了數合，心中大奇，暗道：一個人，如是忍受斷臂之痛，就是還有能力反擊，也不過是強忍痛苦，攻出一招、兩招，似這般連撐數合的事，實是大有研究。

心中念轉，手中長劍卻突出一招「吞雲吐月」，逼開那大漢手中長劍，寒芒過處，人頭飛起，一股鮮血，沖起了四五尺高，屍體才緩緩倒地。

楊夢寰舉起手中長劍，就那大漢屍體擦去鮮血，緩緩說道：「陶玉，在下想先和你單獨動

手，如若在下不是敵手，再由趙姑娘代替在下。」

陶玉望了那屍體一眼，道：「好！今日要叫幾位見識一下我陶玉的真才實學。」

突然揚手一掌，直對楊夢寰劈了過來。

楊夢寰手中長劍疾起，橫向陶玉小臂之上斬去，口中喝道：「陶玉，你不亮兵刃，是自找苦吃了，我……」

陶玉冷冷接道：「楊大俠先勝了我一隻肉掌之後再說。」

答話之間，右掌一沉，避開了一擊。

突然間，金光撲面，直向楊夢寰臉上襲來。

雙方距離很近，幾乎吃那金光擊中，匆忙之間，揮劍一擋。

一陣金鐵交鳴過去，那金芒被長劍擋開。

凝目望去，那金芒正是陶玉雙腕上套的金環。

只見他一挫腕，那被楊夢寰震飛的金環突然一沉，又被陶玉收在手中。

原來，他那金環之上，有一道細而堅牢的白線繫著，可以收發隨心。

就在楊夢寰震開金環的同時，陶玉左腕一抬，又是一道金芒飛出，直擊向楊夢寰丹田要害。

彼收此發，得心應手。雙方距離既近，那金環來勢又快，楊夢寰來不及揮劍擊擋，一吸氣，陡然間退開三尺。

只見陶玉右腕一揮，收回金環突又飛出，擊向前胸。

楊夢寰吃了一驚，忖道：好快的金環。

右手長劍平伸，劍尖寒芒，閃起了一片劍花。

只聽錚錚兩聲，那金環和長劍，連續撞擊兩下。

陶玉冷笑一聲，道：「楊兄，兄弟這金環變化如何？」

喝聲中，金芒亂閃，兩個金環交錯飛轉，幻起了無數的光圈，分由四面八方，襲了過來。

楊夢寰暗運內力，長劍疾舉，口中冷冷喝道：「不見得有何驚人之處。」

手腕震動，手中長劍也幻起一片劍花。

金芒銀花，閃轉中，又是一連串金鐵交鳴之聲。

陶玉心中暗道：這楊夢寰在拳劍之上，果然是下了工夫，同樣的幾招劍式，我陶玉決難勝他……

心念轉動之間，又一聲慘叫傳來。

轉眼一掠，只見和沈霞琳動手的大漢，也傷在了沈霞琳的劍下，生生被斬作兩斷。

沈霞琳一劍得手，目光突然轉到了趙小蝶的身上，道：「你怎麼不動手？」

趙小蝶低聲應道：「我看蘭姊姊沒有出手……」

她本該說我要看著朱若蘭，怕她逃走，不能出手才是，但卻不便說明。

沈霞琳低聲說道：「別忘了，我告訴你的話。」

長劍一振，攻向陶玉。

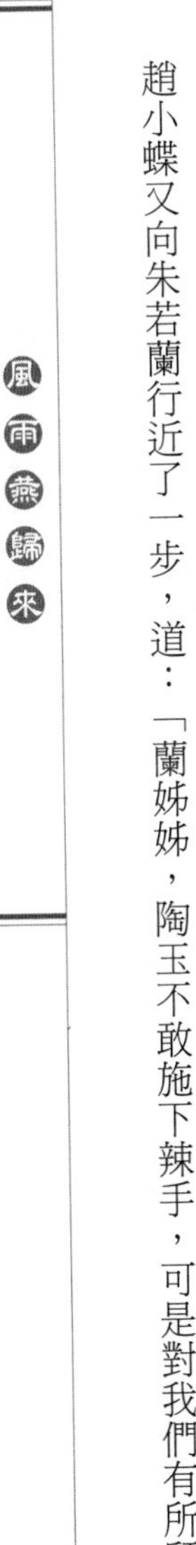

她劍術、功力，均不如楊夢寰甚多，如若陶玉單打獨鬥，只怕難過五十合。

但此刻，她和楊夢寰聯劍出手，卻有著不相同的情勢。

陶玉雙手變化萬端的一對金環，盡爲楊夢寰施展開的長劍接了下來，沈霞琳一支長劍，盡成了進手的招術，看上去，劍勢淩厲，招招都指向陶玉的大穴要害。

趙小蝶舉步行到了朱若蘭的身側，道：「蘭姊姊，你說楊夢寰的劍術如何？」

朱若蘭道：「樸實無華，劍劍踏實地，看似平淡，實則極難，如若單說劍術上的成就，咱們都非他的敵手。」

趙小蝶又向朱若蘭行近了一步，問道：「蘭姊姊，陶玉那雙環飛擊招術，倒也是新奇得很。」

朱若蘭道：「嗯！有些地方，很像少林門中的飛鈸取敵之法，但變化之奇，又有過之……」

趙小蝶接道：「這種招術，難道也記載於那『歸元秘笈』的夾層之中不成，不然，我怎麼記不起雙環的招術？」

朱若蘭道：「我想『歸元秘笈』上既有記載，也不似陶玉的雙環變化多端，但那陶玉也無能自行創出這一套環法，必然受了什麼啓示，再加上自己研究，創出這一套飛環的打法。」

趙小蝶道：「蘭姊姊，他們這樣打下去，你說哪一個輸？」

朱若蘭道：「陶玉的伎倆，決不止此，不知他何以不施展。」

趙小蝶又向朱若蘭行近了一步，道：「蘭姊姊，陶玉不敢施下辣手，可是對我們有所顧忌

麼？」

朱若蘭道：「他怕傷了楊夢寰，咱們一齊出手，也是原因之一，但並非主要原因。」

趙小蝶暗中運集功力，貫於右手之上，問道：「蘭姊姊，咱們如若出手相助，是否可以生擒陶玉？」

朱若蘭道：「很難說，陶玉所以遲遲不敢施下毒手，也許就是因爲咱們守在旁側之故。」

趙小蝶心中暗作盤算道：此刻我如能出其不意，陡然下手，點了蘭姊姊的穴道，必可成功，但如陶玉在此設下埋伏，我點了蘭姊姊的穴道，不但少了一個武功最強的幫手，我們三人之中，還要分出一個人來保護於她，豈不自縛手腳麼？眼下之策，只有先殺了陶玉再說了。

心中念轉，低聲說道：「姊姊，可否出手，助他們一臂之力？」

原來，她想到如若自己出手，就無法再行監視朱若蘭了，這才出言激說，要朱若蘭自己出手。

朱若蘭回顧了趙小蝶一眼，道：「你爲什麼不出手，助他們呢？」

趙小蝶無法講出心中所思，微微一笑，道：「好！咱們一齊出手如何？」

朱若蘭道：「暫時還用不到我出手。」

趙小蝶偷眼打量了朱若蘭一眼，只見她神情冷漠，不似以往那等和藹，心中暗道：蘭姊姊果然變了，看來只有按沈家姊姊的辦法對付她了，當下又往朱若蘭靠近了一步。

這時，場中激鬥更烈，楊夢寰、沈霞琳，雙劍如狂風急雨一般，全力搶攻。

但那陶玉的雙環，也是愈打愈見熟練，盤空飛舞，收發隨心。

楊夢寰、沈霞琳攻勢雖然猛惡，但看情形卻無法制住陶玉。

趙小蝶心中暗道：就眼下情勢而言，第一要事，先行搏殺陶玉，一向柔弱的沈霞琳，此刻，突然間變得十分堅強，如今，我既然不忍對付蘭姊姊，無法下手，何不把對付蘭姊姊這個難題，交給沈霞琳去辦呢？

心念一轉，突然欺身而上，低聲喝道：「琳姊姊，小妹替你下來。」

口中說著，雙掌卻已連環劈出。

趙小蝶雖是赤手空拳，但她武功強過沈霞琳甚多，強大的暗勁，直逼過去。

陶玉動如靈蛇的雙環，頓然被逼得一緩。

楊夢寰看出空隙，唰的推出一劍，在陶玉左肩上劃了一道血口。

沈霞琳收劍而退，正待開口說話，趙小蝶已搶先施展傳音之術，說道：「琳姊姊，小妹不能對付蘭姊姊，只好請你代勞了。」

沈霞琳回顧了朱若蘭一眼，大步行了過去，欠身一禮，道：「蘭姊姊好？」

朱若蘭冷漠的說道：「沒有死，自然不錯了。」

沈霞琳自和朱若蘭相識以來，從未見過她這等冷漠的對待自己，不禁一怔。

但聞趙小蝶嬌叱之聲，傳了過來道：「陶玉，今日此谷就是你授首之地。」

回目望去，只見趙小蝶雙掌連連劈出，內力若排山倒海般直湧過去。

陶玉手中的雙環，已被趙小蝶掌勢中帶起的潛力，迫得施展不開，不似剛才那般的收發自如。相反的，楊夢寰手中長劍更見威猛，劍勢如水銀瀉地，逼得陶玉險象環生。

激鬥中，突聞嗤嗤兩聲，陶玉身上又中了兩劍。

兩劍深入肌膚，鮮血泉湧而出。

那一向畏死的陶玉，這一次好像是認了命一般，身上三處劍傷，血透衣衫，竟是不發一言。

沈霞琳眼看趙小蝶、楊夢寰已握勝算，心中暗道：今日能夠殺了陶玉，武林中的紛爭，或可從此平息了。心中念轉，不禁回顧了朱若蘭一眼。

朱若蘭神情冷峻的說道：「快快準備……」

沈霞琳茫然接道：「準備什麼？」

朱若蘭道：「救助楊夢寰或是趙小蝶。」

沈霞琳道：「姊姊，你在說些什麼？」

朱若蘭道：「我說在三十合之內，趙小蝶或楊夢寰兩個人中必然有一個受傷。」

沈霞琳凝目望，只見雙方搏鬥之勢，仍然保持著前狀，陶玉滿身是血，只有著招架之勢，心中大感奇怪，道：「姊姊，此刻之局，趙姑娘和寰哥哥已然佔盡了優勢，他們怎會落敗呢？」

朱若蘭道：「不信你就看著吧！」

沈霞琳本想出其不意，點了她的穴道，聽她這麼一說，哪裏還敢出手。

她心中明白，如若朱若蘭說得不錯，這兩人遇上危險，自己是決然無法解救，只有憑仗朱

若蘭之力了。

但聞朱若蘭語氣平和的說道：「沈霞琳，你們打算如何算計我？」

她一向呼她霞妹妹，此刻連姓帶名的叫了出來，聽在沈霞琳的耳朵中，大感刺耳。

沈霞琳回目望了朱若蘭一眼，低聲說道：「我們對姊姊感激還來不及，哪裏敢暗算姊姊呢！」

朱若蘭冷笑一聲，道：「你們太低估我了……」

語聲未落，場中情勢已變。

陶玉陡然反擊，雙環一起出手，擊向了趙小蝶，人卻撲向了楊夢寰。

趙小蝶見雙環挾著一股嘯風之聲，破空而來，不敢大意，縱身避讓開去。

陶玉迫退趙小蝶，使她無法發掌相助，快速絕倫的欺近楊夢寰，右手一抬，抓住了楊夢寰的右腕。

這一招手法奇奧，楊夢寰心中雖然想讓避。卻是讓避不開。

陶玉冷笑一聲，道：「今天不是你死，就是我亡了。」

右手加力，正待奪下楊夢寰手中長劍，忽覺一股掌風撞來，蓬的一聲，正擊在左肩之上。

原來，楊夢寰被陶玉一招拿住右腕，陡生拚命之心，左掌抬起，直擊過去。

陶玉料不到他右腕被拿之下不思解救，竟然出掌反擊，一時閃避不及，被擊中左肩，匆匆問，右手加力一帶，飛起一腳踢在楊夢寰左胯之上。

兩人各自受了一下重擊，彼此向後退了兩步。

楊夢寰身子搖了兩搖，站立不穩，一跤跌倒在地上。

陶玉卻勉強支持，站穩身子，未倒下去。

沈霞琳突然縱身一躍，撲到楊夢寰的身側，道：「寰哥哥，傷得很重麼？」

楊夢寰沉聲說道：「我不要緊，不用管我，快些對付陶玉。」

沈霞琳抱起了楊夢寰道：「他受傷不輕，今夜是死定了。」

這時趙小蝶已然避開了雙環，緩步逼到了陶玉身側，冷冷對陶玉道：「陶玉，你還有再戰之能麼？」

陶玉搖搖頭，道：「楊夢寰功力精進，大出我意料之外，臨危發拳，打斷了我的肩骨。」

趙小蝶道：「就算你沒有了再戰之能，我也是一樣下得毒手殺你。」

揮手一指，疾向他穴道上點去。

陶玉一側身軀，避過一擊，道：「你不能殺我。」

趙小蝶道：「爲什麼？」

陶玉道：「除非你們都已下定了必死之心。」

趙小蝶冷笑一聲，道：「哼！你死在眼前，還要什麼花樣？」

陶玉道：「我說的句句實言。」

趙小蝶怒聲喝道：「我不信你的鬼話。」

陶玉道：「你如肯長長吸一口氣，就覺出在下所言非虛了。」

趙小蝶突然一腳，無聲無息的踢在陶玉腿上，只踢得陶玉悶哼了兩聲，跌翻了兩個跟斗。

然後，長長吸一口氣。

陶玉翻了兩個跟斗之後，掙扎著坐了起來，道：「姑娘可覺出有異麼？」

趙小蝶道：「不用再故作驚人之言，我怎麼覺不出有什麼不同之處？」

陶玉道：「在下如不說明，也許姑娘不知……」

語聲微微一頓，接道：「姑娘適才長長吸一口氣，可曾嗅到一股淡淡的幽香麼？」

趙小蝶略一沉吟，道：「不錯，怎麼樣？」

陶玉仰臉打個哈哈，道：「咱們如若完全死去，五年之內，江湖上即將掀起另一聲爭奪『歸元秘笈』的風波，我陶玉不忍獨死，拖著幾位奉陪……」

目光一掠朱若蘭等接道：「有幾位這般如花似玉的姑娘陪著我，陶玉死亦無憾的了。」

趙小蝶道：「我瞧你是在癡人說夢，你倒是死定了，我們卻未必會奉陪於你。」

陶玉道：「那一股淡淡幽香，並非山花氣味……」

趙小蝶接道：「毒香，你陶玉慣用的恐嚇伎倆。」

陶玉道：「九幽奇香，凡為此香所毒之人，五日之後，此毒才會發作，而且發作之後，也不會死，體力漸減，武功也逐漸消失，包括我陶玉在內，凡目下在場之人，都已經中了九幽奇香。」

趙小蝶怔了一怔，道：「不殺你也是沒有救了……」

陶玉道：「有，那解毒之藥，藏在一處隱秘所在，只有我陶玉一人知曉。」

趙小蝶道：「好！我一刀一刀的割死你，看你講不講出那藏藥之處。」

機，自行了斷的。」

陶玉搖搖頭。道：「我不會講出來，因爲，我覺著非死不可的時候，在下自會在適當的時

一直未曾開口的朱若蘭，此刻卻突然接口說道：「陶玉，你一向貪生畏死，爲什麼今宵會

這樣大方，大有不畏死亡的豪氣。」

陶玉仰天打個哈哈，道：「在下原和諸位有約，三月之後，在南嶽一較長短……」

朱若蘭接道：「但現在，你已經沒有這個機會了。」

陶玉道：「如若我不改變心意，在下也不會答應你朱若蘭在此地相晤了。」

楊夢寰道：「爲什麼你又改變了心意呢？」

陶玉哈哈一笑，道：「楊兄，素知兄弟不做吃虧的事，是麼？」

楊夢寰道：「正是如此。」

朱若蘭道：「還有一事，叫人思解不透，你約我在此相晤，早有預謀，何以，不見你在此

地埋伏下人手相助呢？」

陶玉目光轉動，掃掠了幾人一眼，突然厲聲喝道：「你們一向說我陶玉心狠手辣，但諸位

之中，卻有一人，比起我陶玉更爲陰狠、歹毒了。」

朱若蘭、楊夢寰、趙小蝶，齊齊一呆道：「怎麼回事？」

陶玉道：「諸位之中，是哪一個遣派了一位高手奸細，混入我的手下，暗中下毒，使在下

和七十餘位屬下，盡皆中了奇毒……」

這消息太過震動，朱若蘭、楊夢寰等，都不禁爲之一呆。

但聞陶玉冷冷說道：「在下發覺此事，爲時已晚，我大部屬下，都已被奇毒侵入內腑……」

沈霞琳接道：「我說呢，怎麼不見你陶玉在此佈下埋伏。」

陶玉冷冷說道：「因此，在下不得不垂死反擊，佈下九幽奇香……」

抬眼一望朱若蘭，道：「在下當初心意，只望能毒得朱若蘭一人，想不到你楊大俠和趙姑娘，竟然也夫婦趕來送葬了。」語聲微頓，縱聲大笑，道：「此刻，諸位都已經中毒很深，在下就算說了實話，那也是不要緊了。」

朱若蘭神色肅然的說道：「陶玉，我們沒有相約而來……」

陶玉道：「但你們卻全部中了我的九幽奇香，哈哈，你們毒死了我陶玉和屬下七十餘人，我陶玉只毒了你們數人，算起來，我是吃虧很大了……」

目光一轉，望著楊夢寰，道：「我本可在動手相搏中取你之命，但因我已然毒性發作，無法再支持下去，急慾求勝，才給你以可乘之機，如若論武功成就，在下可在百合內取你之命。」

楊夢寰知他所言，雖然稍顯誇張，但並非子虛，當下默然不語。

沈霞琳突然站起身子，道：「陶玉，我現在明白了，你想以我們幾人之命，換你的性命，是麼？」

陶玉道：「也可以這樣說吧！」

楊夢寰冷冷說道：「我們寧可陪葬，也不會解你之毒。」

陶玉道：「有一事，只怕你楊大俠死不瞑目。」

楊夢寰道：「什麼事？」

陶玉道：「我死之後，那『歸元秘笈』流散江湖，數年後，也許有無數陶玉，出現江湖。」

楊夢寰先是一怔，繼而淡淡一笑，道：「就算你說的是實話，那取得『歸元秘笈』之人，也是你陶玉親信屬下，可是你屬下都已中了奇毒，和你一般的難以再活多久。」

陶玉冷冷說道：「楊兄又錯了，在下早把『歸元秘笈』分存各處，每一處，都有兩人知曉，在下早已分派了人手，百日之後，不用在下再下令告訴他們，他們自動會趕往那存放『歸元秘笈』之處，取出『歸元秘笈』，那些人有一半不在在下身邊，縱然在下身邊之人全死去，那也不妨害『歸元秘笈』流傳江湖。」

沈霞琳道：「你死之後，我們會追殺你所有的屬下，不會讓他們逃脫一個。」

陶玉冷冷說道：「你們也只有七日好活，七日時光中，你們決然無法追殺我陶玉所有的屬下。」

縱聲大笑一陣，又道：「我陶玉一人之死，能使得諸位陪葬，那是死而無憾了。」

沈霞琳眼望著朱若蘭，道：「蘭姊姊，咱們是否真的中了陶玉的九幽奇香之毒？」

朱若蘭點點頭，道：「如若我不騙你，他講的不是謊言。」

只聽一個清冷聲音，遙遙傳了過來，道：「不要怕，我已取得他九幽奇香的解藥。」

聲落人現，一個矮小的黑衣人，陡然出現在群眾之間。

陶玉望了那黑衣人一眼，冷冷說道：「你是誰？好面熟的衣服。」

那黑衣人緩緩說道：「洗馬小廝。」

舉起衣袖，拭除了臉上的油污。

油污去後，露出了一張清秀的面孔。

這張臉在場四人都十分熟悉，正是沈霞琳的師姊童淑貞。

陶玉臉色一變，說道：「原來是你，童淑貞……」

童淑貞道：「不錯，是我。」

陶玉道：「我早已對你動疑，早該殺了你。」

童淑貞道：「可是你沒有殺，現在，想殺已經晚了。」

陶玉道：「在我們身上用毒，那是你的手筆了？」

童淑貞道：「不錯，以其人之道，還治其人之身，你一向喜歡暗算別人，我暗中下毒，那也不算有傷陰德了。」

陶玉冷冷說道：「我不信你能取得那九幽奇香的解藥。」

童淑貞道：「不信，就給你瞧瞧。」

探手從懷中摸出一個玉瓶。

陶玉突然大喝一聲，直向童淑貞身上撲了過去。

童淑貞早已有備，身子一閃避開，回手拍出一掌。

但聞蓬然一聲，擊個立著。

陶玉身子打了兩個轉身，一跤跌摔在地上。

童淑貞疾快的退後三步，把玉瓶收入懷中。

陶玉一躍而起，不顧傷痛，又向童淑貞撲了過去。

沈霞琳身子一側，長劍閃動，橫裏斬出一劍。

陶玉匆忙間閃避不及，舉起左臂一擋。

寒芒閃過，沙的一聲，陶玉整個的一條左臂，齊肘而斷。

陶玉悶哼一聲，向後退了兩步。

沈霞琳看他全身如浴血中，心中大生不忍，輕輕歎息一聲，道：「陶玉，你一生作惡多端，今日落此下場，那也是你的報應了。」

陶玉咬牙苦撐，目光一掠朱若蘭和趙小蝶，冷冷說道：「今日你殺了我陶玉，三五年後，武林中將有十個陶玉出現，還望你們三思。」

童淑貞冷笑一聲，接道：「你把那『歸元秘笈』放置何處，我已探聽明白，這法子，你又白費心了。」

陶玉早已受傷很重，此刻又斷去一條小臂，痛苦莫可言喻，但卻爲一縷求生之念，強自支撐，還想保下性命，當下厲聲說道：「你知它放在何處？」

童淑貞冷冷說道：「在你身上……」

語聲微微一頓，道：「你不過想借此施展詭謀，求生罷了。」

陶玉臉色一變，道：「童淑貞，我早該殺了你。」

章淑貞道：「可是現在晚了。」

趙小蝶突然驅前一步，伸出手，道：「陶玉，那『歸元秘笈』原本爲我所有，現在，可以歸還給我了。」

陶玉只疼得全身微微顫抖，但他卻咬牙苦撐，右手一揮，撤去上衣，探手從貼肉衣中，摸出「歸元秘笈」，冷冷說道：「趙姑娘當真想取回『歸元秘笈』麼？」

趙小蝶道：「不錯。」

陶玉哈哈一笑，道：「在這『歸元秘笈』夾層之中，確實記載了幾種奇奧的武功，可是，和我陶玉昔年所習的武功路數不對，以致練來事倍功半，迄今尚無大成，但如你趙姑娘依法習練，那就大不相同了。」

趙小蝶望著陶玉手中的「歸元秘笈」，神色肅然的說道：「陶玉，不論如何動人的話，只要從你口中說出，那就不能相信，不用在我面前施展詭計了……」

語聲微頓接道：「你如還了我『歸元秘笈』，我可以少讓你受些折磨，這是唯一的條件了。」

陶玉目光轉動四顧了一眼，看四女分站四個方位，如若在平常之日，那是不難闖得出去，但此刻情勢不同，斷臂、內傷、毒發，早已無能再戰。

但他天性陰險，雖然在絕望之中，仍不忘記挑撥，轉臉望著朱若蘭，道：「朱姑娘，人之

將死，其言也善，我要告訴姑娘幾句話。」

朱若蘭道：「你說吧！不過，別想讓我救你。」

陶玉道：「這數十年來，武林中風雨如晦，不見停息，大多都是爲了這本秘笈。」

朱若蘭道：「那要看什麼人握有這本秘笈了。」

陶玉道：「據在下閱讀那夾層中記載，卻有幾種流入魔道的惡毒武功，只要練成那些武功，不但天下再無敵手，而且人性也將淪入魔道，隨著大變，姑娘如想使江湖減少紛爭，只有毀去這『歸元秘笈』，至低限度，也要掌握你朱姑娘手中。」

朱若蘭接道：「好！你拿給我。」

陶玉緩緩伸出手來，遞過「歸元秘笈」。

朱若蘭正待伸手去接，卻聞童淑貞大聲喝道：「不要接它。」

沈霞琳長劍一揮，又橫裏削了過去，口中說道：「哼！我也不信他那樣好心。」

陶玉已被沈霞琳斬掉一臂，是以特別小心，看劍勢削來，立時縮臂收回。

童淑貞冷冷說道：「陶玉，你就要死了，還存著害人之心。」

陶玉冷冷說道：「臭丫頭，我哪裏有害人之心了？」

童淑貞緩緩說道：「你手中那本『歸元秘笈』上，早用毒藥浸過了。」

陶玉道：「胡說八道。」

童淑貞冷笑一聲，道：「可惜我早已知曉那本真『歸元秘笈』藏在你身上何處，這本假『歸元秘笈』，自然是僞製的浸毒之物了。」

陶玉半身都已被鮮血染透，雙目圓睜，瞪著童淑貞，直似要冒出火來。

突然間，陶玉縱躍而起，一個翻身，直向楊夢寰撲了過去。

在場中人眼看他對童淑貞的痛恨，想他躍起一擊，定然會撲向童淑貞，卻不料他竟轉身撲向了楊夢寰，大出在場之人的意外。

朱若蘭吃了一驚，但已來不及相救，嬌叱一聲，全力劈出一掌。

沈霞琳、趙小蝶，同時躍身而上，撲了過去。

楊夢寰左胯傷得很重，一條腿已然無法應用，但卻忍疼躍起，全力發出一掌。

但聞蓬然一聲大震，陶玉和楊夢寰掌力先行接實。

雙方都在重傷之下，全力對了一掌，同時悶哼了一聲，向後倒去。

趙小蝶一伏身，避開朱若蘭擊出的一股強大潛力，雙手齊出，抱住了楊夢寰。

原來，陶玉被楊夢寰反擊的掌力，震了開去，使朱若蘭打出的一記劈空掌力落空。

沈霞琳眼看楊夢寰和陶玉對拚一掌之後，吐出一口鮮血，心中痛惜至極，用出全身氣力，投出長劍。

一道白芒，破空飛去，由陶玉胸下肋間穿過，長劍透體，餘力不衰，波的一聲，把陶玉釘在一丈外一株矮松之上。

這時，陶玉餘力已盡，被釘在樹上，自然是無能再行掙扎。

沈霞琳投出長劍之後，卻未再多看一眼，急急奔到了趙小蝶的身邊，叫道：「寰哥哥！」

楊夢寰啓開雙目，微微一笑，卻未出一言。
沈霞琳來不及從懷中摸出絹帕，用衣袖拭去了楊夢寰臉上的血跡。
凝目望去，只見他臉色蒼白，顯是受傷甚重。
一陣山風吹來，那跌落地上的「歸元秘笈」被吹得不停的翻動。
朱若蘭目光一轉，望了那「歸元秘笈」一眼，緩緩說道：「這才是真本『歸元秘笈』。」
但卻無人去撿它，一直被武林人物視如奇寶珍逾性命的「歸元秘笈」，此刻，卻有如頑石、棄履。

童淑貞緩步走到陶玉身前，冷冷說道：「陶玉，你還能說話麼？」
陶玉內功精湛，心思精密，如非那童淑貞，先使他服下毒藥，決不會輕易爲人所傷，使自己的計劃全盤破壞，心中對童淑貞的痛恨，實在已到了極處，但他此刻，人被釘在樹上，傷勢奇重，連罵那童淑貞的氣力已是沒有，睜開眼睛，望了童淑貞一眼，重又閉上雙目。
童淑貞看到他淒慘的情形，心中忽生不忍之情，伸手拔出長劍，道：「陶玉，你今日身遭此報……」
忽然啊呀一聲，棄丟長劍，拍出一掌。
原來，她拔下長劍之後，左手扶住了陶玉，陶玉內毒發作，外傷慘重，但他心中對童淑貞的積憤未消，竟然拚盡了全身餘力，狠狠在童淑貞臂上咬了一口。
童淑貞猝不及防，竟被陶玉一口咬下了一塊肉來，本能的伸手拍出一掌。

但聞蓬然一聲，掌勢正擊在陶玉的右頰之上。

這一掌落得甚重，陶玉被打得連翻了兩個轉身，牙齒大半脫落，摔倒在地上。

這時的陶玉，已然不成人形，斷臂缺齒，滿身鮮血。

童淑貞伏身撿起長劍，奔到陶玉身前，舉起手中長劍，冷冷說道：「我要把你亂劍斬碎。」

陶玉瞪著滿佈血絲的雙目，道：「我該大獲全勝，一舉間生擒朱若蘭，擊斃楊夢寰，待三月後的衡山大會，再殺幾個首腦人物，震懾人心，宣佈我天下霸主之尊，但卻被你從中破壞……」

喘息了兩口氣，高聲接道：「你這個小賤人，在我身上下毒，使我武功失去，預布的陣勢、援手，亦被你藥物所毒，無法趕來相助，我恨不得挖你之心，食你之肉。」

童淑貞冷冷說道：「這兩句話，也是我要說的話，挖你的心，食你的肉……」

伸出長劍突然在陶玉肋間一挑，只聽波的一聲，又挑出一個金色的盒子來。

童淑貞撿起盒子，連同解除九幽奇香的解藥，行到楊夢寰身前，道：「楊師弟，這瓶中，是九幽奇毒的解藥，金盒中放的什麼，我卻無法知曉，但我常見陶玉掏出金盒，打開瞧看，想來亦非平常之物，我……」

楊夢寰強行振作精神，接道：「師姊有何吩咐，儘管請說。」

童淑貞道：「你先收起這兩件物品。」

楊夢寰依言接過，道：「師姊還有何事？」

童淑貞回顧了陶玉一眼，道：「他已不能活了。」

楊夢寰道：「除非華陀重生，爲他療治傷勢。」

童淑貞道：「那我要把他帶走了。」

沈霞琳吃了一驚，暗道：難道她舊情復燃，要帶他訪求名醫治療。

心中念轉，口中卻問道：「你要帶他到何處？」

童淑貞輕輕歎息一聲，道：「找個地方慢慢的殺死他，再掩埋了他的屍體。」

楊夢寰道：「他受苦已經夠多，姊姊也不要再折磨他了。」

童淑貞道：「你同意了。」轉身而行，抱起血人似的陶玉，放開大步而去。

趙小蝶望著童淑貞遠去的背影說道：「你不該答應她。」

楊夢寰道：「爲什麼？」

趙小蝶道：「我看她像是舊情復燃，也許她會帶陶玉去一處十分隱密的地方，療治好他的傷勢。」

楊夢寰吃了一驚，道：「當真麼？」

趙小蝶道：「我的看法如此。」

沈霞琳道：「我去找她回來。」

楊夢寰搖搖頭道：「不用了，童師姊並非是不明事理的人，也許她眼看陶玉受此慘刑，心有不忍，但她如想到了救活陶玉，可能造成的武林大劫，必然會慎重考慮。」

沈霞琳道：「咱們問問蘭姊姊看，是否該追她回來？」
轉臉望去，哪裏還有朱若蘭的蹤影，不禁駭然一震，說道：「蘭姊姊走了。」
原來朱若蘭趁幾人注意那童淑貞時，已悄然而去。

四二　千里嬋娟

趙小蝶目光轉動，只見那「歸元秘笈」仍放在原地，在山風中不停的翻動。

楊夢寰、沈霞琳齊齊把目光投注到「歸元秘笈」之上，顯是對這本絕世奇書，仍有著無比的關心，要看趙小蝶如何處理此事。

趙小蝶臉上的神情十分複雜，伸出手去，重又縮了回來，雙目神凝，望著那「歸元秘笈」。

山谷中突然間沉寂下來，靜得彼此可聞呼吸之聲。

大約過了一盞熱茶工夫之久，趙小蝶突然回過頭來，問道：「楊兄，蘭姊姊和我，哪一個武功高強呢？」

楊夢寰呆了一呆，道：「這個麼？很難說了。」

趙小蝶道：「不要緊，你儘管實話實說好了。」

楊夢寰道：「蘭姊姊的悟性、才慧，都非咱們能及，時間越長，她的成就越高。」

趙小蝶道：「這『歸元秘笈』之上，有著很多的記載，我如再讀它幾遍，依照上面述記的要訣練習，很快就可以越過蘭姊姊的了，是麼？」

楊夢寰一時間，想不出她說話之意，只好點點頭，默不作聲。

趙小蝶突然仰起臉來，長長吁一口氣，道：「楊兄，你說是否該把這『歸元秘笈』留下呢？」

楊夢寰道：「這雖是一本武學寶典，但也是武林群豪分爭的原因，應否留在世間，要姑娘決定了。」

趙小蝶站起身子，摸出一個火招迎風晃燃，道：「如若這『歸元秘笈』化作灰燼，武林中至少可以減少去很多紛爭。」

伸出手中火招子，點燃了「歸元秘笈」。

楊夢寰心中雖然也有著燒了乾淨之感，但眼看這一部集武學大成的寶典，即將化作灰燼，心中大有不忍之感。

趙小蝶眼看秘笈已被燒燃，說不出心中是何感覺，清澈的雙目，緩緩落下兩行淚水。

突聞沈霞琳急急說道：「不能燒了那……」

喝聲中直對那「歸元秘笈」撲了過去。

趙小蝶伸攔住了沈霞琳，接道：「燒了它吧！留著它害多於益。」

沈霞琳急道：「要留療傷篇，濟世活人。」

趙小蝶一沉吟，道：「不錯。」

急急撲熄了燃燒中的「歸元秘笈」。

沈霞琳伸手去撿「歸元秘笈」，卻聽得楊夢寰大聲喝道：「不要用手撿它。」

沈霞琳縮回右手，問道：「爲什麼？」

楊夢寰道：「那『歸元秘笈』上，說不定也有劇毒。」

沈霞琳唰的一聲，抽出長劍，挑動「歸元秘笈」，希望能找出療傷篇來，傳諸後世。

那知道一陣燃燒之後，「歸元秘笈」已然大部盡化灰燼，只餘下一頁殘篇。

沈霞琳凝目望去，只見那一頁殘篇上，寫著：全籍雙修。

趙小蝶急急叫道：「這一頁不能看。」

沈霞琳道：「爲什麼？」

趙小蝶道：「這一頁全講的男女間的私事。」

沈霞琳道：「有關夫婦合修的事？」

趙小蝶道：「正是如此。」

沈霞琳道：「那就留下來吧！」

趙小蝶眨動了一下圓圓的大眼睛，道：「留著它幹什麼？」

沈霞琳道：「也許有用。」長劍一挑，把僅餘的一頁殘篇，放在趙小蝶的身前，道：「你收著吧！我想也許會有用的。」

趙小蝶從懷中摸出一個玉盒，把一頁殘餘的「歸元秘笈」放入盒中，藏入懷內。

沈霞琳回顧了楊夢寰一眼，道：「寰哥哥，你的傷勢如何？」

楊夢寰道：「不要緊，三五日就可痊癒。」

沈霞琳道：「那是說，三五日內，你是無法行動了。」

楊夢寰道：「不錯，如若恢復正常的行動，總要十日半月才成。」

沈霞琳輕輕歎息一聲，道：「我們要去追趕蘭姊姊，你不能隨同行動，那是如何是好？」

楊夢寰道：「不要緊，你們儘管去吧，我雖行動不便，但自信還可自保，兩位先去，我留此地養息，等我傷勢好轉，可以行動時，再去找你們就是。」

沈霞琳道：「這樣太冒險了……」

趙小蝶接道：「這樣吧，姊姊留在這裏，我去追趕蘭姊姊如何？」

沈霞琳道：「不論是你是我，咱們一個人見到蘭姊姊誰也沒有辦法。」

趙小蝶道：「爲什麼？」

沈霞琳道：「因爲，咱們武功都非她之敵，她又不肯再聽咱們勸告，唯一的辦法，就是暗中出手，點她穴道，兩個人一個和她談話，分她之心，一個陡然出手點她穴道，才能有成功機會，如是一對一和她動手，決無法得手，豈不是相見不如不見麼？」

趙小蝶道：「總不能不管楊相公啊！」

楊夢寰道：「不用了，你們快些去吧！追趕蘭姊姊要緊。」

沈霞琳道：「我背上你趕路如何？」

楊夢寰道：「這個不成。」

沈霞琳目光突然轉到趙小蝶的臉上，道：「趙姑娘，你留這裏如何？」

趙小蝶呆了一呆，道：「怎麼可以？況且我留下和你留下有何不同？都是一個去見蘭姊

姊？」

沈霞琳道：「大不相同了……」

趙小蝶道：「哪裏不同了？」

沈霞琳道：「你武功高強，和那蘭姊姊在伯仲之間，你如向蘭姊姊身邊行去，必然會引起蘭姊姊的注意，她如有了防備，你如何能暗算於她。」

頓了一頓又道：「她不會防備我，蘭姊姊做夢也想不到，我沈霞琳也敢暗算她呀！」

楊夢寰點點頭道：「如若蘭姊姊有了警惕，咱們這些人，她該對琳妹妹最無戒心了。」

沈霞琳目光凝注在趙小蝶的臉上接道：「因此，你應該留這裏照顧他的傷勢，我去找蘭姊姊。」

趙小蝶道：「那成什麼話？你是他妻子，不留在這裏照顧他，要我留在這裏……」

沈霞琳緩緩接道：「不錯，楊夢寰是我的丈夫，你和蘭姊姊，都是我們的好姊姊，寰哥哥人緣好，大家都照顧他，小妹是由衷的感激不盡，很多年來，我內心之中一直存在著一種奇想，希望能有一天，咱們同住在水月山莊，或是同住天機石府。」

趙小蝶口齒啓動，欲言又止。

沈霞琳輕輕歎息一聲，接道：「不要擔心蘭姊姊，她和我有一樣的想法，我們並不完全是兒女私情，而是和整個武林大局有關，這些年來，武林中紛爭迭起，從未有過一日平靜，小妹的心意，是想請蘭姊姊出面主持，咱們幾人，合力同心，一口氣追殺了武林中所有的興風作浪之人，然後，再安撫好人，使武林中，能夠有幾年風平浪靜的日子。」

趙小蝶道：「唉！琳姊姊有這樣博愛的用心，小妹自當全力支持。」

沈霞琳苦笑一下道：「可是，眼下最重要的一件，是要先行說服蘭姊姊，除她之外，咱們的才智，都不足以主持大局。」

趙小蝶點點頭，道：「琳姊姊說得不錯。」

沈霞琳道：「你既然覺著我說得不錯，那就是答應我留這裏照顧他了。」

趙小蝶沉吟了一陣，道：「好吧！不過，他傷勢好了之後，我們要到哪裏找你們？」

沈霞琳道：「這個很難，不過，最遲也不過三個月，我們在衡山群豪大會之上相見。」

目光轉到楊夢寰的臉上，柔聲說道：「寰哥哥，恕我不能照顧你了，小蝶妹妹武功、智謀，無不勝我十倍，有她照顧你，我很放心，多多保重，我要去了。」

轉身緩步而去。

楊夢寰望著沈霞琳遠去的背影，歎息一聲，道：「她好像忽然長大了很多，懂得了很多事。」

趙小蝶道：「唉！人人都說琳姊姊胸無城府，但遇上了重大事故時，她卻是最爲堅強，也最有主見，比我強多了。」

楊夢寰道：「以往她不是如此，現在，她變了，變得十分堅強，一反過去的嬌弱、寡斷。」

趙小蝶長長吁一口氣，道：「長大了，總是要變的。」

伸出手去，扶起了楊夢寰接道：「我扶你找一個獵戶、樵家，去養息傷勢。」
楊夢寰道：「不用了，咱們找一處巖洞，能避風雨，就可以了。」
趙小蝶微微一笑，道：「好！我揹著你去找吧！」
楊夢寰道：「這叫在下如何敢當，還是扶著我走吧！」
趙小蝶道：「沈霞琳把你交給我，我總要盡我心力照顧你才是。」
不容楊夢寰再多分辯，一把抱起了楊夢寰向前行去。
楊夢寰輕輕歎息一聲，任那趙小蝶抱著趕路。

趙小蝶登上懸崖，四顧了一眼，直向東南方行去。
楊夢寰傷勢不輕，趙小蝶爲了要他安心養息，悄然點了他一處睡穴。
楊夢寰睡了過去，不知過去了多少時間。
醒來時，感覺到痛苦大減。
睜眼看去，只見趙小蝶釵橫、髮亂，汗透羅衣，想她適才定然爲自己療傷事費了很大的氣力，心中大爲感激。
趙小蝶舉手理一下散亂的長髮，說道：「你醒啦？」
楊夢寰道：「多謝姑娘爲我療傷。」
趙小蝶道：「沈家姊姊把你交給我，這自然變成我份內之事了……」
語聲微微一頓，道：「倒是心中藏有一件事，不知是否該告訴你。」

楊夢寰吃了一驚，道：「什麼事？」

趙小蝶道：「是關於那陶玉的事……」

楊夢寰道：「陶玉怎麼了。」

趙小蝶道：「死了。」

楊夢寰道：「我那童師姊呢？」

趙小蝶道：「也死了，橫屍在陶玉的屍體旁邊。」

楊夢寰輕輕歎息一聲道：「兩人屍體現在何處？」

趙小蝶道：「在不遠處，一座山洞之中。」

楊夢寰探首望望天色，已是快近午時，當下說道：「姑娘可否帶在下去瞧瞧呢？」

趙小蝶道：「我考慮是否告訴你，就是怕你去看，你此刻既不可悲慟，也不易行動，只能好好養息，我用真氣助你，再服用藥物，不但很快可以使傷勢好轉，而且對武功也有幫助，如若你不肯聽話，那就糟了……」

楊夢寰道：「我和童師姊同門學藝，情同手足，這些日子中，如非她從中相助，怕咱們此刻都爲陶玉暗算，既知她死亡之事，豈有不拜別遺容之理。」

趙小蝶道：「不看也罷。」

楊夢寰扶地而起道：「告訴我在哪個方向？」

趙小蝶看他意志堅決，心知難以攔阻，只好站起身子，道：「還是我抱著你去吧！」

抱起楊夢寰，放腿而行。

趙小蝶輕車熟路，片刻間，到了一個小泉匯集的小潭旁邊。

趙小蝶縱身而起，飛上懸崖，在一塊大突巖石上停了下來，伸手指著一座洞口，道：「瞧到了麼？」

楊夢寰凝目望去，果見兩具屍體，橫陳在洞中，輕輕歎道：「趙姑娘，放下我，我要仔細的瞧瞧。」

趙小蝶只好依言放下，扶著他行入洞中。

只見陶玉滿身殘破，倚在石壁間，前胸洞開，心肝俱被挖出！

童淑貞長劍穿心而過，面具完好，顯是挖了陶玉的心肝之後，自絕而死。

楊夢寰看了一陣，黯然說道：「你知道麼？我這位童師姊很愛陶玉，但陶玉卻騙了她，又把她置於死地，難怪她心中恨他至極了。」

趙小蝶望著兩具屍體躺在地上的情景，道：「她不但恨極了陶玉，而且也愛極了陶玉。」

楊夢寰道：「何以見得？」

趙小蝶道：「她如不愛陶玉，何苦陪他身死，她盡可一刀一刀的割死他，以消心中之苦。」

楊夢寰輕輕歎息一聲，道：「也許姑娘說得對，咱們把這座石洞作爲兩人安息之地，把洞口封起來如何？」

趙小蝶探首向下瞧了一陣，道：「你在洞中等著，我去搬些山石來。」

足足耗去了一個時辰之久，才算把洞口封好。

趙小蝶背起楊夢寰重回原地，說道：「看到那童淑貞和陶玉的下落，使我連想到那一件事來。」

楊夢寰道：「什麼事？」

趙小蝶道：「自然和你有關了。」

楊夢寰吃了一驚，道：「和我有關？」

趙小蝶道：「替你想想，也不禁爲你著急，蘭姊姊本是位超然物外，不染一塵的神般人物，但她亦無法克服俗人之見，認爲失貞於人，只有一條死亡之路可走……」

語聲頓了一頓，又道：「這和童貞淑貞失身陶玉，有些相似。」

楊夢寰道：「大大不同。」

趙小蝶道：「不同的是童淑貞真愛陶玉，有一半自願獻身之心，是麼？」

楊夢寰不願對死去的師姊，多作批評，望了趙小蝶一眼，未置可否。

趙小蝶突然問道：「蘭姊姊如若是真的被污，你準備作何打算？」

楊夢寰道：「蘭姊姊有一股華貴的氣質，想那天竺妖僧，也不敢真的對她無禮。」

趙小蝶道：「這是我們的看法，別人未必如此……」

語聲微頓，神情嚴肅的說道：「我是說，假如她真的遇了不幸呢？」

楊夢寰呆了呆道：「假如她真的遭遇了不幸，我……」

趙小蝶道：「嗯！唯一的辦法，就是你和她成親結爲夫婦，然後才能挽救她。」

楊夢寰道：「如若只有這一個辦法可以救得蘭姊姊，那也只好用這一個辦法了。」

趙小蝶微微頷首道：「你肯如此，蘭姊姊可就有救了……」

語聲微微一頓，接道：「你救了蘭姊姊，但自己是否會終身苦惱呢？」

楊夢寰道：「你是說……」

趙小蝶道：「我是說，如你發覺了蘭姊姊真的不幸已非完璧之身。」

楊夢寰輕輕咳了兩聲，道：「我沒有想過這件事，也不願去想它。」

趙小蝶正色道：「你必須要想它，作最壞的打算，如若一切都不幸料中，你該如何去應付它。」

楊夢寰苦笑了下，道：「好！我慢慢的想吧。」

趙小蝶不再多言，閉上雙目邊運氣調息，然後，再助楊夢寰療治內傷。

匆匆十日，楊夢寰傷勢已經完全痊癒，行動自如，神功盡復。

這十日以來，趙小蝶不但要照顧、療治楊夢寰的傷勢，而且還要爲兩人的吃喝大傷腦筋，楊夢寰養息之處，四外無人，趙小蝶必得先設法找到食用之物，才能燒來食用。

這日，天亮之後，楊夢寰已運氣試出自己傷勢全好，目注趙小蝶道：「趙姑娘，我很感謝你這些日子的照顧，目下我傷勢已好，也該去找蘭姊姊了。」

趙小蝶道：「奇怪的是，琳姊姊也沒有一點消息。」

楊夢寰道：「正因如此，才覺得事情嚴重。」

趙小蝶道：「爲什麼？」

楊夢寰道：「她知道我在此療傷，竟然一去不返，不是蘭姊姊不聽勸告，就是追蹤過遠，無法趕回了。」

趙小蝶道：「我們此刻去追她們，那也是無法知曉追向何處了。」

楊夢寰道：「天涯茫茫，一時間哪裏去找？」

趙小蝶道：「那也不能守在此地等啊！」

楊夢寰道：「咱們留下暗記，指出咱們去向，她們如能找來，就可依圖索驥，找到咱們去處了。」

趙小蝶道：「咱們也該有個去處才是，難道也是行無定址麼？」

楊夢寰道：「咱們到南嶽去！」

趙小蝶道：「不錯，琳姊姊也曾告訴過我。」

兩人立刻動手，趕奔南嶽衡山而去。

趙小蝶恐怕楊夢寰體力未復，不敢趕得太快，直行了六七日，才到衡山腳下。

楊夢寰暗中查看，似已有很多武林人物，化作遊客，四處散佈。

那些化裝之人，有甚多行動極不習慣，多都分守在各處要隘。

楊夢寰仔細查看一陣，已瞧出這些大都是少林、武當兩方門派中弟子改扮。

但那楊夢寰的左顧右盼，也引起少林、武當弟子的留心，傳出了暗號，監視著楊夢寰和趙

小蝶的舉動。

原來，兩人為了掩人耳目，也改了裝束。楊夢寰扮作一個采薪的樵子，趙小蝶扮作一個村女。

兩人極快發覺受人監視，楊夢寰故意帶著趙小蝶繞了半周，行入了一道小谷中去在一處大樹之下坐下。

趙小蝶道：「坐在這裏幹什麼？」

楊夢寰道：「借他們之口，傳出我們到此的消息。」

趙小蝶略一沉吟，道：「那很好，咱們傷他們幾人，也可使消息傳快一些。」

兩人談話之間，忽見一人，長髯青袍，手執龍頭拐，急奔而來。

楊夢寰眼看來人正是岳父海天一叟李滄瀾，不便再裝，只好上前拜見。

李滄瀾道：「你來得很好，我正要找你……」

目光一抬，望了趙小蝶一眼，道：「這位是趙姑娘麼？」

趙小蝶一欠身，道：「正是晚輩。」

李滄瀾道：「你們隨我來吧！」

轉身行去。

楊夢寰道：「這四周遊客都是少林、武當弟子。」

李滄瀾一面趕路，一面應道：「嗯，怎麼樣？」

楊夢寰輕輕歎息一聲，道：「這衡山群豪大會，不用舉行了！」

李滄瀾道：「為什麼？」

楊夢寰道：「那陶玉已經死去，這衡山大會，還要舉行什麼？」

李滄瀾突然停下腳步，道：「你看到他的屍體？」

楊夢寰道：「小婿掩埋了他的屍體。」

李滄瀾道：「只有他一個人麼？」

楊夢寰道：「還有我童師姊，雙屍並陳，情仇了了。」

李滄瀾道：「果然是這樣一個結局，不出老夫之料。」

楊夢寰奇道：「怎麼？岳父似是已經知曉了。」

李瀾滄道：「沈霞琳已經對我說過了。」

楊夢寰道：「霞琳已到了此地？」

李滄瀾點點頭，道：「昨夜到此……」

語聲微微一頓，接道：「寰兒，我要勸你幾句話。」

楊夢寰道：「小婿洗耳恭聽。」

李滄瀾道：「通權達變，別太固執，這一代武林人物，盡為巾幗女傑，你卻是唯一可和她們並入大成的人，紅兒、琳兒，都對我說過，令尊、令堂，也不反對……」

楊夢寰道：「紅妹也來了麼？」

李滄瀾道：「來了，她還比琳兒早來一月。」

趙小蝶插口道：「蘭姊姊呢？來了沒有。」

李滄瀾拂鬚笑道：「一起到此，平日柔弱的琳兒，此刻堅強無比，行令佈陣，頗有大將風度，我在一側觀察，也不禁爲之心折，其當機立斷的才智，和處置事情的明快手法，和過去那等嬌弱溫文的模樣，完全判若兩人。」

楊夢寰不再接口，緊皺一雙劍眉，默然而行。

轉過兩個山角，到了一個竹籬環繞的茅舍前面，李滄瀾輕輕咳了一聲，道：「你們的事，你們自己去商量吧！我要告訴你的，是我和令尊，都同意了琳兒的作法。」

言罷，轉身自去。

趙小蝶正待舉手推門，籬門已呀然而開，沈霞琳一身白衣，緩步迎了出來，道：「想不到你們來得這麼快？」

楊夢寰口齒啓動，欲言又止，緊隨在沈霞琳身後，行入廳中。

只見李瑤紅一身青衣，含笑迎來。

楊夢寰急道：「爹娘好麼？」

李瑤紅道：「公婆都很好。」

微微一笑，接道：「妾身來此時，婆婆告訴我一件事……」

楊夢寰急道：「什麼事？」

李瑤紅道：「婆婆有一道手諭給我，要我代她作主。」

楊夢寰道：「作什麼主？」

李瑤紅嗤的一笑，道：「妾身權在手，只好把令行，不論什麼事，你聽我的那就沒錯。」
不容楊夢寰再問話，卻和趙小蝶低聲談了起來。
沈霞琳行了過去，三女立時直攜入內室，把楊夢寰一人冷落廳中。
大約過了有一盞茶工夫之久，三女又相攜而出。
李瑤紅唯一的右手，高舉著一雙白箋，道：「這是娘的手諭，你先看看是否真實？」
楊夢寰抬頭看去，果然是母親手筆，只見上面寫道：見字如見娘。
楊夢寰伏拜於地，行了大禮，才繼續看去，但見寫道：紅兒代娘行命，吾兒須得依從。
一十二個大字。
這一道手諭，只看楊夢寰呆呆的說不出話來。
李瑤紅收起令諭，道：「看清楚了麼？」
楊夢寰道：「看清楚了。」
沈霞琳道：「你如不聽紅姊姊吩咐的話，那就是抗娘手令，大逆不道。」
楊夢寰站起身子，道：「紅妹有什麼事？」
李瑤紅道：「娘已答應蘭姊姊為你正室，我和琳妹妹，身居側位……」
沈霞琳接道：「還有小蝶妹妹……」
趙小蝶接道：「小妹追隨幾位姊姊，作個聽命丫頭。」
沈霞琳道：「除了蘭姊姊，身為正室之外，咱們三姊妹，沒有大小，唉！我一直有此心願，蝶妹妹不用推辭了。」

楊夢寰道：「荒唐，荒唐，成何體統！」
李瑤紅道：「你在說娘麼？」
楊夢寰道：「這個我怎麼敢，你們作此決定，小兄，絕難……」
李瑤紅接道：「都是娘的主意，我們可不敢替你作主，你要不依，日後對娘去說。」
沈霞琳道：「哪裏荒唐了，你倒說說看。」
楊夢寰道：「這個這個……」
只覺措詞很難，這個了半天，這個不出所以然來。
沈霞琳緩緩說道：「不用這個那個了，人家蘭姊姊金枝玉葉，蝶妹妹天仙化人，委身相侍，已是屈從，你還有什麼話說？」
楊夢寰道：「楊某何能何德，怎能消受此等恩寵，不能胡鬧啊！」
沈霞琳道：「哼！誰跟你胡鬧了，紅姊姊代娘行令，說一是一，說二是二，你有膽子不聽麼？」
李瑤紅道：「咱們立刻趕往天機石府，你先和蘭姊姊完成嘉禮。」
沈霞琳道：「蘭姊姊待你如何？」
楊夢寰道：「恩重如山。」
李瑤紅道：「你報答她的是見死不救。」
趙小蝶道：「眼下只有這一個辦法可以救她，除非你希望她死。」
楊夢寰沉吟了一陣，道：「唉！你們這等作法，那是逼我走極端了。」

李瑤紅道：「你是爹娘獨子，難道要棄去二老不顧？」

沈霞琳道：「我和紅姊姊，已是你的妻子，你想一死了之，要我們爲你守節？」

楊夢寰雙手抱頭，緩緩說道：「不要逼我太甚，讓我想想如何？」

沈霞琳道：「想什麼？父母有命，媒證齊全，我和姊姊，情甘禮讓，你還不肯答應，真不知安的什麼心腸。」

李瑤紅道：「一月之內，爹娘亦將趕到天機石府，爲你主婚。」

沈霞琳道：「九大掌門，都特致送重禮，賀武林從此太平。」

楊夢寰道：「此地的事呢？」

李瑤紅道：「陶玉既死，禍患已除，自有爹爹善後，用不到你費心。」

沈霞琳笑道：「去看看蘭姊姊！她一直睡得很甜。」

楊夢寰心頭一片茫然，亦不知是喜是愁，緩緩行入內室。

只見朱若蘭側身而臥，秀目微閉，髮堆枕畔，一抹陽光，射進房來，照著秀美的輪廓，更顯得容色艷麗。如花盛放。

全書完

臥龍生武俠經典珍藏版 20

風雨燕歸來（四）大結局

作者：臥龍生
發行人：陳曉林
出版所：風雲時代出版股份有限公司
地址：10576台北市民生東路五段178號7樓之3
電話：(02) 2756-0949　　傳真：(02) 2765-3799
執行主編：劉宇青
美術設計：許惠芳
行銷企劃：林安莉
業務總監：張瑋鳳
出版日期：臥龍生60週年珍藏版 2022年6月
ISBN ：978-986-5589-65-3
風雲書網：http://www.eastbooks.com.tw
官方部落格：http://eastbooks.pixnet.net/blog
Facebook：http://www.facebook.com/h7560949
E-mail：h7560949@ms15.hinet.net
劃撥帳號：12043291
戶名：風雲時代出版股份有限公司

風雲發行所：33373桃園市龜山區公西村2鄰復興街304巷96號
電話：(03) 318-1378　　傳真：(03) 318-1378
法律顧問：永然法律事務所 李永然律師
　　　　　北辰著作權事務所 蕭雄淋律師

行政院新聞局局版台業字第3595號 營利事業統一編號22759935

定價：320元　

國家圖書館出版品預行編目資料

風雨燕歸來／臥龍生 著. -- 臺北市：風雲時代出版股份有限公司，2021.06- 冊；公分（臥龍生武俠經典珍藏版）
ISBN：978-986-5589-62-2（第1冊：平裝）
ISBN：978-986-5589-63-9（第2冊：平裝）
ISBN：978-986-5589-64-6（第3冊：平裝）
ISBN：978-986-5589-65-3（第4冊：平裝）

863.57　　110007327